KB094609

무소 장편소설 **집사님은 폭군 사육 중?!** 3

위즈덤하우스

차 례

1

Newcomer

❀

"……어떡하지."

방으로 돌아온 나는 1시간째 계속 침대 위에만 누워 있었다.

'아무것도 하고 싶지 않았다.'

오늘 오후에 수업이 없어서 정말 다행이었다. 이 상태로는 수업을 듣는다고 한들 하나도 소화하지 못할 것 같았으니까.

"알아차린 것 같은데……."

"뭘요?"

"으악, 깜짝이야!"

갑작스럽게 들려오는 목소리에 나는 소스라치게 놀랐다. 그런 내 반응에 리셸이 더 당황한 얼굴이었다.

"제가 더 놀랐답니다, 영애."

"인기척 좀 하고 들어오지……."

"했어요. 노크까지 했는데 응답이 없으셔서."

어깨를 으쓱인 리셸이 궁금한 얼굴로 물었다.

"설마 또 고민이 있으신 거예요?"

그 '또' 한 번의 고민도 레이놀즈와 관련된 것이었다.

'어째 네로와는 떨어지려야 떨어질 수가 없구나.'

나는 어색하게 웃으면서 고개를 저었다.

"나도 모르겠어."

"영애께서 모르시면 누가 알아요."

"그러게나 말이다."

냉정하게 말하면 나는 내 마음을 알고는 있었다. 정확히는 몰라도 어렴풋이는 알았다. 문제는 그걸 레이놀즈도 눈치챘다는 점이다.

'물론 그렇다고 해도 인정할 마음은 없지만.'

그냥 모르는 척하고 가만히 방치해 두면 스스로 사그라지지 않을까? 나는 그렇게 생각했다.

"영애."

그때 바깥에 있던 아니스가 나를 부르며 안으로 들어왔다. 나는 여전히 누워 있는 상태로 물었다.

"무슨 일이야, 아니스?"

"저, 그게……."

아니스는 난감해하는 표정으로 주저하다가 말했다.

"폐하께서 오셨어요."

"뭐?"

믿을 수 없는 이야기에 나는 눈을 동그랗게 떴다. 레이놀즈가 내 방으로 온 적은 단 한 번도 없었기 때문이었다. 내가 당황한 목소리로 물었다.

"왜? 어째서?"

"그건 저도 잘……. 말씀해주시지 않으셨어요."

"……일단 안으로 모셔."

황제를 문전박대할 수는 없는 노릇이었다.

'그래도 그렇지. 아까 그렇게 헤어진 지 얼마나 됐다고!'

한 시간이 좀 넘었나? 아, 다시 만나기에는 너무 짧은 시간이었다.

'난 아직 마음의 준비가 안 됐는데!'

하지만 그런 내 마음과는 상관없이, 레이놀즈는 안으로 들어왔다. 나는 빠르게 누워 있느라 구겨졌던 옷매무새를 정리한 다음 그를 맞아들였다.

"제국의 태양, 황제 폐하를 뵙습니다."

"영애는 인사가 간결해서 좋아."

"……?"

비꼬는 건가? 순간 당황했다.

"더 길게 해드릴까요?"

"칭찬이야."

별로 칭찬처럼 들리지는 않았지만, 그렇다고 말하니 그냥 믿기로 했다. 나는 얼떨떨한 표정으로 고개를 끄덕인 뒤 테이블에 앉았다. 잠시 후 아니스가 들어와 따뜻한 김이 피어오르는 찻잔과 머랭을 가지고 들어왔다. 이 어색한 분위기에 달콤한 머랭이라니. 그나마 다행이었다.

"무슨 일로 오셨는지……."

나는 빠르게 용건부터 물었고, 레이놀즈 역시 빠르게 대답했다.

"사과하고 싶어서."

"사과요……?"

나는 당황한 얼굴로 그를 쳐다보았다. 사과는 사실 그가 아니라 내가 해야 했다. 황제와 이야기하던 중 아무 말도 없이 바깥으로 뛰쳐나가는 무례를 저지르고 말았으니까. 그래서 그 말이 내 양심을 콕콕 찔렀다.

"무슨 사과를……."

"무디어스 공녀와 춤춘 것 말이야."

그가 내 눈을 빤히 쳐다보며 말했다.

"질투 나서 그랬어."

"……네?"

"영애가 루퍼트와 춤추는 모습을 보고 나서, 질투가 나서 그랬다고."

"그게 무슨 말씀이신지……."

"내가 무디어스 공녀와 춤을 추면 영애가 그런 날 보고 질투해 주지 않을까."

"……."

"그런 기대가 있었어. 그래서 그랬던 거야."

짧고 간결한 설명을 마친 뒤에, 그는 어벙한 얼굴의 나를 바라보며 사과했다.

"미안해. 짧은 생각이었던 거 같아. 솔직히 지금은 후회해."

"뭘요?"

"한순간의 충동으로 영애의 마음을 상하게 만든 것 말이야."

"……."

"내가 옹졸했어. 그러면 안 되는 거였는데."

이어지는 그의 사과에 나는 여전히 당황한 표정이었다. 갑자기 이렇게 사과를 하는 까닭을 알 수가 없었다.

"군이 제게 사과하실 필요가……. 사실 폐하께서 누구와 춤을 추시든, 제가 간섭할 일은 아니잖아요."

"그렇지만 영애는 그 모습을 보고 기분이 나빴잖아."

"……."

"그렇지?"

나는 할 말을 잃고 레이놀즈를 쳐다보았다. 이건 사과가 아니다. 사과를 빙자한 유도신문이라면 모를까.

여기서 기분이 나빴다고 말하면 아까 대답하지 못했던 내 마음을 인정하는 꼴이 되어 버린다. 그렇다고 해서 기분이 안 나빴다고 말하면 아까 내 행동과 모순이 생긴다.

'……미치겠군.'

이런 식으로 사람 곤란하게 만들려고 찾아온 건가? 입술을 달싹거리며 아무 말도 하지 못하고 있는데, 레이놀즈가 다시 입을 열었다.

"그리고 다른 할 말도 있고 해서."

다행히 다른 화제였다! 나는 냉큼 그가 던진 떡밥을 물었다.

"다른 하실 말씀…… 뭐요?"

"중앙궁에 새 시녀가 들어올 거야."

"새 시녀요?"

나는 어리둥절해졌다. 그걸 왜 나한테 말하는 거지?

"제가 아는 사람인가요?"

"아마 모를 거야."

그가 조용한 목소리로 말을 이었다.

"무디어스 공녀라고."

"……."

"혹시 알아?"

……알았다. 알아도 너무 잘 알아서 문제였다. 나는 당황스러움을 순간 감추지 못했고, 레이놀즈는 그런 내 반응을 보고 물었다.

12

"왜 그래?"

"네?"

"아는 사람이야?"

그렇게 물어오는데 대답이 늦어졌다.

그러자 그가 빠르게 머리를 굴리더니 질문 하나를 다시 던져 왔다.

"그자가 영애를 괴롭히기라도 했나?"

"네? 아, 아뇨!"

나도 모르게 거짓말이 튀어나왔다. 왜냐하면 여기서 '네!'라고 대답하면서 어제 무도회장에서 있었던 일을 말해주면…… 메리언에게 무슨 불똥이 튈지 아무도 몰랐기 때문이었다.

물론 내가 그녀를 예뻐한다거나 그녀에게 우호적인 감정이 있어서 이러는 건 절대절대 아니었다. 난 메리언이 싫었으니까.

하지만 레이놀즈가 이 사실을 알게 되었을 때 메리언에게 닥치게 될 후폭풍은 솔직히 걱정됐다.

"괴롭힐 리가요. 그냥 잠깐 봤어요. 그래서 얼굴만 알아요. 그게 다예요."

나는 빠르게 그를 안심시킨 다음 그에게 물었다.

"그런데 듣기로 중앙궁에 미혼 시녀는 저 하나라고 들었는데. 갑자기 마음을 바꾸신 이유가 있으세요?"

그것도 하필이면 '그' 메리언으로 말이다. 나와는 첫 만남부터 최악이었고, 레이놀즈와 춤을 추는 바람에 날 신경 쓰이게 만든 그 여자를!

"무디어스 공작과 거래를 했어."

"거래요?"

내가 눈을 동그랗게 뜨고 묻자, 레이놀즈는 빙긋 웃으며 딴 얘기를 했다.

"눈 그렇게 뜨니까 귀엽네."

그 말에 나는 빠르게 눈을 감아 버렸고, 레이놀즈는 그것도 귀엽다는 듯 낮게 웃었다.

"무디어스 공녀를 중앙궁의 시녀로 들이면, 다시는 그녀를 황후로 맞으라 잔소리하지 않겠다더군. 귀족들이 황후를 책립하라는 말을 하는 것도 막아 주겠다고 했어."

"……그걸 조건으로 무디어스 공녀를 중앙궁에 들이는 건가요?"

"그래."

그가 부드럽게 미소 지으며 고개를 끄덕였다.

"혹시 그녀의 존재가 신경 쓰인다면, 지금이라도 거절할게."

나는 순간 말문이 막혔다. 참 극단적인 상황이었다. 레이놀즈를 좋아하는 사람을 같은 주거 공간에서 종일 보느냐, 아니면 레이놀즈에게 계속해서 황후를 – 심지어 유력한 상대가 메리언이었다 – 책립해야 한다는 잔소리가 들려오느냐.

솔직히 말하자면 둘 다 별로 좋지 않았다.

'그래도……'

나는 한 사람만 상대하면 되지만, 레이놀즈는 수많은 노련한 귀족들을 상대해야 할 테니까. 무엇보다 레이놀즈는 아직 내가 메리언과 반목한 사실을 모르는 상황이었다.

그런 상태에서 내가 메리언을 싫다고 말하면 레이놀즈는 내 말이 거짓말이라는 걸 알아차리거나, 아니면 내가 그녀를 질투해서 거절한다고 생각할지도 몰랐다.

둘 다 별로였다. 나는 흔쾌히 고개를 끄덕였다.

"전 상관없어요."

"……정말?"

"네."

내 말에 레이놀즈의 표정이 조금 안 좋아졌다.

내가 메리언이 신경 쓰인다고 말하기를 바란 눈치였다.

'솔직하게 말해서 신경이 안 쓰인다면 거짓말이겠지.'

하지만 지금 상황에서는 이게 최선이었으니까. 요양까지 다녀와서 겨우 건강을 회복한 그가 괜한 스트레스로 다시 건강을 망치는 걸 원치 않았다.

"신경 쓰이지 않아?"

레이놀즈가 조금 언짢은 듯한 목소리로 물어왔다. 나는 잠시 고민하다 입을 열었다.

"대신 폐하께서 스트레스 안 받으실 거잖아요."

"……."

"그걸로 만족해요."

그게 내 솔직한 대답이었다. 설령 그에게 일체의 사심이 없었더라도, 충심으로서 나는 기꺼이 그렇게 했을 것이다. 그때 내 대답을 들은 레이놀즈의 표정이 갑자기 기묘하게 변했다. 왜 그러나 싶어 물어보려는데, 그가 돌연 일어나더니 내게 가까이 다가왔다.

"아……."

그리고 피하기도 전에 나를 안아왔다. 갑작스러운 포옹에 나는 얼굴이 빨개진 채 바보처럼 말을 더듬거렸다.

"폐, 폐하……."

"정말."

감격에 젖은 낮은 목소리가 나를 멈추게 만들었다.

"사랑하지 않을 수가 없네."

"내 주인님."

그 말을 듣자, 갑자기 온몸에서 힘이 풀렸다. 나는 아무 말도 하지 못하고 입술만 달싹거리며 그대로 레이놀즈의 품에 안겨 있었다. 주변에 하녀들이 없어서 정말 다행이라고 생각하면서.

"……과도한 스킨십 금지, 잊으셨어요?"

한참 후에야 나는 궁색하게 각서 내용을 꺼내 들었다. 하지만 레이놀즈는 그 말을 듣고도 물러나기는커녕 내 어깨에 얼굴을 파묻기까지 하며 조용한 목소리로 중얼거렸다.

"이건 과도한 스킨십 아니야."

"……맞는데요."

"진짜 과도한 스킨십이 뭔지 보여줘?"

레이놀즈가 웃음기 띤 목소리로 묻더니 천천히 얼굴을 들어 올렸다. 그 바람에 우리 두 사람의 거리가 지나치게 가까워졌다. 서로의 숨결까지 느껴지는 밀착된 거리에, 내 눈은 긴장과 당황으로 크게 떠진 채 깜빡거리기를 반복했다.

그런 나를 레이놀즈가 빤히 바라보았다. 마치 이 세상에 남겨진 사람이 오로지 나 하나라는 것처럼. 스스로를 비출 수 있는 방법이 오직 내 눈을 바라보는 것뿐이라는 것처럼. 서로의 침묵이 야릇한 분위기를 자아냈고, 나는 금방이라도 무슨 일이 벌어질 것만 같아서 문득 두려워졌다.

내 눈에 그런 속내가 드러났을까. 그는 물끄러미 바라보다가 슬며시 입꼬리를 끌어 올려 미소 지었다. 그러더니 그 상태에서 조용히 속삭였다.

"……안 되겠다."

안심이 되는 한마디였다. 하지만 내 심장은 아까보다 더 요란한 소리를 내며 뛰기 시작했다.

"정말 해버리면."

"……."

"도망가버릴지도 몰라, 내 주인님은."

나는 아무 말도 하지 못하고 레이놀즈를 빤히 쳐다보기만 했다. 그런 나를 레이놀즈도 똑같이 바라보았다.

"고양이는 난데, 왜 내 주인님이 더 고양이처럼 굴까?"

부드럽게 물어오는 목소리가 사람을 견딜 수 없게 만들었다. 나는 붉어진 얼굴로 홱 고개를 돌렸다. 그런 내 모습을 보고 레이놀즈가 미소 짓고 있을 거라는 게 짐작이 갔다.

"……용건은 그게 전부인가요?"

"아마도?"

"그럼 이제 가주세요."

내 대답에 그가 황당한 표정을 지었다.

"지금 나…… 쫓아내는 거야?"

"쫓아내다뇨. 폐하께서는 바쁘신 분이니 여기서 더 시간을 낭비하시면 안 되지요."

"낭비라니."

그가 헛웃음 섞인 목소리로 중얼거렸다.

"되게 서운한 말이네. 난 한 번도 영애와 보내는 시간을 낭비라고 생각한 적 없는데."

"바쁘신 분이시잖아요. 괜한 데에 시간을 쓰시는 건……."

"영애는 나와 보냈던 시간들이 낭비라고, 한 번이라도 생각해본 적 있어?"

역으로 질문이 들어오자 나는 곧바로 대답하지 못했다. 그건 할 말이 없어져서도, 그 질문에 긍정해서도 아니었다. 나 역시 단 한 번도 그렇게 생각해본 적 없었기 때문이었다.

그리고 그 대답이 내 말문을 막히게 했다.

"다행이다."

그리고 내 침묵에도 그는 대답을 얻어 냈다는 듯, 마치 눈빛만 보고도 내 속을 알겠다는 듯 미소 지었다.

"하마터면 상처받을 뻔했잖아."

"……전 아무 말도 안 했는데요."

"방금 그 눈빛을 보고도 모를 사람은 없을 거야."

레이놀즈가 다시 미소 지었다. 내 앞에서 그는 미소가 상당히 헤픈 느낌이다. 다른 사람에게는 단 한 번도 그런 미소, 보여준 적 없으면서…….

그게 싫다는 건 아니었다. 다만 기분이 기묘하기는 했다.

"같이 저녁 먹을까? 곧 저녁 시간인데."

"생각 없어요."

"왜 생각이 없어."

"배가 안 고파서요."

"끼니를 거르는 건 좋지 못한 습관이야."

그가 나를 부드럽게 타일렀다. 꼭 유치원 선생님에게 혼나는 어린아이가 된 기분이다.

"같이 먹자, 응?"

"……."

"혼자 먹기 싫어."

마지막 말이 결국 내 마음을 움직였다. 나는 한숨을 내쉬며 고개를 끄덕였다. 어쩌면 나는, 절대로 이 남자를 못 이길지도 모르겠다는 생각과 함께.

❧ ❧ ❧

결국 레이놀즈와 함께 저녁을 먹은 뒤에야 나는 그에게서 벗어날 수 있었다. 방으로 돌아온 뒤 나는 목욕하고 잠자리에 들 준비를 했다. 젖은 머리카락을 말려주면서, 에이미가 물어왔다.

"그런데 아까 폐하께서는 왜 오신 거예요, 아가씨?"

"정말 저녁 식사만 제안하러 오신 건가요?"

리셸도 궁금하다는 목소리로 물어왔다. 나는 메리언이 시녀로 입궁할 거라는 사실을 말해야 할지 말아야 할지 고민하다가, 숨긴다고 없어질 문제도 아니라 그냥 이야기하기로 했다. 어차피 머지않아 모두가 알게 될 이야기기도 했고.

"무디어스 공녀를 중앙궁 시녀로 들일 계획이라고 하셨어."

그리고 내 말을 들은 에이미와 리셸의 표정은 빠르게 일그러졌다.

불쾌하다는 의사 표현이 너무 적나라해서, 나는 거울에 비친 두 사람의 모습을 보고 저도 모르게 웃음을 터뜨렸다.

"아가씨, 지금 웃음이 나오세요?"

"세상에, 무디어스 공녀와 같은 궁전에서 살게 되다니……."

둘 다 끔찍하다는 반응이었다. 특히나 리셸은 나와 함께 눈앞에서 무디어스 공녀의 만행을 목격했기에 더 싫어하는 듯했다.

"폐하께서 무디어스 공녀가 영애에게 한 행동을 모르세요?"

"그런 눈치였어."

"왜 말씀하지 않으셨어요?"

에이미가 답답하다는 목소리로 물었다.

"아가씨가 말씀하셨다면 폐하께서는 절대 무디어스 공녀를 시녀로 들이지 않으실걸요? 지금이라도 안 늦었어요. 말씀드리세요."

"괜찮아, 에이미."

"왜요, 아기씨."

에이미는 이해할 수 없다는 목소리였다.

"설마 무디어스 공녀가 마음에 드세요?"

"말도 안 돼. 그럴 리가."

"그럼 도대체 왜……."

"무디어스 공녀가 입궁하는 조건으로 귀족들이 폐하께 더 이상 황후 책립을 건의 드리지 않기로 했대."

"……."

"무디어스 공작이 그렇게 만들겠다고 약속한 모양이더라고."

"그래서 말씀드리지 않으시겠다는 거예요?"

"나 하나만 참고 견디면 될 문제야. 그리고 무디어스 공녀가 내게 직접적으로 해를 입힌 적도 없잖아."

"그렇지만 그 여자 성격상 분명 아가씨를 못마땅하게 생각할 걸요?"

"저도 에이미의 말에 동의해요, 영애. 분명 뒤에서 수상쩍은 일을 꾸밀 거예요."

"만약 그렇다면 내가 잘 피해 가면 그만이야."

나는 별로 걱정이 되지 않았다. 내가 너무 태평한가 싶다가도, 무슨 일이 일어나봤자 얼마나 큰일이 일어나겠느냐는 생각이었다.

"그리고 그때 일을 말씀드리면, 폐하께서 격노하실지도 몰라."

"그러니 더더욱 말씀드려야죠."

"폐하께서 괜히 무디어스 가문에 분풀이를 하실까 봐 겁나. 그런 걸 부추기고 싶지는 않아."

괜히 내 말이 그의 악명을 드높이는 데 기여할까 봐 두려웠다.

나는 그를 돕기 위해 온 것이지, 해가 되려 온 것이 아니니까.

"매력적인 제안이야. 무디어스 공작이 아무럼 한 입으로 두말을 하지는 않겠지. 무엇보다, 자기 딸을 황후로 들이라고 말하는 일도 두 번 다시 없을 거라고 말했어."

"대신 무디어스 공녀를 폐하의 곁에 머물게 하면서 황은을 입게 하려는 속셈이겠지요."

"투명하기는. 속이 빤한 게 웅큼해요."

나는 낮게 웃으며 맞장구쳤다.

"내 생각도 그래."

그 말을 듣고서도 이상하게 걱정이 되지 않았다. 내가 너무 레이놀즈를 믿는 걸까.

'설령 그렇게 된다고 해도 어쩔 수 없지.'

그는 황제고, 원하는 건 뭐든 마음대로 할 수 있으니까. 그가 어떤 행동을 하든 그걸 비난하거나 뭐라고 할 권리는 내게 없다. 나는 차분한 목소리로 말을 이었다.

"다들 지레 걱정할 필요는 없어. 만약 무슨 짓을 벌인다고 해도, 나도 호락호락하게 넘어갈 생각은 없으니까."

사실 가장 좋은 건 그녀가 나를 건드리지 않는 것이었다.

하지만 그건 정말로 내 희망 사항에 불과했다.

❧ ❧ ❧

메리언의 입궁은 빠르게 결정되었다.

레이놀즈에게 메리언이 시녀로 입궁하게 될 거라는 이야기를 듣고 정확히 일주일 후에 그녀가 입궁했으니까.

참고로 메리언의 입궁이 결정된 뒤 맥켈리드 백작부인은 별로 좋아하지 않는 눈치였다. 그녀는 이미 지난번 메리언의 인상이 나쁘다며 그녀에 대한 안 좋은 평을 내린 적이 있었다.

"어서 오세요, 무디어스 공녀. 제가 이 중앙궁의 시녀장입니다. 맥켈리드 백작부인이라고 부르시면 됩니다."

하지만 그런 속내와는 다르게, 맥켈리드 백작부인은 정중한 태도로 메리언을 맞아 주었다.

"이쪽은 사토르디 영애입니다. 공녀보다 먼저 중앙궁에 입궁해서 폐하를 모시고 있지요."

맥켈리드 백작부인의 소개에 나는 형식적으로 미소 지으며 그녀에게 인사를 건넸다.

"유리네트 조셋 엘 사토르디입니다, 무디어스 공녀."

"메리언 비쥬 생 무디어스입니다, 사토르디 영애."

똑같이 스스로를 소개한 메리언이 기묘한 미소를 지으며 내게 물었다.

"우리 구면이죠?"

구면이었다. 그리 좋지 않은 첫 만남을 공유하긴 했지만.

"앞으로 잘 지내봐요. 함께 폐하를 모시는 처지로서, 자주 이야기도 나누고요."

"……네. 그러죠."

대단하다면 대단했다. 스스로가 내게 했던 언행은 기억나지조차 않는 것일까. 나라면 부끄러워서 이렇게 스스럼없이 인사를 건네지는 못할 텐데. 여러모로 범상치 않은 여자였다.

"저는 어떤 방을 쓰게 되나요, 맥켈리드 백작부인?"

메리언이 설레는 목소리로 맥켈리드 백작부인에게 물었고, 맥켈리드 백작부인은 메리언을 흘긋 바라보다 입을 열었다.

"따라오세요."

그리고 두 사람은 점차 내게서 멀어져갔다. 나는 그녀와 인사를 나눈 것만으로도 피곤함을 느끼며 내 방으로 되돌아왔고, 이따 있을 수업 전까지 잠깐 눈을 붙이기 위해 침대에 누워 천천히 눈을 감았다. 그리고 얼마나 지났을까.

"영애."

바깥에서 아니스의 목소리가 들려왔고, 나는 그 바람에 선잠에서 깨 버리고 말았다. 내가 살짝 졸음이 느껴지는 목소리로 물었다.

"무슨 일이야?"

"아, 주무시고 계셨어요?"

"괜찮아. 무슨 일이야?"

"그게……."

아니스의 머뭇거리는 목소리가 잠시 후, 뜻밖의 대답을 만들어냈다.

"무디어스 공녀께서 오셨어요."

"……무디어스 공녀?"

예상치 못한 이름에 나는 어리둥절해 했다. 그녀가 나를 찾아올 이유가 있었던가? 나는 잠시 머뭇거리다가 다시 입을 열었다.

"안으로 모시도록 해."

어쨌든 찾아온 손님을 문전박대할 수는 없는 노릇이다.

나는 부스스한 기운을 떨쳐내며 자리에서 일어났다. 살짝 흐트러진 옷매무새를 가지런히 정리하고 있는데, 문이 열리고 메리언이 안으로 들어왔다.

"무디어스 공녀께서 여기까지는 어쩐 일이신지……."

하지만 그녀는 내 질문에 답하는 대신, 마치 염탐을 하러 온 사람처럼 내 방을 둘러보기 시작했다. 모르는 사람이 보면 집을 보러온 사람인 줄 알 정도로 내 방을 꼼꼼하게 보는 것이었다.

니는 그런 그녀의 행동에 불쾌감을 느끼고 눈살을 찌푸렸다.

"공녀, 지금 이게 무슨 행동이죠?"

"보면 모르나요. 방을 둘러보고 있잖아요."

"……그러니까 왜 그런 짓을."

"확인해 보고 싶어서요."

확인해? 무얼?

내 미간이 더 좁혀졌다. 그리고 이어지는 목소리는 말문을 막히게 만들었다.

"내 방보다 크네요."

"……네?"

"이 방이 내 방보다 크다고요."

그 말에 나는 그녀가 내 방을 찾은 이유를 알아차렸다. 나는 황당함을 감추지 못하고 입을 떡 벌렸다. 하지만 이런 내 반응에도 메리언은 태연했다. 모르는 사람이 본다면 이 상황에 아무런 문제가 없는 줄 알 정도로.

"……지금 제 방과 공녀의 방 크기를 재러 여기 오신 건가요?"

"네."

당당하게 대답하는 모양새가 대단했다. 저 뻔뻔함은 도대체 어디에서 오는 걸까. 메리언은 지금 이 상황이 전혀 무례하다고 여기지 않는 모양이었다. 저 반응을 보니 확실했다.

"근데 제 방이 더 작네요."

"……그래서요?"

"방을 바꿀까 생각 중이에요."

"……."

나는 여기서 완전히 할 말을 잃었다. 그리고 이 얼토당토않은 요구를 받게 될 맥켈리드 백작부인에게 마음속으로나마 유감을 표했다. 아마 이 일로 백작부인은 메리언을 더 싫어하게 될 것 같다고 생각하면서.

"볼일 끝나셨으면 이만 나가주세요."

더 상대하고 싶지가 않아졌다. 하지만 내 말에도 메리언은 나가려는 기미를 보이지 않았다. 그저 나를 빤히 바라보기만 할 뿐.

나는 그런 그녀의 태도에 마음속에서 좋지 못한 기분이 꿀렁꿀렁 올라오는 것을 느꼈다. 이상하게 불길한 느낌이 드는 여자다.

"황후가 되고 싶어요?"

나를 계속 응시하다 물어오는 질문이 이런 거였다. 급작스러운 질문에 당황한 내가 아무 말도 하지 못하는 사이, 메리언이 그런 나를 향해 다가왔다. 나는 주춤거리며 뒤로 물러났다. 어느새 내 발걸음은 침대 쪽으로 향하고 있었다.

"아!"

결국 발이 침대에 걸려 뒤로 주저앉고 말았다. 나는 여전히 내게 가까이 다가오는 메리언을 미간을 좁히며 바라보았다. 갑자기 왜 이러는 건지 알 수가 없었다.

그녀는 침대 위에 앉은 나를 가만히 바라보다가 시선을 침대 전체로 옮겼다. 첫인상부터 좋지 않다고 생각했지만, 단둘이서 이야기할 기회가 생기니 이상한 여자라는 생각만 더해졌다.

이 상황이 몹시 불편해진 내가 입을 열려던 찰나였다.

"황후가 되고 싶어요, 레이디 유리네트?"

다시 한번 물어오는 음성이 아까보다 차가웠다. 나는 메리언을 빤히 바라보다 대답했다.

"……대답해야 하나요?"

"그렇게 묻는 걸 보니. 맞나 보네요."

대답이 이미 나왔다는 표정에 나는 할 말을 잃었다. 이 사람아, 묵비권 몰라, 묵비권? 대답하기 싫은 게 어떻게 맞다는 뜻이 될 수 있어?

……진짜 답 없네, 이 여자.

"폐하를 여기서 모신 적이 있나요?"

이어지는 질문에 나는 얼굴이 새빨개졌다. 야, 야, 너…… 이거 성희롱이야! 나는 참지 못하고 소리를 질렀다.

"무디어스 공녀!"

"……맞나 보네요."

환장하겠네.

"지금 도대체 나랑 뭐 하자는 거죠?"

"물어보는 거예요. 민감하게 반응하시니 수상쩍네요."

"넘겨짚지 마세요. 전 폐하와 그런 관계가 아닙니다."

"하지만 이상한걸요."

도대체 뭐가……. 나는 피곤한 표정으로 메리언을 쳐다보았다.

"폐하께서 미혼 여성을 시녀로 들이신 적이 없어요. 즉위하시고 수년 동안 단 한 번도 그랬던 적이 없었죠."

"…….""

"그러니 합리적 의심이에요. 나로서는 두 사람 사이에 무언가가 있었다고밖에는 생각이 안 든다고요."

"설령 그렇다고 해도."

내가 짜증스러운 목소리로 메리언에게 물었다.

"그게 공녀와 무슨 상관이죠?"

"상관이 있죠."

메리언은 그렇게 대답한 뒤, 갑자기 고개를 들어 올리고 가슴을 쫙 내밀었다.

"난 폐하의 황후가 될 거니까요."

"……."

"괜한 싹은 잘라버리고 싶은 게 사람 마음이죠. 안 그래요?"

나한테 묻지 마세요. 대답하기 싫으니까.

"그래서…… 저더러 지금 어쩌라는 건가요?"

여전히 얼굴을 찌푸린 채 질문하자, 메리언은 좋은 질문이라는 듯 눈썹을 치켜떴다.

"이 궁에서 나가줬으면 하는데요."

"……뭐라고요?"

세상에, 이런 말을 들을 줄이야. 나는 귀를 의심했다.

"솔직히 처음부터 영애가 거슬렸어요. 우리 첫 만남이 좋지 않았다는 건 영애도 인정하죠?"

인정하지만 그게 지금 이 상황과 무슨 상관인지 모르겠다. 나는 대답하지 않았다.

"어차피 난 황후가 될 거고, 그럼 난 영애를 쫓아낼 거예요. 그 전에 곱게 나가주세요."

곱게……. 그 표현에서 나는 할 말을 잃어버렸다.

"……중앙궁 시녀의 처우는 황제 폐하의 소관입니다. 아시겠지만."

"그렇다고 해도 내궁을 관할하는 건 황후지요."

메리언은 고개를 빳빳이 쳐들고 나를 내려다보았다. 그런 시선을 받는 게 상당히 불쾌해져서 나는 빠르게 자리에서 일어섰다. 그런 다음 냉소적으로 쏘아붙였다.

"그럼 황후가 되신 후에 절 쫓아내시면 되겠네요."

"뭐라고요?"

"이만 나가주세요."

김칫국을 거하게 마시고 있네.

'메리언이 중앙궁 시녀가 될 수 있었던 건 순전히 무디어스 후작과의 거래 덕분인데.'

그것도 메리언을 황후로 들이라는 주장을 강요하지 않는 조건이었다.

'그런 것까지는 못 들었거나, 들어도 상관없다고 생각했거나.'

어느 쪽이든 내 알 바 아니었지만, 이런 식으로 날 건드리는 건 참을 수가 없었다. 나는 어떻게 하면 이 여자를 내 방에서 내보낼 수 있을지 진지하게 고민했다.

'보아하니 웬만해서는 안 나갈 모양새야.'

아, 잘못 걸려도 단단히 잘못 걸렸어.

"절 황궁으로 데려오신 분은 폐하시고, 저는 충심 때문에 이곳에 있는 거예요. 제 진심을 그런 식으로 매도하시는 거, 상당히 불쾌하네요."

"매도가 아니라 영애의 태도가……."

"정말로 날 내쫓고 싶다면."

나는 메리언의 말을 끊은 다음 냉랭하게 말했다.

"폐하께 가서 말씀드리세요."

"……."

"그럼 되잖아요? 나한테 이러지 말고."

그럴 자신이 없으니까 나한테 와서 이러는 거다. 예상대로 메리언은 꿀 먹은 벙어리가 되었다.

'아, 생각해 보니 짜증 나네.'

내가 만만하니까 이러는 거잖아, 지금? 나는 순간 욱하는 마음에 그녀에게 쏘아붙였다.

"용건 끝나셨으면 이제 가주시죠. 제가 지금 너무 피곤해서요."

"결국 나랑 척을 지겠다는 거죠, 레이디 유리네트?"

메리언이 세모눈을 뜨며 나를 노려보았다. 난 그 질문에 대해 답할 수가 없었던 게, 이미 우리 척 진 상황 아니었어? 새삼스럽긴.

"두고 봐요. 머잖아 제 발로 황궁에서 안 나간 걸 뼈저리게 후회하게 만들어 줄 테니!"

무시무시한 엄포를 놓은 뒤에야 메리언은 내 방에서 나갔다.

드디어 혼자 남게 된 나는 침대 위에 그대로 털썩 주저앉았다.

'피곤해…….'

사람 하나 상대하는 일이 이렇게 피곤할 줄이야. 여기 와서 처음으로 느껴보는 유의 스트레스였다. 처음 만났을 때는 내가 굽혀야 하는 입장이라 못 느꼈는데, 대등한 위치에서 말을 섞어보니 여간 고집불통이 아니었던 것이다.

'무례하고, 오만하고, 제멋대로이기까지.'

최악이었다. 처음 만났을 때부터 싹이 보이긴 했지만, 이 정도일 줄은 몰랐다.

'그래서 가급적 피하고 싶었는데……'

입에서 한숨이 푹 새어 나왔다. 에휴, 누구를 탓할 문제도 아니고, 최대한 피해 다녀야지 어쩌겠어.

'일단 좀 자자.'

누구 때문에 귀중한 휴식 시간을 너무 많이 빼앗겨 버렸다. 나는 침대 위에 누운 다음 이불을 머리끝까지 뒤집어쓰고 눈을 감았다.

❧ ❧ ❧

1시간 정도의 짧은 수면 후에, 나는 맥켈리드 백작부인의 수업을 받게 되었다. 책을 펴고 준비하고 있는데, 문이 열리고 언짢은 표정의 맥켈리드 백작부인이 안으로 들어왔다. 평소 감정 표현이 드문 사람이라 나는 의아해 하며 물었다.

"무슨 일 있으세요, 백작부인?"

내 질문을 들은 백작부인이 나를 쳐다보았다. 나는 어색하게 입꼬리를 움직이며 덧붙였다.

"안색이 안 좋아 보이셔서요."

"아."

맥켈리드 백작부인은 제대로 짚었다는 듯한 얼굴로 내게 말했다.

"방금 아주 어이없는 이야기를 듣고 와서요. 영애 때문이 아니니 신경 쓰지 말아요."

"어이없는 이야기라뇨? 무슨 일이 생겼나요?"

"별건 아니에요. 무디어스 공녀 때문에."

그 말을 듣고 나는 순간 불길해졌다. 설마…….

"글쎄, 나더러 방을 바꿔 달라는군요."

……역시.

"방이요?"

"네."

그녀는 어처구니가 없다는 듯 헛숨을 내뱉으며 말을 이었다.

"영애보다 방이 작으니 바꾸어 달라고 했어요."

……세상에. 정말 그렇게 말했단 말이야?

설마 설마 했지만 진짜로 그럴지는 몰라서 나는 경악하고 말았다. 이쯤 되면 그 뻔뻔할 정도의 당당함이 도대체 어디서 기인했는지 물어보고 싶은 심정이다.

"그래서…… 뭐라고 하셨어요?"

"안 된다고 했죠. 이미 무디어스 공녀가 사용하도록 정리된 방이었거든요. 아무런 문제 없는 방을 크기가 작다는 이유만으로 바꿀 수는 없어요. 번잡스러운 일이고, 그건 노동력 낭비예요."

"그렇죠……."

하지만 무디어스 공녀가 순순히 물러날 것 같지도 않아서, 나는 다시 조심스럽게 물었다.

"공녀가 그러겠다고 하던가요?"

"……."

내 질문에 맥켈리드 백작부인은 잠시 침묵했다. 말을 머뭇거리는 게 분명한 모습에 나는 다시 불길해졌다.

뭐야, 또 무슨 말도 안 되는 말을 했길래……?

"순순히 물러나지는 않더군요. 그래서 방을 바꿀 수 없는 이유를 말해줬더니……."

여기까지 말하고 맥켈리드 백작부인은 다시 헛숨을 내뱉었다. 그리고 이어지는 말을 들은 내 입속에서도 똑같이 헛숨이 흘러나왔다.

"그렇다면 영애와 방을 바꾸겠다고 말하더군요."

메리언다운 말이었다. 황당하긴 했지만 수긍이 갔다. 아, 이런 거이해하기 싫은데 진짜……!

"죄송하지만 저는 이 방이 마음에 들어요."

한 달 넘게 썼다고 정이 들어버렸다. 무엇보다 메리언을 위해 방을 바꿔주고 싶지도 않았고. 내 대답을 들은 맥켈리드 백작부인이 당연하다는 듯 고개를 끄덕였다.

"나도 그건 안 된다고 대답했어요. 영애가 허락할 것 같지도 않았고."

"……그래서요?"

"어쩌겠어요. 화를 내며 돌아가더군요."

맥켈리드 백작부인이 어깨를 으쓱이며 대답했다.

"피곤한 성격 같았어요. 폐하께서는 어쩌자고 그런 사람을 시녀로 들인 건지……."

차라리 귀족들의 결혼 잔소리를 듣는 게 더 나을 것 같다는 말이었다. 나는 씁쓸하게 웃으며 대꾸했다.

"그래도 폐하께서 받으시는 스트레스가 조금이라도 줄어들었으니까요."

"뭐, 무디어스 공작이 약속은 잘 지키고 있는 것 같더군요."

"다행이네요."

나는 빙긋 웃었지만, 백작부인은 여전히 언짢아하는 얼굴이었다.

"제대로 교육이 될지 모르겠어요. 시녀 일에 열정도 없어 보이던데."

"이런. 폐하의 스트레스가 부인께로 대신 옮겨가 버렸네요."

"에휴, 어쩌겠나요. 폐하께 도움이 된다면야 이 한 몸 불살라야지요."

체념한 목소리로 한탄하던 맥켈리드 백작부인이 자연스럽게 화제를 틀었다.

"으음, 그러고 보니 케이터링 메뉴 구성은 다 끝났나요?"

"아."

건국제 이야기였다. 나는 지난 정기 무도회에서의 경력을 살려 이번 건국제 기념 연회의 케이터링도 책임지게 되었다.

"아직이에요, 부인. 조금 꼼꼼하게 준비하느라……."

건국제 기념 연회는 지난번 정기 무도회 때보다 그 규모가 거대했고, 참석하는 귀족들의 수도 훨씬 많았기에 좀 더 까다롭고 꼼꼼한 준비가 필요했다.

"하지만 금방 보고서를 제출하도록 하겠습니다."

"역시 잘하고 있을 줄 알았어요. 기대하고 있겠습니다."

내 대답을 들은 맥켈리드 백작부인이 흐뭇한 미소를 짓더니 손뼉을 쳤다.

"자, 그럼 이제 대화는 마치고 수업을 시작해 볼까요?"

❦ ❦ ❦

모든 수업이 끝난 것은 해가 지평선 아래로 넘어갈 즈음이었다.

맥켈리드 백작부인에 이어 두 번째 수업을 담당한 모로크 백작부인까지 돌아가자 비로소 자유시간이 주어졌다.

"어휴, 피곤하다."

나는 의자 등받이에 몸을 묻고 쭉 기지개를 켰다. 머릿속으로는 남은 하루의 일과들이 쭉 펼쳐져 지나갔다.

'이제 저녁 먹고, 케이터링 메뉴 정한 다음에 자면 되겠다!'

깔끔한 일정이었다. 나는 뿌듯함을 느끼며 자리에서 일어났다. 그리고 에이미를 불러 저녁 식사 준비를 해달라고 말하려던 때였다.

"아가씨."

기막힌 타이밍에 나도 모르게 웃음이 흘러나왔다. 나는 마침 잘 불렀다는 투로 입을 열었다.

"안 그래도 부르려고 했는데. 에이미, 있잖아……."

"황제 폐하께서 오셨어요."

말을 끊고 들어오는 에이미의 목소리에 나는 반사적으로 굳었다.

'폐하?'

레이놀즈가 여기 왔다고? 나는 잠시 당황한 표정을 지으며 물었다.

"폐하께서?"

"네. 안으로 모실까요?"

"어, 응……. 그래야지."

나는 얼떨결에 대답한 다음 혹시라도 흐트러진 모습이 있나 해서 재빨리 고개를 숙여 드레스의 상태를 점검했다. 다행히 괜찮은 듯했다. 손거울로 얼굴을 비추어보자 헤어스타일 상태도 괜찮았다. 나는 그제야 손거울을 내려놓고 마음속으로 안도의 한숨을 쉬었다.

잠시 후 문이 열리고 레이놀즈가 안으로 들어왔고, 나는 이제 습관이 되어버린 인사말을 읊었다.

"제국의 태양, 황제 폐하를 뵙습니다."

"볼 때마다 생각하는 거지만 인사를 너무 충실히 해."

간만에 들어보는 목소리가 기묘할 정도로 반가웠다. 나는 피식 웃으며 물었다.

"그래서 못마땅하시다는 말씀으로 들리네요."

"조금? 인사는 생략해도 되는데."

"……남들이 보면 큰일 납니다, 폐하."

안 그래도 메리언은 날 불순한 목적으로 입궁한 걸로 보고 있었다. 물론 절대 사실이 아니지만, 괜히 책잡힐 만한 행동을 해서 피곤해지는 것보다는 낫지.

"여긴 어쩐 일이세요?"

"으음."

내 질문에 레이놀즈가 슬며시 입꼬리를 끌어 올리더니 되물어왔다.

"꼭 용건이 있어야만 여길 올 수 있는 건 아니잖아?"

"그래요……?"

"그럼. 기억 안 나?"

그가 나와 눈을 똑바로 마주쳐오며 말했다.

"주인님도 퇴근하고 들어오면 꼭 습관적으로 날 찾았잖아."

……아니, 그거랑 이거랑 상황이 같나? 나는 어이없다는 눈으로 그를 쳐다보며 말했다.

"그때는 폐하께서 고양이셨잖아요. 제가 고양이예요?"

"고양이는 아니지만."

그가 느릿하게 말을 이었다.

"내가 좋아하는 사람이지."

또, 또 훅 들어온다! 아, 이거 적응해야 하는데. 내가 미간을 좁히며 말했다.

"지나치게 솔직한 감정표현 금지."

"이게 무슨 감정표현이야."

그가 말도 안 된다는 듯 웃으며 내게 한 발짝 다가왔다. 반사적으로 한 발짝 뒤로 물러나려는데, 그가 속삭여왔다.

"좋아해."

그 한 마디가 내 발이 땅에서 떨어지지 않게 만들었다. 나는 놀람인지 당황인지 모를 얼굴을 들어 올려 나를 지그시 바라보는 레이놀즈를 쳐다보았다. 부드러운 눈빛에서 감정이…… 느껴진다. 나도 모르게 마른 침을 삼켰다.

"아주 많이."

"……."

"이런 게 감정표현인 거야."

……그런 것 같았다.

"결국은 각서 위반이에요."

"무슨. 영애가 모르기에 알려준 것뿐이야."

"……."

"봐, 꼬박꼬박 '영애'라고 부르잖아. '유린'이라고 부르고 싶은 걸 간신히 참고 있는 거라고."

……어째 알려준다는 걸 핑계로 계속 사심 채우는 것 같은데, 내 착각이겠지?

"그보다 정말 용건 없이 오신 거예요?"

자연스럽게 묘해지려는 분위기를 말을 돌려서 바꾸었다. 다행히 그는 내 시도를 지적하는 법 없이 충실하게 답해주었다.

"그래. 사실 방금 골치를 썩이던 일을 끝냈거든."

"잘하셨어요."

"그래서 같이 저녁 먹으려고 왔어."

내가 그를 빤히 쳐다보자, 그는 거절은 없다는 듯 말했다.

"이미 준비가 다 됐으니, 영애는 몸만 오면 돼."

"고민 좀 해볼게요."

"고민은 무슨."

그가 쿡 웃으며 부드럽게 내 손목을 잡았다.

"물어볼 것도 있으니까, 그냥 따라와."

꽃 꽃 꽃

"말 탈 줄 아나?"

식탁 앞에서 가장 먼저 던져진 뜬금없는 질문에, 나는 눈을 동그
랗게 뜨고 그를 쳐다보았다.

"말이요?"

웬 말? 전혀 예상치 못한 질문이었다.

"그래."

"탈 줄 몰라요."

애당초 엘스워드에서 말 타는 여자들이 많지 않았다. 마차라면
모를까.

"지금이라도 배워볼 생각은 없고?"

"갑자기 왜 말에 꽂히신 거예요?"

"갑자기가 아니라, 2주 후에 사냥 대회가 있거든."

"아, 정말요?"

"맥켈리드 부인에게 못 들었나 봐?"

"으음…… 네. 사냥대회를 준비하는 건 제 관할이 아니라서요."

"맞아. 그건 원래 시종들이 준비하거든."

레이놀즈가 능숙하게 스테이크를 썰며 말했다.

"그래서 혹시 영애도 참가할 수 있나 싶어서."

"전 그냥 구경할게요. 운동신경이 없어서."

"유린은 그랬지만."

그가 나를 지그시 바라보더니 말했다.

"유리네트는 다를지도 모르잖아."

"……누가 들으면 어쩌려고요."

"누가 듣겠어. 여긴 우리뿐……."

그때, 바깥에서 소란스러운 소리가 들려왔다. 레이놀즈의 말이 자연스럽게 끊겼고, 나는 빠르게 바깥에 물었다.

"무슨 일인가요, 애슐리 경?"

"저, 그게…… 안 됩니다!"

뭐가 안 돼……? 영문 모를 말에 의아해 하고 있는데, 갑자기 문이 열리고 누군가가 들어왔다.

'……헐.'

문제는 그 상대가 너무 뜻밖의 인물이라 차마 놀라지 않을 수 없었다는 점이다.

"폐하."

문을 열고 난입한 이의 주인공은 바로…….

"제국의 태양을 뵙습니다."

메리언이었다.

나는 얼떨떨한 얼굴로 그녀를 쳐다보았다. 여긴 왜 온 거지?

"여긴 왜 온 거지?"

내 속마음과 똑같은 질문이 레이놀즈의 입에서 나갔다.

나는 진심으로 대답이 궁금한 표정을 한 채 메리언을 쳐다보았다. 메리언은 그런 나를 흘긋 바라보더니 안색이 안 좋아지려다가, 다시 레이놀즈에게로 시선을 돌리며 미소를 지었다.

"우연히 사토르디 영애가 폐하와 함께 저녁 식사를 하고 계신다는 사실을 알게 되어서요."

"그래서?"

"실례가 안 된다면 저도 식사를 함께할 수 있을까요?"

레이놀즈는 어쩔지 모르겠지만, 나는 그녀의 행동을 실례로 느꼈다. 당장 낮에 내게 한 짓을 떠올려 보면 솔직히 한 공간에서 식사한다는 건 말도 안 되는 일이었다. 나는 레이놀즈에게 '무디어스 공녀도 동석해야 한다면 전 이만 일어나보겠습니다'라고 말하려다가, 너무 나간 행동 같아서 꾹 참았다. 그리고 곧바로, 나를 흠칫 놀라게 만드는 레이놀즈의 대답이 들려왔다.

"안 되겠군, 무디어스 공녀."

대답 때문에 그런 게 아니라, 대답하는 목소리 때문에 놀란 것이었다. 이렇게 차갑고 건조한 목소리를, 나와 대화할 때는 단 한 번도 들려준 적 없던 그였다.

'이런 목소리도 낼 수 있구나.'

새삼스럽게 놀라면서, 나는 멍하니 레이놀즈를 바라보았다.

"지금은 보다시피 사토르디 영애와 식사 중이라."

"제가 동석한다 하여 크게 문제 될 건 없지 않나요? 어차피 한 사람 추가되는 것뿐인데요."

"번잡스러워지겠지, 그렇게 되면."

레이놀즈는 슬슬 기분이 나빠지는 티를 내며 말했다.

"난 원래 예정에 없던 일이 일어나는 걸 싫어하는 사람이야. 백작 부인에게 교육받지 못했나?"

"하지만……."

"또한 이렇게 예고 없이 불쑥 들이닥치는 건 예의가 아니지."

"……."

"대단한 실례야. 이런 건 기본 아닌가?"

"……죄송합니다."

빠르게 수그러드는 메리언의 태도를 보면서, 나는 어이가 조금, 아니 많이 없어졌다.

'저렇게 말하는 상대가 만약 나였다면 메리언이 들은 척이나 했을까?'

아닐 거다. 지금 저렇게 메리언이 태도를 접는 건 순전히 상대가 레이놀즈, 황제이기 때문이었다. 그녀가 잘 보이고 싶은 상대. 훗날 결혼하고 싶어 하는 상대.

그렇게 생각하자 기분이 더…… 안 좋아졌다.

"폐하와 함께 저녁을 들고 싶은 마음에 그만…… 제가 실례를 하였네요."

"지금이라도 깨달아서 다행이야."

그렇게 말하는 목소리가 건조하기 짝이 없었다.

"이만 나가보지."

"하지만 폐하."

역시 그 상대가 황제라 하여 순순히 물러날 생각은 없는 듯했다.

메리언이 또박또박한 목소리로 레이놀즈에게 말했다.

"다음부터는 사토르디 영애뿐 아니라 저도 불러주시지요."

"뭐?"

"다 같은 시녀인데, 한 사람에게만 폐하와 저녁을 함께 드는 영광을 주시는 건 너무 불공평하다고 생각됩니다."

나름 당당하게 뱉은 한마디에, 레이놀즈의 한쪽 눈가가 찡그려졌다. 지금 상황이 마음에 들지 않는다는 적나라한 반응. 나도 모르게 몸에 힘이 들어갔다.

"불공평이라."

잠깐의 침묵 후, 그가 재미있다는 듯 중얼거렸다. 그리고 긴 한숨을 내쉬며 메리언을 응시했다. 그 온기가 전혀 느껴지지 않는 눈빛은 지켜보는 나마저도 움찔하게 만들 정도였다.

"뭔가 대단히 착각하고 있는데, 공녀."

"황제가 공평을 기해야 하는 건 제국민에 대한 처우뿐이야. 그 이외에 내가 뭘 어떻게 하든 그건 내 마음이지."

"폐하, 하지만……."

"내가 뭘 무슨 행동을 어떻게 하든, 공녀가 감히 공평이라는 잣대로 내게 참견할 수 없다, 이 말이다. 알아들었나?"

"폐하……."

"못 알아들었어도 이만 나가보는 게 좋겠군. 그대 아비와 했던 약속을 어길지도 모르니 말이야."

그 말은 곧 메리언의 퇴궁을 의미했고, 메리언은 그것을 이해하지 못할 만큼 바보는 아니었다. 그녀가 분하다는 듯 입술을 짓이겼고, 동시에 무서운 시선이 나를 향했다. 나는 황당해졌다.

'난 아무 짓도 안 했는데!'

화를 유도한 건 레이놀즌데 괜히 나한테 화풀이하는 느낌이다. 역시 메리언은 강한 사람에게는 약하고, 약한 사람에게는 강한 '강약약강'의 전형이 틀림없었다. 나는 속으로 한숨을 쉬었다.

'원래도 미움받고 있었는데 더 미움받겠군.'

물론, 그래서 마음이 안 좋다는 건 절대 아니었다.

'어차피 우린 서로 싫어하는걸.'

결국 메리언은 본래의 목적을 달성하지 못한 채 바깥으로 나가야만 했다. 곧바로 애슐리 경이 안으로 들어왔다.

"송구합니다, 폐하."

"이렇게 보안이 허술해서야."

기분 좋아 보이지 않게 들리는 목소리였다.

"자객이라도 침입한다면 난 꼼짝없이 죽겠군."

신랄하게 비꼬는 한 마디에 애슐리 경은 오금이 저린다는 표정을 지었다.

사실 그건 다소 부적절한 비유였다. 메리언이 공격 의도가 없었기에 적극적으로 막지 않았던 것뿐이다. 자객이었다면 애당초 여기 들어올 시도조차 못하고 죽임당했을 것이다. 나는 그 사실을 말하려다가 지금은 너무 부적절한 것 같아서 그만두었다. 그리고 불쌍한 애슐리 경은 그 앞에서 쩔쩔맸다.

"송구합니다, 폐하. 다시는 이런 일이 없도록 하겠습니다."

"이만 나가봐."

"네."

애슐리 경은 허락이 떨어지자마자 쏜살같이 바깥으로 나갔고, 나는 그제야 조심스럽게 입을 열었다.

"아무렴 자객이 왔다면 그렇게 허술히 대처하지는 않았을 거예요."

"나도 알아."

내가 황당한 표정으로 레이놀즈를 쳐다보자, 그는 아무렇지 않다는 듯 태연하게 대꾸했다.

"하지만 잘못한 건 잘못한 거니까."

틀린 말은 아니어서 나는 결국 수긍했다. 그러다 레이놀즈가 메리언으로 화제를 돌렸다.

"그보다 무디어스 공녀의 행태가 상상 이상이군."

"아아, 네……."

사실 이제는 별로 놀랍지도 않았지만.

"영애에게 꽤 적대감을 갖고 있는 것 같던데."

"하하……."

"오늘이 무디어스 공녀가 입궁한 첫날이지?"

"네."

"안 그래도 물어보고 싶었는데."

레이놀즈가 가만히 나와 눈을 맞춰오며 물었다.

"별다른 일은 없었나?"

"……."

이렇게 눈 맞춰오면서 물어보면, 내가 솔직하게 대답할 수가 없잖아.

'뭐라고 대꾸해야 해.'

나는 오늘 메리언이 벌였던 수많은 만행들을 떠올렸다. 내 방에 난입해서 방 크기가 제 것보다 작다고 투정을 부리질 않나, 결국 맥켈리드 백작부인께 방을 바꾸어 달라고 말하지 않나. 자기가 황후가 되면 날 내쫓을 테니 그 전에 곱게 나가라고 협박하질 않나…….

'아, 맞다. 성희롱도 추가요.'

이렇게 다시 한번 그녀의 만행을 되새겨 보니, 분노가 다시 새록 새록 마음 위로 떠오르는 것이었다. 나는 눈살을 찌푸리며 이걸 전부 사실대로 말해야 하나 말아야 하나 고민했다.

'방 바꿔 달라고 말했던 건 맥켈리드 백작부인도 아실 텐데.'

하지만 괜히 부가적인 만행들까지 말했다가 레이놀즈의 골치를 더 썩이는 건 아닌지 걱정도 됐다.

"고민하지 말고 그냥 말해."

그리고 레이놀즈는 이런 내 속내를 완벽하게 꿰뚫어 봤다.

나도 모르게 뜨끔한 얼굴로 레이놀즈를 쳐다보자, 그가 그럴 줄 알았다는 얼굴로 말했다.

"분명 무슨 일이 있었네."

"……."

"그렇지?"

못 속이겠다, 정말. 나는 어색하게 웃었다.

"숨기지 말고 말해봐. 나한테 못 말할 정도로 충격적인 일이 있었던 거야?"

"에이, 없었어요, 그런 일."

……이라고는 말했지만, 레이놀즈가 들었을 때도 '충격적인 일'이 아니라고 생각할지는 잘 모르겠다. 나는 머뭇거리다 결국 입을 열었다.

"그냥…… 오늘 인사하고 방에 들어와서 쉬려는데, 갑자기 제 방에 찾아오더라고요."

"그래?"

"네. 그래서 왜 왔느냐고 물어보니까, 제 방이 자기 방보다 더 큰지 작은지 확인하려고 왔대요."

"그런 말을 그냥 대놓고 했다고?"

"네."

"무디어스 공녀답군."

그가 피식 웃었다. 비소도 웃음이라면 웃음일 테지.

"그래서? 누구 방이 더 컸어?"

"제 방이요."

"그래서?"

"맥켈리드 백작부인 말씀으로는, 방을 바꿔 달라고 했대요. 저보다 더 큰 방으로."

"영애에게 경쟁의식을 가지고 있나 봐."

"그런 것 같았어요."

사실 이해가 아예 안 가는 건 아닌 게, 메리언은 황후를 희망하고 있었으니까. 그러니 최초의 미혼 시녀로 입궁한 내가 눈엣가시일 게 분명했다.

'만약 메리언이 정말로 황후가 될 사람이었다면 내가 배려했을지도 모르지.'

그렇지만 황후에 대해서는 정해진 게 아무것도 없는 상황이었다. 심지어 그녀가 입궁하게 된 원인도 무디어스 공작이 황후 책립에 대한 귀족들의 목소리를 막아주고, 자신의 여식을 황후로 밀지 않겠다고 약속한 데서 있었다.

그러니 나로서는 도무지 그런 배려를 해야 할 생각이 들지 않았던 것이다. 결국 메리언의 황후가 되겠다는 말은 지금으로서는 망상에 불과했으니까. 레이놀즈가 궁금하다는 목소리로 물었다.

"그래서 방을 바꾸었나?"

"그럴 리가요. 맥켈리드 백작부인이 거절하셨어요."

그러면서 나는 그녀가 거절한 이유까지 설명해 주었다.

"그러니까 이번에는 저랑 방을 바꾸자고 말했대요."

"들을수록 재미있군."

하지만 말하는 것과는 달리 그의 얼굴에는 일종의 짜증스러움이 묻어 있었다. 나는 슬며시 그의 눈치를 보다가 말을 정리했다.

"그게 다예요."

물론 다른 게 더 있긴 했지만, 여기까지만 말해도 충분할 것 같았다. 지금 얘기한 것만 들어도 얼굴이 저렇게 심상찮은데, 앞으로 꺼낼 이야기는 좀 더 수위가 있는 것이었다.

'그럼 저런 표정을 짓는 것에서 그치지 않을지도 모르지.'

괜한 분란은 피하고 싶었다. 어차피 나한테 크게 상처 되는 말도 아니었으니까.

"그게 다라고?"

물어오는 목소리가 '절대 그럴 리 없다'는 투여서, 나도 모르게 움찔했다. 그가 나를 빤히 바라보며 확인조로 물었다.

"정말로?"

"……정말이죠, 그럼."

"흐음……. 왜 나는 더 있을 것 같지?"

"……."

"나 생각해서 안 말하는 건 아니지?"

들켜 버렸다. 하지만 나는 계속 시치미를 떼기로 했다.

"제가 왜 굳이 숨기겠어요. 저도 무디어스 공녀를 싫어해요."

"흐음……."

아까와 똑같은 소리. 나는 마른 침을 꿀꺽 삼킨 다음 최대한 태연하게 굴었다.

"믿기 싫으면 마시고요. 어쨌든 별것 아닌 일이었어요."

"지금 좀 후회 중이야."

"뭘요?"

"역시 듣지 말았어야 했나."

그가 조용히 중얼거렸다.

"중앙궁 분위기를 흐리는 것 같아 불쾌해."

"그렇지만 듣기로는, 무디어스 공작이 약속을 지키고 있다고 하던데요."

나는 최대한 긍정적인 이야기를 끌어내기 위해 애썼다.

"귀족들도 더 이상 황후 책립에 대해 이야기하지 않는다고 들었어요."

"그렇긴 하지만……."

말을 잇다 말고, 레이놀즈는 돌연 나를 빤히 쳐다보았다. 내가 의아한 목소리로 물었다.

"왜요?"

"그냥."

그가 싱긋 웃더니 말했다.

"새삼 영애가 날 많이 생각하고 있구나 느껴서."

"네?"

"그래서 좋다는 거잖아. 내가 그 문제에 대해 덜 신경 쓰게 돼서."

"……."

"그렇지?"

"네, 뭐."

나는 웅얼거리며 고개를 끄덕였다.

"싫지는 않죠."

"……."

"폐하께서 원치 않는 일로 중압감을 덜 받으시면, 모시는 입장에서는 기쁜 일이죠."

"정말 그게 다인 거지?"

부드럽게 묻는 목소리가 이상하게 추궁조로 들린다. 나는 마른

침을 삼켰다가 고개를 끄덕였다.

"그럼요."

୨ ୨ ୨

그다음 날이 되었을 때, 나는 의외의 인사와 마주하게 되었다.

"영애."

패티가 나를 부르며 쪼르르 안으로 들어왔다. 나는 한창 케이터링 메뉴를 짜느라 골몰해 있던 중이었다. 나는 잡고 있던 펜을 내려놓은 다음 패티에게 물었다.

"무슨 일이야?"

"손님이 오셨어요?"

손님? 나는 의아한 표정을 지었다. 일단 메리언은 아니리라. 패티가 그녀를 그런 온순한 단어로 표현할 리 없으니까. 그리고 내 입장에서도 그녀는 손님이 아니었다.

"누구신데?"

"러셀 공작님이세요."

루퍼트가? 나는 더 의아한 얼굴이 되었다.

'날 찾아올 만한 일이 있던가.'

나는 아리송한 얼굴로 패티에게 물었다.

"어디 계시는데, 지금?"

"중앙궁 응접실에 계세요."

그 말을 듣고 나는 바로 자리에서 일어섰다. 그리고 응접실까지 걸어가자, 정말로 앉아서 차를 마시고 있는 루퍼트의 모습이 보였다. 나는 안으로 들어간 다음 그에게 인사를 건넸다.

"공작 전하."

"레이디 유리네트."

그는 우아하게 나를 돌아보더니 부드러운 미소를 입가에 걸었다.

"오랜만에 뵙는 듯하군요."

"아, 그런가요?"

나는 자리에 앉은 다음 그에게 용건을 물었다.

"그보다 여긴 어쩐 일이신지……. 절 부러 찾아오신 건 이번이 처음인 것 같은데요."

"제가 떠올려 보기에도 그런 것 같군요."

후후 웃은 루퍼트가 목소리를 가다듬은 뒤 말을 이었다.

"실은 저도 이번 건국제 준비에 참여하게 되었습니다."

"전하께서요?"

의외의 이야기에 두 눈이 동그래졌다. 보통 축제 준비는 내궁의 일이었기에.

"유례없는 일인 듯한데요."

"그렇죠. 제가 자원했습니다."

"왜요?"

별생각 없이 물은 거였는데, 루퍼트의 표정이 묘해졌다. 그 모습을 본 내 미간이 자연스럽게 좁혀졌다.

뭐지? 나한테 못 말하는 특별한 이유가 있는 건가?

"개인적인 이야기라면 굳이 해주지 않으셔도……."

"영애와 좀 더 친해지고 싶어서요."

내 말을 끊고 들어오는 대답에, 멍한 얼굴로 루퍼트를 쳐다보았다. 나는 지금 내가 들은 말을 믿지 못하겠다는 눈빛일 것이다. 내 어벙한 태도에도 루퍼트는 당황하지 않고 미소 지었다.

"영애와 좀 더 친해지고 싶어서요."

그리고 반복되는 목소리가, 내 마음속에 익숙한 불안감을 심어주었다.

설마…….

"그런 말씀을 듣게 될 줄은 몰랐네요."

일단은, 침착하게.

"저나 전하나 폐하를 모시는 처지에 가깝게 지내 나쁠 것은 없겠지요."

내가 설레발 친 것이길. 김칫국 마신 것이길.

'아닐 거야. 말도 안 돼.'

나는 부러 미소 지으며 그가 대꾸하기를 기다렸다. 루퍼트가 속내를 알기 어려운 얼굴로 날 지그시 바라보다 입을 열었다.

"그렇게 생각해주신다니 기쁘군요."

"준비하시면서 도움이 필요하시다면 언제든 말씀 주세요. 제가 도움이 될 수 있을지는 모르겠지만……."

"안 그래도 그 문제 때문에 찾아뵙게 되었습니다."

루퍼트의 말에 나는 눈을 동그랗게 뜨고 그를 쳐다보았다.

"제 도움을 필요로 할 만한 일이 있나요?"

"네. 이번에도 케이터링을 책임지게 되셨다고 들었는데요."

그는 여전히 나를 빤히 바라보며 물었다.

"맞나요?"

"그렇답니다, 전하."

나는 설핏 웃으며 대답했다.

"맥켈리드 백작부인께서 제게 과분한 일을 맡겨주셨지요."

"지난 무도회 때 잘 해내 주셨으니 그러신 걸 겁니다."

"과찬이세요. 그보다 제가 전하께 무슨 도움을 드릴 수 있을까요?"

"제가 이번 건국제 기간 동안 수도의 축제 거리 조성을 맡게 되었는데, 영애께서 저와 함께 다니시면서 의견을 내주셨으면 합니다."

"함께 다니다니, 어디를……."

"수도의 거리 말입니다."

그가 부드럽게 덧붙였다.

"다양한 의견이 모일수록 좋으니까요."

"그건 그렇지만……."

나는 조금 머뭇거렸다. 이런 제안을 받게 될 줄은 생각도 못했다.

"언제를 말씀하시는 건가요?"

"영애께서 편하신 시간이면 어느 때든 상관없습니다."

"오늘 수업이 없기는 한데……."

"오늘도 괜찮고요."

루퍼트의 입가에 실낱같은 미소가 스쳤다.

"너무 급하다고 생각하지만 않으신다면요. 강요는 절대 아닙니다. 어디까지나 부탁이니까요. 불편하시면 거절하셔도 됩니다."

"아닙니다, 전하. 그런 게 아니라……."

나는 고개를 젓다가 어느 순간 고개를 끄덕였다.

"받아들일게요, 전하의 제안."

"감사합니다, 레이디 유리네트."

"정말 오늘은 어떠세요? 제가 내일은 어중간한 시간에 수업이 있거든요."

"좋습니다."

그가 눈웃음을 지으며 고개를 끄덕였다.

"언제라도요."

❧ ❧ ❧

결국 나는 그날 이르게 점심 식사를 마친 뒤, 루퍼트와 함께 외출하게 되었다.

맥켈리드 백작부인이 사정을 듣고 내 외출을 흔쾌히 허락해 줌에 따라, 나는 사실상 처음으로 황궁 밖 구경을 하게 된 셈이었다.

"황궁 밖은 처음 나와 보시는 것이지요?"

"네. 수도에 온 이후로 한 번도 황궁 밖을 나서본 적이 없었네요."

"본의 아니게 제가 처음 영애에게 수도 구경을 시켜 드리게 되었군요."

"영광입니다, 전하."

"아닙니다, 레이디 유리네트. 저야말로 영광이지요."

"네?"

"영애에게 처음으로 수도 구경을 시켜드릴 수 있게 되었으니까요. 사실 지금 좀 떨리기까지 합니다."

"하하……. 저도 기대돼요. 사토르디의 시내와는 비교도 안 되게 크고 화려하겠지요?"

"그럼요. 기대하셔도 좋을 겁니다."

그 말에 내 기대감은 고조되었다.

마침내 시내의 입구 부분에서 마차가 천천히 멈추었다. 루퍼트가 먼저 내려 나를 에스코트해주었고, 나는 내 쪽으로 손을 뻗는 루퍼트의 모습을 잠시 머뭇거리며 바라보았다. 하지만 이내 아무렇지 않은 얼굴로 그의 손을 붙잡고 마차에서 내렸다.

루퍼트가 빙긋 웃으며 내게 속삭이듯 말했다.

"퀴른에 오신 것을 환영합니다, 레이디 유리네트."

❦ ❦ ❦

결론부터 말해, 퀴른은 '수도'라는 이름의 위용에 걸맞은 곳이었다. 인구부터가 사토르디와는 비교되지 않게 많았고, 사토르디에서는 볼 수 없었던 상점들이 곳곳에 넘쳐났다.

전부 엘스워드로 오게 된 후 처음 보는 광경이라, 나는 본래의 목적을 잊고 주변을 두리번거리는 데만 열중했다. 그 모습을 가만히 바라보던 루퍼트가 웃음기 띤 목소리로 내게 말을 걸었다.

"마음에 들어 하시는 것 같아 다행입니다."

그 목소리에 그제야 내가 너무 거리 구경에만 열중했다는 사실을 자각했다. 나는 어쩐지 부끄러워져서 얼굴을 붉히며 말했다.

"죄송합니다, 전하. 전하를 도와드리러 온 건데……."

"아닙니다. 많이 보고 느끼셔야 좋은 의견도 나오기 마련이지요."

"확실히 수도는 수도네요. 규모도 정말 크고, 사람들도 엄청 많구요."

외국인으로 추정되는 사람들도 많이 보였다. 정적인 황궁에만 있다가 간만에 시내 구경을 하니 확실히 몸에 활기가 도는 기분이다. 덩달아 내 기분 역시 흥분으로 고조되었다.

"특별히 손을 대지 않아도 충분히 아름다운 거리예요. 생기도 넘치고요."

"그렇게 말씀해 주시니 기쁘군요."

루퍼트가 빙긋 웃으며 말을 이었다.

"오늘은 일단 구경을 즐기시고, 의견은 환궁하신 후에 찬찬히 생각해 보시지요."

"네."

빙긋 웃으며 대답하는데, 우연히 무언가가 눈에 띄었다. 내 시선이 자연스럽게 그쪽으로 집중되자, 루퍼트의 눈길 역시 자연스럽게 나와 같은 곳을 향했다.

"갖고 싶으십니까?"

"네? 아……."

그제야 나는 너무 빤히 바라보고 있었다는 사실을 깨닫고 머쓱하게 웃었다.

"아뇨. 그렇다기보다는……."

내 시선이 간 곳은 액세서리를 파는 상점이었다. 아무래도 수도의 거리이다 보니 노점보다는 상점들이 즐비했는데, 특히 액세서리를 전문으로 파는 듯한 거대한 상점이 내 눈길을 끌었다. 루퍼트는 아무래도 내가 거기 있는 것들 중 무언가가 마음에 든다고 생각한 것 같은데, 내가 그곳에 시선을 빼앗긴 이유는 따로 있었다.

'여기까지 나왔는데, 선물 하나는 사서 들어가야 하나?'

지난번 사토르디의 시내를 구경했을 때 그에게 목걸이 선물을 받은 적이 있었는데, 그 이후로 그에게 답례 선물을 준 적이 없었이 때문이었다. 그때 일을 떠올리며 나는 루퍼트에게 말했다.

"실은 선물해주고 싶은 사람이 있어서요."

"선물이요?"

고개를 갸웃거리던 루퍼트는 잠시 후 한번 가보자는 듯 고개를 끄덕였다. 나는 빙긋 웃으며 그와 함께 점찍어 두었던 가게로 들어 섰다.

"어서 오세요, 아가씨. 편안하게 둘러보세요."

가게 안으로 들어서자 주인으로 보이는 듯한 중년의 부인이 사근사근한 목소리로 나를 맞아 주었다. '뭘 찾으시나요?'나 '뭐가 필요하세요?'라고 물어오지 않는 게 마음에 들었다.

상점 안에는 아까 눈대중으로만 봤을 때보다 훨씬 더 많고 다양한 액세서리들이 있었다. 주로 여성들을 위한 액세서리의 비중이 높았는데, 가게 안쪽으로 좀 더 깊숙이 들어가 보니 카라핀이나 커프스 버튼 같은 남자 액세서리들도 있었다. 물론 수가 많지는 않았지만.

'흐음……'

좁은 구역 안에서 샅샅이 물건들을 훑어보다가, 나는 눈에 띄는 액세서리 하나를 발견해 냈다.

'이거 괜찮은데.'

회백색의 조개껍데기로 만든 커프스 버튼이었는데, 화려한 멋은 없어도 은은하고 우아한 멋이 내 마음을 사로잡았다. 다른 액세서리들 중에도 괜찮은 게 없나 다시 살펴보았지만, 처음 마음에 찍어둔 것처럼 마음에 드는 건 없는 듯했다. 결국 그것을 집어들었을 때, 옆에서 루퍼트가 물어왔다.

"폐하께 선물해 드리시려는 겁니까?"

그 목소리에 내 시선이 루퍼트에게로 향했다. 그가 알 수 없는 미소를 짓는 얼굴로 나를 바라보고 있었다. 그때 나는 순간 아차 싶어져서 얼른 말했다.

"이런, 공작 전하의 선물도 고른다는 걸 제가 깜빡했네요."

"아닙니다, 레이디 유리네트. 서운함을 표하려 드린 질문은 아니었답니다."

"그래도 하나 골라 보세요. 오늘 전하 덕분에 저도 즐거운 구경을 하게 되었으니, 보답하는 의미에서 선물해 드리고 싶습니다."

"……그래도 될까요?"

"그럼요."

"그럼……."

그가 머뭇거리다 내게 말했다.

"영애께서 골라주시지요."

"원하시는 것으로 고르시지 않고요."

"선물이니까요. 제가 원하는 것보다는 영애가 골라주시는 걸 받고 싶습니다."

나름 일리 있는 말이었다.

'뭘 선물해 주면 좋을까.'

받는 당사자가 보는 앞에서 선물을 고르는 건 꽤 부담스러운 일이었다. 아까 레이놀즈의 선물로 커프스 버튼을 골랐기 때문에 비슷한 걸 고르는 건 지양하고 싶었다. 하지만 그러다 보니 선택지가 현저히 줄어들었고, 나는 한참 동안 무슨 선물을 골라야 할지 끙끙댔다. 그때 주인이 조심스럽게 내 쪽으로 다가와 물었다.

"남자분 선물이라면 이건 어떠세요?"

아무래도 계속 내 쪽을 지켜보고 있던 모양이었다. 고개를 돌리자, 꽤 고풍스럽게 조각된 목제 회중시계가 눈에 들어왔다.

"와아……."

목제로 된 회중시계는 처음 보네.

"제가 제일 아끼는 물건이랍니다. 가격대는 좀 있지만요."

"멋진데요. 그거 살게요."

나무 회중시계가 내게 준 인상이 너무 강렬해서, 나는 길게 생각하지 않고 그것을 골랐다. 하지만 잠시 후 깜빡했다는 듯 루퍼트를 향해 뒤를 돌았다.

"아, 전하의 마음에도 드실지 모르겠어요. 너무 예뻐 보여서 제마음대로 고르기는 했는데……."

"아까 말씀드렸듯 영애가 골라주신 선물을 받고 싶었습니다."

그가 빙긋 웃으며 덧붙였다.

"그리고 제가 보기에도 꽤 멋스러운 시계고요."

"마음에 드신다니 다행이에요."

주인에게 액세서리 값을 치른 뒤, 나는 루퍼트에게 회중시계를 건넸다. 내 손에 들린 회중시계를 물끄러미 바라보던 루퍼트가 곧 부드러운 미소와 함께 그것을 받아 들었다.

"고맙습니다, 레이디 유리네트."

"천만에요."

나는 씩 웃으며 손에 들린 레이놀즈의 커프스 버튼을 만지작거렸다.

✤ ✤ ✤

그 시각, 황궁.

"음."

별생각 없이 초콜릿 무스 케이크를 먹던 레이놀즈는 뜻밖의 맛에 저도 모르게 감탄사를 내뱉었다. 평소 먹던 맛이 아니었는데, 꽤나 새로운 느낌이었다. 그가 조용히 애슐리를 불렀다.

"애슐리 경."

그는 빠르게 레이놀즈의 집무실 안으로 들어왔다.

"네, 폐하. 부르셨습니까."

"주방에 새 사람이 들어왔나?"

"네?"

"케이크 맛이 평소랑 다른 것 같은데."

"아."

레이놀즈의 말에 애슐리는 그제야 정신을 차린 사람처럼 대답했다.

"새 파티시에르가 들어왔습니다."

"그럼 이건 새 파티시에르가 만들었나 보군."

"입에 맞으십니까?"

"먹을 만해."

유리네트 이외에 레이놀즈의 칭찬은 대단히 박한 편이었다. 애슐리는 레이놀즈의 드문 칭찬에 속으로 놀라워하면서 말했다.

"더 가져오라고 하겠습니다."

"레이디 유리네트와 함께 먹고 싶은데."

그 이야기를 하면서 레이놀즈의 입가에는 자연스럽게 미소가 떠올랐다. 그 미소를 물끄러미 바라보던 애슐리가 잠시 후 입을 열었다.

"레이디 유리네트를 불러올까요?"

"아니."

레이놀즈가 자리에서 일어났다.

"내가 직접 가봐야겠다."

❦ ❦ ❦

"영애께서는 언제쯤 돌아오실까요?"

아니스의 물음에 잠시 고민하는 표정을 짓던 리셸이 대답했다.

"그래도 저녁 드시기 전까지는 오시지 않을까요?"

"그렇겠죠?"

"왜요? 무슨 일 있어요?"

"그냥 궁금…… 앗!"

그때 아니스가 돌연 작게 소리를 내질렀다. 리셸이 의아한 얼굴로 왜 그러느냐고 물으려 했지만, 그녀 역시 아니스와 같은 광경을 발견한 다음에는 아무 말도 하지 못했다. 곧이어 두 사람의 입에서 똑같은 인사말이 흘러나왔다.

"제국의 태양, 황제 폐하를 뵙습니다."

"제국의 태양, 황제 폐하를 뵙습니다."

"레이디 유리네트는 수업 중인가?"

레이놀즈의 물음에 두 사람 모두 잠깐 동안 얼어붙었다. 그러다 아니스가 먼저 정신을 차리고 대답했다.

"아닙니다, 폐하. 영애께서는 지금 방에 안 계십니다."

"방에 없다고?"

아니스의 대답을 들은 레이놀즈의 미간이 좁혀졌다.

"그럼 어디에 있지?"

"그게……."

"러셀 공작님과 계십니다."

머뭇거리는 아니스를 대신해 리셀이 말했다. 아니스가 당황한 얼굴로 리셀을 쳐다보았다.

"……루퍼트와?"

그리고 대답을 들은 레이놀즈의 미간은 아까보다 더 좁혀졌다. 표정이 심상찮음을 발견한 아니스가 재빨리 덧붙였다.

"러셀 공작님께서 이번 건국제 준비를 맡게 되셨는데, 영애의 도움이 필요하다고 하셔서 가셨습니다."

"……그래서."

하지만 아니스의 시도는 그리 긍정적인 효과를 내지 못했다. 레이놀즈의 표정은 여전히 심상찮게 굳어 있었으니까.

"그 두 사람은 지금 어디에 있지?"

"궁 밖에……."

"궁 밖?"

"예에……."

매서운 물음에 아니스는 저도 모르게 기어들어 가는 목소리로 답했다. 평소 침착한 태도를 유지하는 그녀였지만, 지금 레이놀즈의 모습이 지나치게 서늘했기 때문이었다. 두 사람 모두 레이놀즈의 눈치를 보며 찍 소리도 내지 못하고 있던 때였다.

"언제 돌아온다더냐?"

"네? 그게……."

"저녁이 되기 전까지는 오실 겁니다."

대답하지 못하는 리셸을 대신해 아니스가 빠르게 대답했다. 사실 이건 확실한 내용은 아니었다. 하지만 황제가 당장이라도 누구의 목을 베어 버릴 것만 같은 분위기라, 설령 거짓말일지라도 그렇게 말할 수밖에 없었던 것이다. 리셸이 옆에서 맞장구를 쳤다.

"네, 네, 폐하. 맞습니다. 아마 저녁 전에는 오실 겁니다."

하지만 유감스럽게도 그 말을 들은 황제의 표정은 그다지 나아지지 않았다. 아니스와 리셸은 지금 이 공간의 분위기가 몹시도 차갑고 무겁다는 사실을 실감하면서 마른 침을 삼켰다. 모쪼록 최대한 빨리 황제가 가주었으면 하는 바람이었다.

"폐하."

그때, 그나마 구세주가 되어 줄 목소리가 들려왔다.

"무슨 일이십니까."

맥켈리드 백작부인이었다. 그녀 역시 공간을 감도는 매서운 분위기를 빠르게 감지하고 표정이 심상찮게 변했다.

"무슨 문제라도 있나요?"

"……아무것도 아니다."

아무것도 아니긴. 새빨간 거짓말에 백작부인이 속으로 혀를 쯧

찼다.

"사토르디 영애라면 지금 자리에 없습니다. 러셀 공작 전하와 함께 잠시 황궁 밖으로 나갔습니다."

"그걸 부인은 허락해 줬고?"

레이놀즈의 물음에 맥켈리드 백작부인은 조금 황당하다는 목소리로 답했다.

"허락하지 못할 이유가 없어서요. 두 분 모두 건국제 준비에 참여하고 계시니 말입니다."

"……."

"다른 문제가 있나요?"

없었다. 젠장. 그가 머리 아픈 얼굴로 무겁게 콧숨을 쉬었다. 그 모습을 가만히 지켜보던 맥켈리드 백작부인이 조용히 물어왔다.

"사토르디 영애는 왜 찾으십니까?"

"……중요한 이유는 아니니 신경 쓸 필요 없어."

"그리고 폐하께서는 그 '중요하지도 않은' 이유 때문에 친히 이곳까지 오셨고요."

"바로 옆방이야."

"하지만 상대가 무디어스 공녀였다면 안 그러셨겠죠."

당연한 이야기를 하는 백작부인을, 레이놀즈가 살짝 미간을 좁힌 채로 쳐다보았다. 그런 레이놀즈의 눈빛에도 맥켈리드 백작부인은 태연하고 당당한 모습이었다. 조금도 위축되지 않는 모습에 아니스와 리셸은 속으로 감탄사만 터뜨렸다.

"많이 바쁘신 게 아니라면 저와 차나 한잔하시지요."

"유감스럽게도 많이 바쁘군, 맥켈리드 부인. 다음에……."

"사토르디 영애와 관련된 이야기를 드리려고 했는데요."

그 한마디를 들은 레이놀즈의 눈빛이 순식간에 바뀌었다. 어이없을 정도로 빠른 변화에, 맥켈리드 백작부인은 웃음을 참느라 꽤 애를 써야만 했다.

৯ ৯ ৯

액세서리 상점에서 나온 이후에도 우리는 계속해서 거리를 걸었다.

그러다 다리가 아파올 때 즈음, 루퍼트가 눈치 있게 내게 말했다.

"좀 쉴까요? 저쪽으로 가면 앉으실 수 있는 곳이 있습니다."

거절할 이유가 없어서 나는 냉큼 대답했다.

"네, 전하. 좋아요."

다행히 루퍼트가 말한 장소는 그리 멀지 않은 곳에 있었다. 그가 마실 걸 사 올 테니 내게 잠시 앉아 있으라고 말했고, 나는 둥그런 벤치 위에 앉아 멍하니 사람들이 오가는 모습을 쳐다보았다. 그러다 문득 괜찮은 생각이 떠올랐다.

'역시 거리 조성에 제일 좋은 건 꽃이지, 아마?'

엘스워드의 국화는 캐모마일이었다. 만약 거리 전체에 캐모마일을 심어 놓는다면 꽤 볼 만할 것이다. 장미처럼 화려한 멋은 없어도 소박하고 은은한 아름다움이 있는 꽃이었으니까. 향기도 좋은 만큼 거리를 걷는 사람들의 마음을 편안하게 해주는 효과도 기대해 볼 수 있을 것이다.

'그리고 밤에는 캐모마일을 그려 넣은 등을 걸어 놓는 거야.'

그럼 확실히 건국제 분위기가 살 것 같았다. 나는 여기서 생각을 좀 더 발전시켰다.

"요즘 날이 쌀쌀하니까 캐모마일 차를 사람들에게 무료로 제공해도 괜찮을 것 같은데……."

"뭘 그렇게 중얼거리십니까?"

"앗!"

갑작스럽게 들려오는 목소리에 나도 모르게 당황해 버렸다. 나는 머쓱하게 웃으며 옆을 돌아보았다.

"전하."

"입에 맞으셔야 할 텐데요."

그 말과 함께 루퍼트가 내민 것은 컵에 담긴 붉은색 액체였다.

'무슨 음료지?'

나는 킁킁대며 냄새를 맡아 보았다. 달콤한 딸기 냄새가 화악 퍼졌다. 산딸기로 만든 주스인 듯했다.

"입에 맞으실지 모르겠습니다."

"맛있어 보이는걸요. 감사합니다."

나는 빙긋 웃으며 한 모금을 마셨다. 미지근할 줄 알았는데 생각보다 차가운 식감이었다.

"무슨 생각을 그렇게 골똘히 하고 계셨습니까?"

"네?"

"올 때 보니 깊은 생각을 하고 계신 것처럼 보여서요. 아니었습니까?"

"아아."

나는 살짝 얼굴을 붉히며 대답했다.

"괜찮은 생각이 나서요. 하지만 전하께서도 그렇게 생각하실지는 모르겠네요."

"한번 말씀해 보시지요."

나는 루퍼트에게 아까 생각했던 내용들을 조심스럽게 읊어주었다. 다행스럽게도 루퍼트는 내 의견을 듣더니 괜찮다는 반응을 보였다.

"영애의 말씀대로 캐모마일을 하나의 테마로 잡고 거리를 조성한다면 분명 특색 있을 것 같군요."

"네. 건국제니까요. 여타의 축제들과는 다른 점이 있어야 한다고 생각해요."

"그리고 말씀 주신 다른 건은."

캐모마일 차를 사람들에게 나누어주자는 의견이었다.

"폐하께 직접 말씀드려보도록 하겠습니다. 빈민 구제 예산을 조금 빼온다면 아마 어렵지는 않을 겁니다. 많은 금액이 들어갈 것 같지도 않아서요."

"와, 정말요? 감사해요. 진지하게 들어주실 줄은 몰랐는데……"

"그럴 리가요. 애당초 영애의 의견을 구하기 위해 이렇게 모시고 나왔는걸요."

"사실 별로 대단한 의견은 아니라 조금 부끄러워지네요. 이 정도는 누구나 생각할 수 있는 건데……"

"그렇게 말씀하실 필요 없습니다. 그전까지 엘스워드에서 국화란 신성시되던 꽃이라, 민간에서까지 두루 사용된 적은 없었거든요."

"아, 정말인가요?"

"네. 이번 축제를 시작으로 국화의 이미지가 좀 더 대중적으로 변하는 것도 좋을 것 같군요. 물론 폐하의 윤허가 있어야겠지만……"

루퍼트가 나를 흘긋 바라보더니 말을 맺었다.

"영애께서 내신 의견이라고 말씀드리면 아마 허락해 주실 겁니다."

"하하……"

나는 어색하게 웃었다. 나랏일을 그렇게 처리해도 되는 거야……?

"아, 괜찮으시다면 저녁도 드시고 돌아가시겠습니까?"

"아, 아뇨. 그렇게 되면 귀가 시간이 너무 늦어질 것 같아요."

너무 늦게 들어가는 건 아무래도 부담스러웠다. 아무래도 지금은 황궁에 매인 몸이니까.

"식사는 다음번에 다시 황궁에 오셨을 때 같이 하시지요."

"……네, 레이디 유리네트."

그는 아무렇지 않게 빙긋 웃었다.

※ ※ ※

"사토르디 영애와 관련된 이야기가 뭐지?"

차가 나오기도 전에 레이놀즈이 물어왔고, 맥켈리드 백작부인은 황당해졌다.

"그렇게 급하게 물어보실 까닭은 없지 않습니까. 아직 차도 안 나왔습니다."

"바쁘니 그렇지."

"그런 분께서 사토르디 영애만 관련되었다 하면 이리 적극적으로 나오시고요."

"……."

할 말이 없어진 레이놀즈가 입을 다물었다. 동시에 아니스가 차를 가져와 두 사람이 마주 앉은 테이블 위에 내려놓았다. 심신 안정에 탁월한 캐모마일 차였다.

한 모금 마신 레이놀즈가 이제 되었냐는 듯한 얼굴로 맥켈리드 백작부인을 응시했다. 백작부인도 레이놀즈를 따라 한 모금을 마신 다음, 더 미룰 수 없겠다는 듯 입을 열었다.

"그녀를 좋아하고 계시지요?"

"그래."

친어미 같은 여자에게, 그는 굳이 숨기지 않았다.

"알고 있었군."

"모를 수가 없지요."

"그런데도 오늘 외출을 허가했고."

"명분이 있었으니까요. 무엇보다……."

맥켈리드 백작부인이 눈썹을 위로 치켜뜨며 말을 맺었다.

"폐하께서 뭘 그리 걱정하시는지 알 수가 없군요."

"무슨 뜻이지?"

"폐하를 따라 연고 없는 황궁까지 오신 분입니다. 아무렴 다른 분께 마음을 주시겠습니까. 그것도 다른 사람도 아닌 폐하의 동생 분께요."

"부인의 입에서 그런 말이 나올 줄은 몰랐군."

레이놀즈는 건조한 목소리로 대꾸했다.

"부황께서 내 어미에게 보이신 처사를 누구보다 잘 알고 있지 않나."

"그건……."

레이놀즈의 말에 맥켈리드 백작부인은 처음으로 당황하는 모습을 보였다.

"다릅니다, 폐하."

"뭐가 다르지?"

그가 냉소적으로 물었다.

"내 어미에 대한 마음을 주체하지 못해 강제로 황후로 올린 분이시다. 그래놓고 얼마 지나지 않아 다른 여인에게 눈을 돌리셨지. 처음의 마음 따위는 존재하지도 않았다는 것처럼."

그 다른 여인이 루퍼트의 어머니였다.

"모후께서 병사하지 않으셨다면 부황께서는 어쩌면…… 루퍼트의 어미를 황후로 맞아들이기 위해 모후를 죽이셨을지도 모를 일이지."

"폐하, 그런 말씀은……."

"나는 불가능하다고 생각하지 않아."

레이놀즈는 잠시 불행했던 과거를 떠올리며 눈을 감았다 떴다.

"사람의 마음이란 그토록 부질없어."

"쓸데없는 걱정이십니다. 제가 보기에는 사토르디 영애 역시 폐하께 아무 감정이 없어 보이지는 않던걸요."

"그렇다고 해도 그 마음이 언제 변할지는 아무도 모르는 일이지."

"폐하."

"불안해. 나 또한 모후의 전철을 그대로 밟는 것은 아닐지……."

"말도 안 되는 생각이십니다. 비교가 불가능하지요. 폐하께선 제국의 태양이신걸요."

"지위를 내세워 그녀를 취하고 싶지는 않아."

"영애가 폐하의 지위를 보고 좋은 마음을 품은 것은 아닐 겁니다. 그랬다면 제 눈에 띄었겠지요."

"……."

"너무 걱정하지 마세요. 폐하께서 진심이시라면, 영애께서도 틀림없이 그 진심을 보아줄 테니까요."

제 말이 결코 틀릴 일 없다는 것처럼 말하면서, 맥켈리드 백작부인은 따뜻한 미소를 지었다.

2

Kiss

✼

"레이디 유리네트."

창밖이 어느새 어둑해져 있을 즈음 누군가 나를 불러왔다. 나는 반쯤 떠진 눈을 비비며 몸을 일으켰다.

"으음……."

"도착했습니다."

"아, 벌써요?"

깜빡 잠이 든 모양이었다. 나는 머쓱하게 웃은 다음 루퍼트에게 인사했다.

"오늘 하루 감사했습니다, 전하. 덕분에 즐거운 시간 보냈네요."

"제가 더 감사하지요. 선물까지 받게 되었으니까요."

"그리 값비싼 것도 아니었는걸요."

"선물의 금액도 물론 중요하지만, 마음도 중요하지요."

루퍼트의 입가로 의미심장한 미소가 떠올랐다.

"오늘 제게 주신 영애의 마음, 소중히 간직하겠습니다."

"……네."

나는 그저 입꼬리를 살짝 끌어 올리는 것으로 대답을 대신했다.

"그럼 조심히 들어가시지요, 전하."

"영애께서도 조심히 들어가십시오."

그 인사를 끝으로 나는 마차에서 내렸고, 잠시 후 마차가 완전히 떠나는 모습을 본 다음에야 황궁 안으로 들어섰다. 나름 외출했다고 온몸에 피곤함이 밀려왔다.

'레이놀즈는 지금 뭐 하고 있을까.'

아마 평소와 다름없이 정무에 몰두하고 있을 것이다. 나는 무의식적으로 중얼거렸다.

"저녁은 먹었는지 모르겠네……."

만약 안 먹었다면 함께 저녁식사를 하면서, 오늘 산 선물을 전해 주는 것도 나쁘지 않을 것이다. 그런 생각을 하면서 중앙궁 안으로 들어섰다. 그리고 내 방 가까이 다다랐을 때, 어쩐지 불안해 보이는 표정의 하녀들과 마주했다.

"다들 잘 있었어?"

"아, 영애."

나를 발견한 아니스의 표정이 금세 환해졌다.

"드디어 오셨군요."

앞에 붙은 '드디어'라는 부사가 어쩐지 불안했다. 나는 미간을 살짝 좁힌 뒤 물었다.

"무슨 일 있어?"

"아뇨. 그런 건 아닌데……."

"아까 폐하께서 찾으셨어요."

"아, 그래?"

나는 별생각 없이 대꾸했지만, 아니스와 리셀의 표정은 영 심상치가 않았다. 나는 무언가가 더 있음을 직감하고 물었다.

"무슨 일이 있었던 거 같은데."

"정말 없었어요. 다만……."

"다만?"

"영애께서 루셀 공작님과 외출하셨다는 말씀을 들으시고 표정이 아주……."

"험상궂어지셨어요."

"네. 맞아요……."

"험상궂어지셨다고?"

"무서워 죽는 줄 알았어요."

리셀의 한탄 섞인 목소리에 나는 '설마' 하는 표정을 지었다.

'……질투하는 건 아니겠지.'

하지만 '설마'가 '진짜'일 가능성이 높았던 게, 레이놀즈는 지난번에도 루퍼트를 향해서 은근한 질투심을 보여왔기 때문이었다.

나는 잠시 미간을 좁히고 생각하는 표정을 짓다 물었다.

"폐하께서는 지금 어디 계셔?"

❦ ❦ ❦

나는 곧바로 레이놀즈의 방을 향해 걸어갔다. 사실 방금 들은 이야기가 아니었어도 그를 찾을 생각이긴 했다. 오늘 산 선물을 건네주기도 해야 하니까.

"레이디 유리네트."

"안녕하세요, 애슐리 경."

익숙하게 애슐리 경에게 인사를 건넨 뒤, 나는 곧바로 물었다.

"폐하 안에 계신가요?"

"네. 정무를 보고 계십니다."

"이런. 방해하고 싶지는 않은데……."

"어차피 저녁을 드실 시간이라 들어가려 했습니다. 영애께서 대신해주시면 좋겠군요."

"알겠어요."

나는 미소와 함께 고개를 끄덕였다. 그런 다음 레이놀즈의 집무실로 가 문을 두드렸다.

똑똑.

짧은 두 번의 노크와 함께 문 너머에서 목소리가 들려왔다.

"들어와."

나는 느릿하게 문고리를 잡고 옆으로 돌렸다. 문이 열리자 무표정한 얼굴로 서류에 시선을 파묻은 레이놀즈가 보였다. 그는 노크한 상대가 내가 아닌 애슐리 경인 줄 안 듯했다.

그는 내게 시선조차 주지 않은 채 입술만 움직여 말했다.

"저녁은 간단하게……."

"폐하."

그런 그를 불렀다. 그가 고개를 들어 올렸다. 잠시 후, 레이놀즈의 눈빛이 파르르 흔들렸다.

"저예요."

그 말과 함께 나는 살짝 웃었고, 그런 나를 그가 빤히 바라보았다. 입술까지 파르르 떨리는 게 보였다. 왜 그런 반응을 보이는지알 수가 없어서 당황스러움을 느끼는 것도 잠시.

"유린."

그가 나를 불렀다. 그것도 이름으로. 대놓고 이런 적은 처음이라나는 당황할 수밖에 없었다.

"폐하, 각서를……."

하지만 말을 다 끝맺기도 전에 그가 몸을 일으켰고, 성큼성큼 내게로 걸어왔다. 존재 자체가 내뿜는 위압적인 분위기에 압도되어, 내 입술은 자연스럽게 다물렸다. 그가 나를 바라보는 눈빛이 평소와 다르다는 것쯤은 거기에서부터 알아차릴 수 있었다.

'……뭐지.'

예전에 질투 비슷한 반응을 보였을 때조차 이런 느낌은 없었다. 혹시 뭔가 잘못된 건 아닌가 싶어 무의식적인 두려움이 일었다.

나는 조심스럽게 물었다.

"무슨 일이…… 있나요?"

하지만 대답은 들려오지 않았다. 한참 동안 침묵이 지속되자 막연한 불안감은 내 안에서 점점 크기를 키워나갔다.

"루퍼트와 외출했다고 들었어."

그 힘 빠지는 말이 들려온 것은 내가 불안함에 어쩔 줄 몰라 한 지 한참이 지난 후였다. 나는 잠시 멍한 표정을 지었다가 고개를 끄덕였다.

"전하께서 건국제 준비로 도움을 요청하셨어요."

"그래서 따라갔어?"

"네."

고개를 끄덕인 뒤에 '설마 지금 질투하시는 건 아니죠?'라고 물어볼 심산이었다. 하지만 그런 질문을 하기에 그의 표정이 이전과는 다르게 너무 심각해서 차마 그럴 수가 없어졌다. 나는 자연스럽게 침묵했다.

"유린."

침묵이 길어질 무렵 그가 나를 불렀다. 나는 고개를 들어 올려 그와 눈을 마주했다. 무언가를 갈구하는 듯한 눈동자가 나를 가만히 바라보고 있었다. 저 눈동자가 내게서 무엇을 원하고 있는 건지 알고 있어서, 나는 순간 숨이 턱 막혀왔다.

"나는……."

"유린을 좋아해. 아주 많이."

"……알아요."

마른침을 한 번 삼킨 뒤에야 나는 그렇게 답했다. 둘 다 알고 있는 그 새삼스러운 사실을 다시 꺼내는 이유는 무엇일까. 평소와는 다른 분위기가 나를 긴장하게 만들었다.

"유린이 나를 좋아해주면 좋겠지만."

"그러지 못한다고 하더라도, 나를 버리지는 말아줘."

"……폐하."

"부탁이야."

"왜 그런 말씀을 하세요."

그 말을 들으면서 나는 심하게 당황했다. 차라리 화를 냈다면 기분이 이렇게까지 이상하지는 않았을 것이다. 나를 물끄러미 바라보는 눈동자가 처음 네로를 발견했을 때와 무서우리만치 똑 닮아서, 내 기분은 더 이상해졌다. 나는 입술을 꾹 깨문 채, 입궁한 뒤로는 처음으로 그에게 먼저 한 발짝 다가갔다.

"그럴 리가 없잖아요."

"전 폐하를 보좌하기 위해 입궁했는걸요."

"오늘 루퍼트와 외출했다는 소릴 들었을 때."

그가 조용히 입을 열었다.

"겁이 났어."

"……질투가 나셨어요?"

"그렇게 말할 수도 있겠지만."

그의 곧은 시선이 내게로 와 꽂혔다.

"그건 이제까지와는 좀 다른 감정이었어."

"무슨……."

"혹시 유린이 날 버리고 루퍼트를 선택할까 봐 두려웠어."

"그럴 일은 없어요."

"사람의 마음이란 가변적이지."

쓸쓸한 목소리가 중얼거렸다.

"부황께서 모후께 그러셨듯."

그 불친절한 한마디는 신기하게도 내 머릿속에 개연적인 상상들을 불어 넣어주었다. 나는 입술을 작게 깨물었다가 단정조로 말했다.

"러셀 공작 전하는 좋은 분이세요. 그뿐이에요."

"못 믿겠어."

"제게는 폐하가 더 소중해요."

"……못 믿겠어."

그가 울적한 눈으로 나를 바라보며 중얼거렸다.

"나는 두려워, 유린."

그리고 나는 그가 왜 그렇게 말하는지 이해할 수 없었다. 사실 레이놀즈도 어느 정도는 짐작하고 있을 것이다. 내가 그에게 아주 마음이 없는 건 아니라는 걸.

'그러니 지난번 내가 메리언에 대한 질투심을 은연중에 내비쳤을 때 웃었던 거겠지.'

그런 까닭에 어느 정도는 안심할 법도 한데, 그는 그러지 않았다. 누가 보면 내가 그에게 지금까지 단 한 번도 온기 있는 모습이라고는 보여주지 않았다고 착각할 정도로.

"백 번 듣는 것보다 한 번 보는 것이 더 효과적일 테죠."

나는 그렇게 말하면서 품 안에서 무언가를 꺼냈다. 아까 상점에서 샀던 조개껍데기 커프스 버튼이었다. 레이놀즈의 눈동자가 영문 모를 빛으로 물들었다.

"이걸 보여드리면 믿으실까요?"

"이게……."

"선물이에요."

이런 분위기에서 주게 될 줄은 생각조차 못 했다.

"지난번 제게 목걸이를 선물해 주셨죠."

나는 살짝 떨리는 눈빛으로 그를 쳐다보았다.

"그때에 대한 답례이고, 또한 제 마음입니다."

내 말에 레이놀즈의 눈이 커졌고, 나는 그를 바라보며 엷게 미소 지었다.

"이제 좀 안심이 되시겠어요?"

그는 대답 대신 선물부터 풀었고, 잠시 후 포장지가 벗겨졌다. 회백색의 조개껍데기 커프스 버튼이 우아하게 모습을 드러내자, 그가 떨리는 목소리로 물었다.

"나 주려고…… 산 거야?"

"그럼 누구 주려고 샀겠어요."

나는 미소와 함께 반문했다.

'사실 루퍼트에게도 선물하긴 했지만…….'

그건 예의상 한 것이었는 데다 지금 말하기에는 영 부적절한 듯해서 입 다물고 있기로 했다.

"마음에 드실지 모르겠네요."

"당연하지. 유린이 준 건데."

그가 언제 표정이 어두워졌냐는 듯, 빠르게 밝아진 얼굴로 대답했다.

"뭐든 좋아."

다시 한번 각서 위반이다. 경고를 줘야 하나 말아야 하나 고민하다가, 나는 속으로 한숨을 폭 내쉬었다.

에휴, 그래. 오늘만 봐주지 뭐.

"해드릴까요?"

그가 말없이 고개를 끄덕였고, 나는 천천히 그의 팔을 들어 올린 다음 셔츠 소매 부분의 끝단을 접어 올려 커프스 버튼을 연결했다.

예전에 배워둔 적이 있었기에 손놀림은 꽤 능숙했다.

왼쪽 소매를 마치고 오른쪽 소매에까지 커프스 버튼을 다 단 뒤에, 나는 뿌듯한 표정으로 고개를 들어 올렸다.

"다 됐……."

그리고 그 순간, 나를 부담스러울 정도로 빤히 바라보는 레이놀즈의 눈동자와 마주했다. 긴장감이 느껴질 정도의 정념 어린 시선에, 나는 순간 당황해서 속눈썹을 파르르 떨었다. 그제야 우리 두 사람의 거리가 너무 가깝다는 걸 인지할 즈음이었다.

"유린."

더없이 낮고 달콤한 목소리가 내 이름을 부르자, 나도 모르게 마른 침이 꿀꺽 넘어갔다. 온몸에 간질간질한 감각이 느껴지는 걸 보면 이 상황은 분명 위험했다. 얼른 벗어나야 했는데. 이상하게도 그러고 싶지가 않았다.

나는 금방이라도 일그러질 것만 같은 얼굴로 입술을 깨물었다. 그러자 그가 천천히 손을 들어 올려 내 입술 위로 손가락을 가져갔다. 차가운 감각과 함께, 시야 한쪽에 내가 연결해 주었던 조개껍데기 커프스 버튼이 잡혔다. 기분이 야릇했다.

"이 버릇은 고쳐야겠어."

작은 속삭임 뒤에, 무언가가 부드럽게 내 입술을 머금었다. 그것이 레이놀즈의 입술이라는 사실을 인지하기까지는 그리 오랜 시간이 걸리지 않았다. 갑작스러운 상황에 내 눈동자는 반사적으로 커졌다. 하지만 그것도 잠시, 내 안에서 부드럽게 유영하는 그의 움직임에 나는 힘없이 눈을 감았다.

"아……."

원래의 나라면 이걸 밀쳐내야 맞았다. 지금 이건 선을 넘는 행동이었으니까. 하지만 이상하게 그를 밀어내고 싶지가 않아졌다.

그게 그가 상처받을까 봐서인지, 아니면 지금 이 상황이 순수하게 좋아서인지…… 모르겠다. 생각하고 싶지 않았다. 그런 걸 생각하기에는 당장의 자극이 너무나도 강렬했다.

"하아……."

나는 길게 숨을 내쉬며 무의식적으로 그의 셔츠 자락을 꼭 말아 쥐었다. 달리기를 한 것처럼 턱 끝까지 숨이 차올랐다. 어지러울 정도의 감각에 정신을 차리지 못하고 균형을 잃으려는 순간, 그가 기다렸다는 듯 내 허리를 감싸 안아왔다. 두껍지 않은 소재의 옷을 입어서인지 얇은 옷감 위로 그의 손길이 생생하게 전해졌다.

그 또한 그 당시에는 자극이었다. 나도 모르게 달뜬 숨을 내뱉었다. 분명 첫 키스치고는 지나치게 짙은 색이다.

"으음……."

어느 순간 그의 움직임이 부드럽게 변했다. 아까의 그것이 격렬했다면 지금은 다정하다고나 할까.

나는 천천히 눈을 떠올려 그를 쳐다보았다. 주체할 수 없는 열기가 어느새 사랑스러움으로 치환되어 내게 입을 맞춰오고 있었다.

그 순간 나는 우습게도 부끄러움을 느꼈다.

'미, 미쳤어!'

동시에 내가 지금 선을 넘는 일에 동참했다는 사실도 깨달았다. 나는 그제야 그에게서 몸을 떨어뜨렸다. 하지만 그는 조금도 상처 입지 않은 눈빛으로, 아니 예의 그것과 다름없는 눈빛으로 나를 바라보고 있었다.

나는 순간 그가 이런 상황을 위해 일부러 그런 표정을 지은 건 아닌가 하는 의심이 들었다. 내 마음을 부러 약하게 만들기 위해서…….

나도 모르게 얼굴이 빨개졌다. 거기서 어떤 말도 할 수 없을 것만 같아서, 나는 무례고 뭐고 생각지도 못한 채 그대로 도망치듯 집무실을 빠져나왔다.

"레이디 유리네트, 무슨 일……."

얼굴이 빨개진 채 밖으로 나오는 내게 애슐리 경이 의아한 목소리로 물어왔다. 나는 여전히 붉어진 얼굴로 애슐리 경을 바라보다가, 아무것도 모른다는 듯한 순수한 눈동자를 발견하고는 더 얼굴이 빨개졌다.

아악! 나는 속으로 단말마의 비명을 내지르며 다시 그곳에서 도망쳐 나왔다. 온몸이 발가벗겨진 채 남들 앞에 선 기분이다.

"사토르디 영애."

간신히 밖으로 나왔는데 또 누가 나를 불렀다. 여전히 화끈거리는 얼굴로 나는 옆을 돌아보았다. 못마땅한 표정의 메리언이 나를 응시하고 있었다.

메리언을 보면서 불쾌감이 들지 않은 건 이번이 처음이었다. 아니, 엄밀히 말하자면 불쾌감이 부끄러움에 가려진 상태였다. 지금 그녀와 조우했다는 불쾌감을 신경 쓸 만큼 나는 차분한 상태가 아니었다.

"무, 무디어스 공녀."

"지금 설마 폐하의 방에서 나오는 건가요?"

"……네."

내가 기어들어 가는 목소리로 답하자, 메리언이 인상을 쓰며 걸어왔다. 나는 반사적으로 뒷걸음질 쳤다. 그 모습을 본 메리언이 날카로운 목소리로 물어왔다.

"왜 도망가는 거죠?"

"제가 언제 도, 도망갔다고 그래요."

"지금 도망가고 있잖아요."

그녀가 수상쩍다는 듯 한쪽 눈매를 접으며 물었다.

"폐하와 이상한 짓이라도 한 건 아니겠죠?"

"이, 이상한 짓이라뇨!"

제 발 저리는 사람처럼 빽 소리를 지르자, 메리언이 황당해 하며 같이 목소리를 높였다.

"깜짝이야! 중앙궁 시녀로서의 품위를 좀 지켜요, 레이디 유리네트."

"무, 무디어스 공녀께서 먼저 이상한 질문을 하시잖아요."

"평소에는 아니라고 그렇게 당당하게 대답하시더니."

메리언이 의심스럽다는 얼굴로 재차 물어왔다.

"정말 무슨 일이 있었던 건 아니죠?"

"아니에요, 정말로!"

나는 답지 않게 흥분하며 화를 냈다.

"정말…… 이런 질문 거듭 듣는 것, 저로서는 불쾌합니다. 지양해 주셨으면 좋겠어요."

"하……."

"이만 가보겠습니다."

시종일관 무시로 일관하던 내가 갑자기 화를 내자, 메리언은 어이가 없었는지 나를 노려보았다. 물론 내가 그 질문을 무시하고 내 갈 길을 갔더래도 날 노려보는 건 변함없겠지만.

'아, 진짜 미쳤어!'

내 방으로 돌아오면서까지 나는 계속 그 말만 속으로 중얼거렸다. 그리고 방으로 들어서는 날 본 패티는 의아한 얼굴로 물었다.

"더우세요, 영애?"

"그게 무슨 말이야?"

"얼굴이 빨가셔서요."

그 말에 아니스가 걱정스러운 목소리로 거들었다.

"어디 아프신 건 아니시죠?"

"……응. 아니야."

차마 '방금 겪은 일이 부끄러워 미치겠어'라고는 대답하지 못한 채, 나는 피곤한 표정으로 겉옷을 벗었다. 그런 나를 도와주면서 리셸이 말을 걸었다.

"폐하와 저녁 식사를 마치고 오실 줄 알았는데요."

"어?"

"식사하셨어요?"

"아니. 아직."

나는 조금 당황한 목소리로 대답했다.

"내가 꼭 폐하와 식사해야 하는 건 아니잖아."

"물론 그렇지만…… 그러려고 가신 줄 알았죠."

"아냐. 그냥 선물을 전달해 드리려고 간 거야."

그렇게 대답한 뒤에, 나는 혼자 찔려서 괜히 덧붙였다.

"그것뿐이야."

"선물을 사셨어요? 뭘 사셨는데요?"

"조개껍데기로 만든 커프스 버튼."

"마음에 들어 하시던가요?"

"……그러신 눈치였어."

하지만 내 집중력은 이미 그다음에 일어난 일로 쏠린 지 오래였다. 내 얼굴이 다시 붉어지기 시작했고, 그 모습을 본 에이미가 심각한 목소리로 물어왔다.

"정말 아프신 거 아니죠?"

"어? 응. 왜?"

"다시 얼굴이 빨개지셨어요."

"아."

제기랄.

"여기 좀 더운 거 같아."

그렇게 말하면서 나는 과장된 움직임으로 옷을 벗었다. 눈치 빠른 에이미가 괜한 질문을 안 하는 게 다행이라고 생각하면서.

"아니면 혹시……."

하지만 그 생각을 하기가 무섭게, 에이미가 수상쩍다는 표정을 지었다. 나도 모르게 마른 침을 꿀꺽 삼켰다.

"폐하와 무슨 일이 있으셨어요?"

"……일은 무슨."

한 박자가 늦어 버렸다, 제길.

"아무 일도 없었어. 왜 갑자기 그런 걸 물어?"

도리어 당당하게 나가자, 에이미가 '아닌가?' 하는 표정을 지었다. 하아…….

"아무 일도 없었어. 저녁이나 준비해 줘."

"드시고 싶은 거 있으세요?"

"그냥…… 간단한 거."

지금은 뭘 먹든 간에 음식이 입으로 들어가는지 코로 들어가는지 모를 것만 같았다.

❧ ❧ ❧

어쨌든 그건 나와 레이놀즈의 첫 키스였다.

……인정하고 싶지 않지만, 인정해야 했다. 그리고 다행인지 불행인지, 나는 그 이후로 레이놀즈와 만날 일이 없었다.

'참 다행이지.'

만약 애슐리 경과 같은 보직이었다면 불가능한 일이었다. 그럼 난 견디지 못하고 사토르디로 도망쳐 버릴지도 모른다. 물론 그 일이 있던 날 밤 그 생각도 안 해본 건 아니었지만…….

"케이터링 메뉴에서 복숭아 셔벗은 빼는 게 좋겠어요."

그러기에는 이미 맡아 버린 일이 있었다. 그리고 만약 홧김에 도망쳐 버렸다면, 내게 그날 무슨 일이 있었다는 걸 나 스스로 증명해 보이는 셈이다. 다행히 레이놀즈가 동네방네 떠들고 다니지 않아서 - 물론 원래도 그런 남자는 아니었다 - 나와 그가 키스했다는 사실은 우리 둘만의 비밀이 되었다. ……이렇게 말하니 무슨 대단한 비밀이라도 공유하고 있는 것 같지만.

"나이 드신 분들 중에는 미신 때문에 복숭아를 꺼리시는 경우도 많거든요."

엘스워드에 와서 알게 된 사실이었다. 복숭아가 안 좋은 일을 불러일으킨다는 미신이 있다나 뭐라나. 물론 난 그런 걸 믿지 않는 성향이었지만, 믿는 사람도 왕왕 있는 듯했다.

"하지만 복숭아 셔벗을 좋아하시는 분들도 계실 텐데요."

"다른 행사도 아니고 건국제 기념 연회이니 가급적 빼는 게 좋을 겁니다."

맥켈리드 백작부인의 부드러운 권고에 나는 결국 고개를 끄덕였다. 참고로 나는 복숭아를 좋아하는 편이었다. 권유린일 적에는 복숭아 알레르기 때문에 복숭아 근처에도 못 갔지만, 유리네트에게는 복숭아 알레르기가 없었기에 마음껏 먹어도 아무런 문제가 되지 않았으니까.

"나머지는 내일 다시 논의하도록 하죠. 내일이 사냥 대회라 준비할 게 좀 남아서요."

"아."

그러고 보니 내일이 사냥대회였다.

'레이놀즈가 말 탈 줄 아느냐고 물어봤던 게 엊그제 같은데.'

벌써 일주일도 넘게 시간이 흐른 것이었다. 나는 무의식적으로 입술을 손가락으로 매만졌다.

"영애께서도 내일 참가하시겠어요?"

"전 말을 탈 줄 몰라서요."

나는 어색하게 웃으며 고개를 저었다.

"그냥 구경이나 하려고요. 부인께서는 참가하시나요?"

"네."

의외의 대답이 나왔다. 내가 놀랍다는 얼굴로 말했다.

"와, 말을 탈 줄 아시는군요."

"처녀 적에 잠깐 배웠답니다. 그렇게 어렵지 않아요."

"저도 한번 배워볼까요?"

"좋죠. 그럼 내년 사냥 대회에는 참가할 수 있을 테니까요."

맥켈리드 백작부인의 입에서 아무렇지 않게 흘러나온 '내년'이라는 단어에, 나는 잠시 멈칫했다.

'내가 과연 내년에도 여기 있을 수 있을까.'

문득 그런 생각이 들었던 탓이다. 갑작스럽게 생각을 사로잡은 거취 문제에 표정이 자연스럽게 어두워졌다.

그런 내 모습을 보고 맥켈리드 백작부인이 물어왔다.

"왜 그래요, 영애?"

"아······."

나는 빠르게 표정을 바꾸어 미소 지었다.

"아무것도 아니에요."

굳이 먼 미래의 일까지는 걱정하지 말자. 당장 내일 일어날 일도 모르는데, 미리 걱정해봐야 아무런 쓸모도 없을 테니까.

❧ ❧ ❧

그리고 마침내 사냥대회의 날이 밝았다.

"액세서리는 깃털 달린 팔찌를 끼시는 게 좋을 것 같아요."

"거기에 맞춰서 귀걸이도 깃털이 달린 것으로……."

"브로치를 다시겠어요? 상의가 너무 밋밋한데."

나는 대회에 참가하지 않았지만, 참관이라도 해야 했다. 명색이 중앙궁 시녀였기 때문이었다.

'그러고 보니 오늘 처음으로 만나는 거네.'

레이놀즈 이야기였다. 그와 입을 맞춘 직후 오늘이 첫 만남이었던 것이다. 나도 모르게 얼굴이 붉어졌다.

아, 도대체 언제쯤 그때 일을 떠올려도 초연해질 수 있을까.

'아마 어렵지 않을까.'

그렇다면 역시 빠른 포기가 답! 나는 길게 한숨을 내쉬며 살짝 흘러내리는 머리카락을 귀 뒤로 넘겼다.

사실 지금 내 마음 상태가 초연해지는 것보다 더 중요한 건, 레이놀즈와 다시 마주했을 때 어떻게 행동해야 하느냐는 것이었다. 그렇게 나가 버린 이후 첫 만남이었으니까.

'이럴 줄 알았으면 인사라도 하고 나오는 건데!'

하지만 정말 그 당시에는 그럴 만한 정신머리가 없었다. 내가 골치 아프다는 얼굴로 머리카락을 헝클어뜨리자, 에이미가 경악하며 소리쳤다.

"아가씨, 뭐 하시는 거예요! 머리가 다 풀어지잖아요."

"아무래도 다시 묶어야 할 것 같아요."

"이리 앉아 보세요, 영애."

"갑자기 왜 그러셨어요? 무슨 일 있으세요?"

나는 머쓱한 표정을 지으며 변명하듯 한 마디를 내뱉었다.

"아니, 그냥……. 갑자기 잊고 있었던 부끄러운 일이 생각나서."

"부끄러운 일이요?"

"뭔데요?"

"……별거 아니야."

"별거 아닌데 그렇게 머리를 헝클어뜨리세요? 분명 무슨 일이 있는 것 같은데……."

역시 에이미는 예리하다. 하지만 사실대로 말해줄 생각은 없어서 나는 꾹 입을 다물고 있었다. 다행스럽게도 다들 더 물어오지는 않았다.

"자, 이제 됐어요. 아까보다 더 깔끔하게 묶였네요."

리셸의 말에 나는 자리에 앉은 채로 화장대 위에 놓인 거울을 쳐다보았다. 아까보다 질끈 묶어서 확실히 깔끔해 보이기는 했다. 머리가 좀 당기기는 했지만. 나름 예뻤다.

"이제 가시면 돼요. 그보다 무디어스 공녀와 같은 마차를 타셔야 하는데, 괜찮으시겠어요?"

맥켈리드 백작부인이 말을 타고 이동함에 따라, 자연스럽게 나는 무디어스 공녀와 같은 마차를 타게 되었다. 물론 정말 싫었고, 그건 아마 그쪽도 마찬가지일 테지만 선택의 여지가 없었다.

"어쩔 수 없지. 내가 말을 못 타는걸."

"내년에는 꼭 배우셔서 말을 타고 가세요."

"으음. 아무래도 그래야겠어."

나는 설핏 웃으며 자리에서 일어난 뒤 방 밖으로 나갔다. 그리고 중앙궁 바깥으로 나가 원래 배정받은 마차를 타려던 순간이었다.

"레이디 유리네트."

뒤에서 애슐리 경의 목소리가 들려왔다. 몸을 돌리자, 사냥복 차림의 애슐리 경이 눈에 들어왔다. 나도 모르게 미소가 나왔다.

"경께서도 이번 대회에 참가하시나요?"

"전 매해마다 참가했는걸요. 당연하지요."

그가 낮게 웃은 다음 덧붙였다.

"그리고 무예에도 능통하지 못하면 폐하의 시종직을 유지할 수 없어서요."

"와……. 그 자리가 상당히 까다로운 자리였군요."

"최측근에서 폐하를 모시니까요. 전통적으로 그렇습니다."

"그렇다면 오늘 한번 기대해 봐도 될까요?"

"말씀은 감사합니다만, 1등은 늘 폐하께서 차지하셨습니다."

왠지 수긍 가는 말이라, 나는 미소 지으며 고개를 끄덕였다.

"아무렴 전장에서 사신으로 불리시는 분이니까요. 그보다 무슨 일이신지……."

"아, 참. 다름이 아니라, 지금 마차를 타러 가시는 겁니까?"

"네, 경. 그렇습니다. 무슨 문제라도 있나요?"

그리고 그다음에 나온 답변은 퍽 당황스러운 것이었다.

"폐하와 같은 마차에 타시라는 황명이 있었습니다."

"……네?"

나는 더듬거리며 대꾸했다.

"하, 하지만…… 저는 무디어스 공녀와 같은 마차를 타고 가기로 되어 있는걸요."

"저도 자세한 이유는 모릅니다만, 그렇게 말씀하셨습니다."

"무디어스 공녀도 동승하나요?"

"그건 아닌 걸로 압니다."

그 뒤에 나오는 말은 더…… 당황스러웠다.

"아마 두 분이서 '단둘이' 동승하시게 될 겁니다."

유독 '단둘이'라는 말에 힘이 들어간 것 같다면, 내 착각이겠지? 사실 지금의 나로서는 차라리 무디어스 공녀가 더 편할 지경이었 다. 메리언은 불쾌하기는 할지언정 못 견딜 정도로 불편하지는 않 았으니까. 하지만 지금의 레이놀즈는 달랐다. 첫 키스 후 남겨두고 도망쳐 버린 사람과 그 좁은 공간에서 단둘이 있으라고?

'아, 생각만 해도 끔찍하게 불편한데?'

마차 안을 가득 채울 그 어색한 침묵과…… 그도 아니면 그때 일을 태연한 얼굴로 상기시킬 레이놀즈라니. 어느 쪽이든 불편하기는 매한가지였다. 나는 진심으로 도망치고 싶었다.

"그냥 무디어스 공녀와…… 같은 마차를 타면 안 되나요?"

내 말에 주변에 있던 하녀들이 경악한 눈으로 나를 쳐다보는 게 느껴졌지만, 난 진심이었다.

"무디어스 공녀와요?"

그리고 애슐리 경 역시 이해 못 하겠다는 반응을 보였다.

"하지만 황명을 받은 처지에서, 어쩔 수 없습니다, 레이디 유리네트."

"으음……."

"정 그러시다면 폐하를 뵙고 직접 말씀드리시지요."

"네?!"

아니, 마주치기 싫어서 지금 이러는 건데 보고 말하라굽쇼……?

'그것도 마차 같이 타기 싫다는 말을 직접?'

그 뒤에 레이놀즈가 내게 걸어올 말들이 주마등처럼 스쳐 지나갔다. 나도 모르게 절레절레 고개를 저었다.

'아, 절대 안 돼.'

차라리 말없이 같이 타고 말지, 그건 정말 무리였다. 나는 결국 포기해 버렸다.

"……그냥 갈게요."

"네, 영애. 이쪽으로."

어쩐지 애슐리 경의 표정이 뿌듯해 보이는 거 같은데. 내 착각이 겠지……? 나는 떨떠름한 얼굴로 애슐리 경을 따라 걸어갔다. 그리 고 레이놀즈를 만나러 가는 길이라는 사실을 되새길수록 심장이 쿵쿵 미친 것처럼 뛰기 시작했다. 누가 듣는다면 분명 달리기를 하 는 사람의 심장이라고 생각할 정도로 빠른 속도였다.

잠시 후, 애슐리 경의 발걸음이 멈춘 곳은 누가 봐도 황제나 탈 법한, 화려하고 휘황찬란한 마차 한 대 앞이었다.

"이 마차에서 대기해 주시면 됩니다. 폐하께서는 곧 나오실 겁 니다."

그 말인즉슨, 아직 이 마차 안에는 레이놀즈가 없다는 소리였다.

'그나마 안심해야 하나.'

이 무슨 사형을 기다리는 사형수도 아니고, 참. 나는 떨떠름한 얼 굴로 마차에 올라탔다. 에이미와 아니스, 리셸과 패티는 걸어서 이 동할 예정이었다. 나는 텅 빈 마차 안에서 자세를 편하게 한 다음 깊게 한숨을 쉬었다.

"후우……."

만나면 무슨 말부터 해야 하지. 진짜 어색할 것 같은데…….

어쨌든 선을 먼저 넘은 건 레이놀즈였다. 그 사실이 변하지는 않 는다.

'하지만 나도 동조하기는 했다는 거.'

밀어내지 않았으니까. 그리고 그 마음은…… 지금도 유효했다.

아마 다시 돌아간다고 해도 나는 똑같은 반응을 보일 가능성이 높았다. 나는 턱을 괸 채로 다시 한번 깊게 한숨 쉬었다.

'……모르겠다.'

어차피 깊게 생각해도 답이 나올 문제는 아니었다. 일단 부딪친 다음 임기응변을 발휘해야 하는 문제……. 애당초 레이놀즈가 어떻게 나올지도 모르는 상황이었으니까. 바로 그때였다.

"사토르디 영애는 지금 어디 있지?"

레이놀즈의 목소리였다! 나도 모르게 흐트러졌던 자세를 바로 했다. 누가 본다면 군인이라고 착각할 정도로 절도 있는 자세였다. 뒤이어 애슐리 경의 목소리도 들려왔다.

"지금 이 안에 타고 계십니다."

"……그래?"

대답하기 직전 들려오는 침묵이 마른 침을 삼키게 했다. 아, 긴장 돼 죽겠네.

"출발은 몇 시지?"

"지금 바로 출발할 예정입니다, 폐하."

"좋아."

그리고 그 대답까지 나왔을 때, 나는 곧 이 안의 문이 열릴 것임을 직감했다. 나도 모르게 눈을 질끈 감았다 떴다. 아아, 신이시여. 제가 부디 어색함과 부끄러움에 질식해 죽지 않도록 도와주세요!

드르륵.

기도를 마친 바로 그 순간, 마차의 문이 열리는 소리가 들려왔다. 나는 정면으로만 향했던 고개를 천천히 옆으로 돌렸다. 아주 오랫동안 방치해 두었던 기계를 움직이는 것처럼 고개가 삐거덕거렸다. 그리고 마침내…….

"……."

레이놀즈와 눈이 마주쳐 버렸다. 나는 어색하게 웃으며 예부터 차려 인사했다.

"제국의 태양, 황제 폐하를 뵙습니다."

문제는 내가 더 할 수 있는 말이 이거 외에는 없다는 점이었다. 나는 마른침을 삼킨 다음 곧바로 시선을 다시 정면으로 돌렸다. 그리고 그런 나를 레이놀즈가 빤히 쳐다보고 있는 시선이 느껴졌다. 아, 벌써부터 부담스럽네.

"폐하."

레이놀즈가 내 맞은편에 와 앉는데, 창문 옆에서 애슐리 경의 목소리가 들려왔다.

"출발해도 되겠습니까."

"……그래."

조용한 목소리가 허락을 말하자, 마차가 움직이기 시작했다. 안전벨트가 있으면 그거라도 만지작거릴 텐데, 유감스럽게도 엘스워드의 마차에는 그런 것도 없었다. 아아…….

그리고 레이놀즈는 무슨 표정인지는 모르겠지만, 나를 계속 쳐다보고 있었다. 심히 부담스럽다.

'그냥 이 상태로 가도 나쁘지 않을 거 같은데.'

많이 어색하고 불편하긴 했지만, 이 상태로 쭉 사냥터까지 도착해도 괜찮을 것 같다는 생각이 들었다. 군인 같은 정자세를 계속 유지해야 한다는 점이 몹시 힘들긴 했지만, 지금 상황에서 그런 육체적 고단함이 대수랴.

"유린."

하지만 유감스럽게도 내 바람은 실현되지 못할 것처럼 보였다. 나는 차마 무시하지 못하고 시선을 레이놀즈에게로 돌렸다.

"네, 폐하."

하는 수 없다. 이렇게 된 이상 태연하게 나가는 수밖에……! 나는 뻔뻔하리만치 아무렇지 않은 얼굴로 물었다.

"무슨 일이신가요?"

"……."

그리고 내 질문에 레이놀즈는 대답 없이 나를 빤히 바라보기만 했다. 아니, 불렀으면 말을 하라고……!

"나한테 할 말 없나?"

"……."

역시 그는 시작부터 본론이었다. 자비 없는 물음에 나는 마른침만 꿀떡 삼켰다.

"할 말…… 뭐요?"

그리고 난 비겁하게 숨어버렸다. 여전히 마른침을 꼴깍 삼키면서.

"잘 알 텐데, 유린이 더."

"폐하, 절 계속 이름으로 부르시면……."

"부르시면……?"

"……부르지 마세요."

"그럼 유린도 솔직하게 대답해줘."

그가 빙긋 웃으며 내게 물었다.

"나한테 할 말, 있지 않아?"

"……."

할 말은 없었다. 진심으로. 그러나 저 남자가 내게 기대하는 말은 있을 것이다. 나는 입술을 질끈 깨물었다. 눈도 질끈 감았다 떴다. 그리고 기어들어 가는 목소리로 말했다.

"그날 일은…… 그냥……."

"……."

"실수였어요."

내 대답에, 레이놀즈의 표정이 와락 구겨졌다.

"……실수?"

"……네."

나는 침착하게 고개를 끄덕였다.

"인정해요, 좋았던 것. 하지만 분위기에 휩쓸려서…… 저도 모르게 그런 거예요."

인정한다. 지금 이 말, 되게 쓰레기 같은 말이라는 거.

'그래도 어쩔 수 없잖아.'

이렇게 말하지 않는다면, 나는 이 남자에게 당신이 싫지 않아서 당신을 받아들였다고 말해야만 하는데. 어떻게 내가 그럴 수 있겠어. 그렇게 말하기에는 너무 늦어 버렸는데.

나는 이미 여러 번에 걸쳐 그의 마음을 거부했다. 지금 말을 바꾸는 것도 우스운 일이리라. 나는 입 안쪽의 여린 살을 아프게 깨물었다.

"그러니 그냥…… 잊으세요."

"잊으라고?"

그가 어이없다는 듯 헛숨을 흘리며 물어왔다. 나는 느릿하게 고개를 끄덕였다. 그러다 무심코 고개를 위로 올려 레이놀즈의 표정을 봐 버렸다. 상처받은 게 분명한 표정이 적나라하게 시야에 들어왔다. 그는 나를 원망스럽다는 눈으로 바라보았고, 그 시선을 감당할 수가 없어 나는 결국 눈을 돌리고 말았다. ……괴롭다.

'그래도.'

이게 맞는 거야. 나는 속으로 계속 되뇌었다. 이게 맞는 거라고. 이렇게 하는 게 맞는 거라고. 그에게 상처를 줄지언정, 더 이상 다가가는 건 위험하다고. 그리고 다시는 그에게 어떤 여지도 주지 않겠다고 굳게 다짐했다. 다시 한번 그런 일이 생긴다면, 그때 나는 변명의 여지 없는 나쁜 년이라고 생각하면서.

"……."

마차는 한마디도 없이 조용히 굴러갔다.

.

.

.

"도착했습니다."

도착할 때까지 나는 군인 같은 정자세를 유지했다. 마차가 멈춘 다음에도 우리 둘 중 그 누구도 일어날 기미를 보이지 않았다. 나는 어떻게 해야 할지 몰라서 그저 앉아만 있다가. 결국 더 기다리지 못하고 자리에서 일어났다. 문을 열고 마차에서 내리려던 순간, 누군가 내 손목을 잡았다.

"아……."

돌아보지 않았지만, 그게 레이놀즈라는 것은 명명백백해 보였다. 흔들리는 얼굴로 고개를 돌리자, 레이놀즈가 알 수 없는 눈동자로 나를 물끄러미 쳐다보고 있었다. 그 모습에서 순간 네로가 겹쳐 보여서 견딜 수가 없어졌다.

나는 그에게서 손목을 빼낸 다음 도망치듯 마차 밖으로 튀어나왔다. 그리고 빠르게 내 하녀들이 있는 곳까지 걸어갔다.

"마차 안에서 불편함은 없으셨…… 아가씨?"

그리고 그런 내게 에이미가 당황한 얼굴로 물어왔다.

"왜 그러세요? 폐하와 무슨 일이 있으셨어요?"

"아냐, 에이미."

나는 조금 지친 목소리로 대답했다.

"아무 일도 없었어. 목소리 키우지 마."

사토르디로 돌아가고 싶어졌다. 아니, 이 상황을 벗어날 수만 있다면 뭐든 다 하고 싶어졌다. 그렇지만 여기까지 와서 돌아가겠다고 말하는 건 분명 이상한 일이다.

'그냥 이 자리를 뜨면 돼.'

그리고 가급적 레이놀즈와 마주치지 않는 것이다. 그다음의 일은 그다음에 생각하면 된다. 아니면 그냥 사토르디로 돌아가는 것도 방법이다.

'오만했어.'

사실 처음부터 알고 있었잖아. 이 남자에게 빠지지 않는 건 불가능한 일이라는 거. 각서를 작성하는 건 무의미한 행위라는 거. 어쩌면 나는 그 순간에마저 이미 그에게 어느 정도 마음을 빼앗겨 버린 상태였을지도 모르는데. 그렇게 생각하니 스스로가 너무나도 어리석게 느껴졌다.

'사토르디로 돌아가야 해.'

이 이상 황궁에 머무는 건 무리였다. 나는 더 이상 처음의 다짐을 지킬 자신이 없었다.

'건국제만 마치고 돌아가자.'

스스로를 제어할 수 없다면 그의 곁에 있어서는 안 된다. 괜한 문제만 야기할 뿐이다.

'잘 됐어. 어차피 가족들도 마침 보고 싶었잖아.'

황궁 생활도 분명 좋지만, 이제는 무리였다. 더 버틸 수가 없었다. 나는 가느다란 목소리로 말했다.

"몸이 좀 안 좋네."

"많이 안 좋으세요?"

"안색이 창백하세요."

아니스가 걱정스러운 목소리로 말했다.

"황궁으로 다시 돌아가시겠어요?"

"그건 너무 번거로워."

나는 고개를 저었다.

"그냥 막사에서 쉬고 싶어. 그럼 나아질 거야."

"그걸로 괜찮으시겠어요?"

"의사를 부를까요?"

"그 정도는 아니야. 유난 떨 필요 없어."

하지만 그렇게 말하는 목소리는 내가 봐도 힘이 없게 들렸다.

"그냥 좀 쉬면 돼. 진짜야."

내가 거듭 강조하자 다들 더는 말하지 않았다.

※ ※ ※

레이놀즈의 개회사가 끝난 뒤 본격적으로 사냥 대회가 시작되었다. 나는 레이놀즈와 아주 멀리 떨어진 곳에서 그의 개회사를 들은 뒤, 그가 사냥을 위해 숲속으로 들어가는 모습까지만 보고 막사로 되돌아왔다. 넓은 막사 안에는 나와 하녀들이 전부였다. 나는 홀로 편히 쉬게 된 상황을 다행스럽게 여겼다.

하지만 그렇게 얼마나 지났을까.

"그렇게 몸이 안 좋아요?"

메리언이 내 옆으로 다가왔다. 나는 이 와중에 그녀와 얽히는 걸 극도로 피하고 싶었지만, 그럴 수가 없었다. 같은 궁전 소속 시녀였으니. 나는 내 이야기를 하는 게 꺼려져서 부러 화제를 피했다.

"대회에 참가하지 않으셨네요."

"말을 타본 적이 없어서요."

"무디어스 공작님께서도 이번 대회에 참가하셨다고 들었습니다."

"그런데……."

메리언이 눈매를 찌푸리며 내게 물어왔다.

"갑자기 말을 피하네요?"

그녀의 목소리가 한층 날카로워졌다.

"폐하와 같은 마차를 타고 왔다고 들었어요."

그것 때문에 이러는 건가. 나는 짜증스러운 목소리로 대꾸했다.

"아무 일도 없었어요."

"묻지도 않았는데 대답하는 걸 보면, 무슨 일이 있었나 보네요?"

아, 진짜……. 나는 할 말을 잃고 메리언을 쳐다보았다. ……물론 그녀의 말이 아주 거짓은 아니었지만.

'무슨 일이 있긴 있었지.'

그렇지만 그게 그녀가 걱정하는 유의 '무슨 일'은 아니었다. 나는 싸늘한 목소리로 대꾸했다.

"제가 무슨 대답을 해도 공녀께서는 믿지 않으시겠지요. 믿고 싶은 대로 믿으세요."

"뭐라고요?"

메리언은 경악했다.

"그러니까 지금…… 무슨 일이 있었다는 거예요?"

"날 그만 내버려 두세요, 무디어스 공녀."

내 인내심이 극에 달했다. 나는 화난 얼굴로 그녀를 노려보았다. 그러나 그녀가 내 분노를 읽었는지는 의문이다.

"도대체 무슨 말을 듣고 싶은 건가요?"

"아니, 왜 화를 내요?"

"계속 사람을 몰아가니까요. 그리고 설령…… 제가 폐하와 그런 일이 있었다고 해도 공녀께서 도대체 무슨 상관이신지 모르겠네요."

"왜 상관이 없어요? 난 엘스워드의……!"

"황후가 될 사람이라고요?"

나는 비소 띤 얼굴로 그녀의 말을 끊었다. 졸지에 말문이 막힌 메리언이 당황한 얼굴로 나를 쏘아보았다. 그러더니 다시 당당한 표정이 되어 내게 말했다.

"잘 알고 있네요?"

"공녀, 공녀께서 어떻게 중앙궁의 시녀가 될 수 있었는지 알아요?"

메리언이 내가 무슨 말을 하는 건지 모르겠다는 표정을 지었다. 나는 그 모습을 보고 속으로 한숨을 내쉬었다.

'역시 무디어스 공작이 별말 안 했던 모양이군.'

하긴 나라도 별말 하지 않았을 것 같기는 하다. 굳이 황후가 될 꿈에 젖어 있는 딸의 행복을 산산조각낼 필요는 없을 테니.

"뭘 알고 있는 거예요?"

메리언이 이상함을 감지하고 날카롭게 물었다. 나는 잠시 대답하지 못하고 머뭇거렸다. 어차피 곧 떠날 생각을 갖고 있는 마당에 굳이 알려줄 필요가 있나 하는 생각이 들면서도, 당장 이 여자의 입을 막아버렸으면 좋겠다는 생각도 들었다. 그럼에도 나는 한참을 머뭇거렸지만, 이제는 메리언이 참지를 못했다.

"뭐예요, 영애? 뭘 알고 있는 거예요?"

"됐습니다. 들어봤자 별로 좋은 얘기도 아니고······."

"그러니 더더욱 들어야지요!"

메리언이 분기탱천해진 얼굴로 나를 재촉했다.

"뭐죠? 영애만 알고 있는 게?"

"그냥 모르고 있는 게 좋을 텐데요."

"말해요!"

그녀가 날카로운 목소리로 윽박질렀다.

"난 궁금한 건 절대 못 참는 사람이라고요!"

그래 보였다. 메리언이 지르는 소리에 골이 울리는 것을 느끼며, 나는 결국 한숨을 내쉬고 입을 열었다.

"이 이야기 다 듣고 날 원망하면 안 돼요. 난 분명히 경고했어요."

"잔소리는 그만하고 얼른 말하기나 해요."

끝까지 고운 마음이 안 들게 만드는 메리언이었다. 나는 결국 한숨을 내쉬며 입을 열었다.

"공녀께서 여기 계신 까닭은, 무디어스 공작 전하께서 폐하께 거래를 제안했기 때문이에요."

"거래라니? 그게 무슨 소리죠?"

"공녀를 중앙궁의 시녀로 들이는 조건으로, 무디어스 공작 전하께서 귀족들의 황후 책립을 건의하는 목소리를 막아 주기로 하셨어요. 거기에는……."

나는 곧바로 '아버님께서 공녀를 황후로 추천하는 걸 그만두시는 조건도 포함돼요'라고 말하려 했지만, 이건 너무 메리언에게 잔인하다는 생각이 들어 머뭇거릴 수밖에 없었다.

물론 나는 메리언을 싫어했고, 그녀가 헛꿈에서 깨어나기를 간절히 바랐지만, 그래도 이건 너무…….

"거기에는 뭐요?"

하지만 말을 돌리기에는 너무 늦어 버렸을까. 메리언은 이런 쪽으로는 눈치가 상당한 듯했다. 내가 여기서 머뭇거리며 '그게 다예요'라고 말해봤자 별로 믿지 않을 것 같다는 직감이 들어서, 나는 결국 한숨 소리와 함께 전부 다 말해버렸다.

"영애를 황후로 추천하지 않는 조건도 포함돼요."

"……아버지가요?"

"네."

이제 전부 다 말했다. 말해놓고 나니 속이 후련했다. 나는 콧잔등을 매만지며 말했다.

"이게 진실이에요. 정해진 건 아무것도 없어요. 폐하께서 공녀를 황후로 염두에 두셔서 시녀로 들이신 게……."

"뭐, 상관없어요."

내 말을 끊고 들려오는 메리언의 목소리가 꽤 뜻밖이었다. 덕분에 당황한 건 외려 나였다.

"괜찮……아요?"

"안 괜찮을 이유는 뭐죠? 그게 무슨 상관이에요?"

메리언이 하는 말은 빈말이 아닌 듯했다. 정말로 괜찮아 보였다는 이야기다. 나는 어벙한 얼굴로 그녀에게 물었다.

"정말로 괜찮다고요?"

"그렇다니까요. 왜, 제가 괜찮지 않기를 바랐어요?"

"아니, 그건 아니지만……."

"중요한 건 제가 지금 폐하의 곁에서 그분을 모시고 있다는 거죠. 그분의 눈에 자주 띄다 보면, 분명 긍정적인 결과가 있을 거라고 전 굳게 믿어요."

"……."

"그러니 아버지가 폐께 그런 거래를 제안하셨던 거겠죠. 역시 아버지는 대단하신 분이세요. 혜안이 있으시다니까요?"

참 긍정적이네.

"그러니 그런 뒷이야기는 의미 없어요. 아버님께서 굳이 제게 이야기하지 않으신 까닭이 있었네요."

그런 듯했다.

'무디어스 공작은 쓸데없는 일이라고 생각해서 말하지 않았던 것뿐이었네.'

그래도 나라면 솔직히 이렇게까지 해맑은 반응은 아닐 거 같은데.

참 여러모로 남다른 여자라고 생각할 즈음이었다.

"꺄악!"

바깥에서 커다란 비명이 들려왔다. 무슨 일이지? 나와 메리언 두 사람 모두 당황했다. 우리는 재빨리 바깥으로 뛰쳐나갔다.

"폐……."

그리고 충격적인 상황과 마주했다.

"폐하……."

레이놀즈가 정신을 잃은 채 들것에 실려 급하게 의무대가 있는 막사로 이동하고 있었다. 언뜻 보기로는 머리에서도 피가 흐르는 상태였다. 나는 경악한 얼굴로 꼼짝도 하지 못한 채 그 자리에서 그대로 몸이 굳었다. 입술이 파들파들 떨리고, 입속에서는 아무 말도 나오지 않았다.

"폐……."

그리고 순간 다리에 힘이 풀려 버린 나는, 그대로 그 자리에서 무너져 내렸다.

"꺄악, 영애!"

"아가씨!"

옆에 있던 리셀과 에이미가 놀란 목소리로 비명을 지르며 나를 부축했다. 그리고 나는 온몸에서 힘이 쭉 빠져나간 기분에 순간 머릿속이 새하얘졌다. 지금 이게…… 도대체 무슨 일이지?

"에이미, 지금 내가 본 게……."

나는 부들부들 몸을 떨며 에이미에게 물었다.

"폐하가 맞니? 정말 폐하셔?"

"네, 아가씨."

에이미가 어쩔 줄 몰라 하는 목소리로 내게 물었다.

"제가 상황을 좀 알아보고 올까요?"

내가 그렇게 하라고 대답하려던 찰나였다. 내 시야로 혼비백산한 얼굴의 맥켈리드 백작부인이 보였다. 나는 비틀거리며 몸을 똑바로 세운 다음 비척비척 그녀를 향해 걸어갔다.

"맥켈리드 부인."

퍽 가녀린 목소리였는데도 그녀는 용케 알아듣고 내게로 시선을 주었다. 나는 힘겹게 그녀가 있는 곳까지 걸어가 떨리는 목소리로 물었다.

"이게, 이게 도대체……."

"……."

"무슨 일인가요, 부인? 전 도대체 믿을 수가……."

나는 맥켈리드 백작부인의 손을 붙잡고 횡설수설했다.

"폐하가 아니지요? 제가 잘못 본 것이지요?"

"……폐하가 맞습니다, 영애."

대답하는 목소리가 무겁기 짝이 없었다.

"폐하께서는 낙마하셨습니다."

"낙마라뇨."

나는 말도 안 된다는 듯 고개를 가로저으며 물었다.

"어떻게 낙마를……."

"오늘따라 이상하게 속력을 높이신다 싶었는데…… 흐윽!"

맥켈리드 백작부인은 결국 말을 잇다 말고 울음을 터뜨렸다. 나는 그녀가 이토록 감정적으로 흥분된 모습을 보는 게 이번이 처음이었고, 자연스럽게 동요될 수밖에 없었다. 도무지 지금 상황에서 침착함을 유지하기란 불가능한 것처럼 보였다. 나는 머리가 지끈거리는 것을 느끼며 맥켈리드 백작부인에게 물었다.

"괜찮으신 것이지요? 생명에 지장은……."

"모릅니다. 낙마하시고 바로 의무대로 옮겨지신 거예요. 나도 지금 의무대로 가보는 중입니다."

결국 나는 맥켈리드 백작부인과 함께 의무대로 함께 가게 되었다.

우리가 의무대 막사에 도착했을 때, 그곳의 분위기는 생각했던 것보다 더 심각한 상태였다. 정신없이 움직이는 궁의들과 시종들의 모습을 보며 나는 순간 심한 어지럼증을 느꼈다. 머릿속에서 새하얀 줄이 나선을 그리며 움직이는 것처럼 정신을 차릴 수가 없었다.

"영애."

그때, 누군가 내 어깨 위에 손을 얹으며 나를 불렀다. 익숙한 목소리에 나는 하마터면 그 자리에서 주저앉아 울음을 터뜨릴 뻔했다.

"……전하."

"괜찮으십니까."

루퍼트가 걱정하는 목소리로 내게 물어왔다.

"안색이 창백하십니다."

괜찮지 않은 건 내가 아니라 레이놀즈였다. 나는 입술을 깨물고 힘겹게 고개를 끄덕였다.

"네, 전하. 전 괜찮은데, 폐하가…… 폐하께서……."

"폐하께서는 괜찮으실 겁니다."

그렇게 말하는 루퍼트의 목소리 역시 잘게 떨리고 있었다. 이런 상황을 통솔해야 하는 처지로서 쉽사리 감정을 드러내지 못하고 있는 고충이 드러나는 듯했다. 나는 금방이라도 울어 버릴 것 같은 얼굴을 감싸고 몸을 부들부들 떨었다. 그와 나누었던 마지막 대화가 계속 오버랩 되면서 나를 괴롭혔다.

"괜찮으셔야 해요."

"영애."

"정말로…… 괜찮으셔야 해요."

뒤의 목소리는 거의 절규에 가까웠다.

"제발……."

아무 일도 일어나지 않기를 바랐다. 그저 잠깐 다친 것뿐이기를 바랐다.

내가 생각하는, 낙마의 가장 끔찍한 선택지 따위는 일어날 기미조차 보이지 않기를 바랐다. 나는 속이 타들어 가는 것을 느끼며 그 자리에서 어쩔 줄 몰라 했다. 하늘이 노래진다는 게 이런 의미인가 싶었다.

"공작 전하."

그때 애슐리 경이 초조한 음성으로 루퍼트를 불렀다. 그 역시 지금껏 단 한 번도 보지 못한 얼굴로 금방이라도 무너질 것 같은 표정을 짓고 있었다. 그 모습이 나를 더욱 불안하게 만들었다. 나는 겁이 난 얼굴로 애슐리 경의 입속에서 나올 말에 주목했다.

"무슨 일인가, 애슐리 경. 설마 폐하께 무슨 일이⋯⋯."

"아닙니다, 전하. 다행히 고비를 넘기셨습니다."

애슐리 경은 안도의 한숨이 섞인 목소리로 보고를 계속했다.

"경과를 지켜봐야 알겠지만, 지금으로서는 할 수 있는 최선을 다했다고 하십니다."

"그렇다면 환궁은⋯⋯."

"지금 당장은 무립니다. 어느 정도 회복하신 후에야 움직이실 수 있습니다."

"하아⋯⋯. 어쨌든 생명에는 지장이 없으시다니 다행이군."

"네, 전하. 하지만 언제 눈을 뜨실지 모르니 그게 걱정입니다."

"일단 무사하신 것만으로도 다행이지."

루퍼트가 힘겹게 숨을 내쉰 다음 애슐리 경에게 말했다.

"긴급회의를 소집해야겠어. 귀족들을 전부 막사로 집합시키게."

"네, 전하. 알겠습니다."

레이놀즈가 부상을 입고 정신을 잃은 지금, 제국의 제1권력자는 단연 루퍼트였다. 그는 레이놀즈를 제외하고 유일한 직계 황족이었으니까. 내가 시름이 깃든 눈으로 병상에 누워 있는 레이놀즈를 바라보고 있는데, 루퍼트가 말을 걸어왔다.

"영애께서 형님 폐하의 간병을 맡아 주셨으면 합니다."

"……제가요?"

"네. 폐하의 시녀시니까요."

루퍼트가 연하게 미소 지으며 내게 말했고, 나는 머뭇거리다 고개를 끄덕였다.

잠시 후 루퍼트가 중앙궁의 다른 시종들과 함께 자리를 떠났고, 남은 궁의들은 레이놀즈에게 절대 안정이 필요하다는 말과 함께 내게 잘 보살펴 달라는 당부를 남겼다. 그리고 무슨 일이 생기면 꼭 불러 달라는 말까지 남긴 다음에야 그들은 자리를 떴다.

마침내 레이놀즈와 단둘이 남겨지게 되었을 때, 나는 금방이라도 울음을 터뜨릴 것 같이 붉어진 눈으로 천천히 그에게 다가갔다. 죽은 듯 누워 있는 그의 모습이 믿기지 않았다.

'분명 아까까지만 해도 내 손목을 붙잡고 날 바라봐줬는데…….'

그때가 지금으로서는 기약 없는 마지막 순간이었던 것이다. 그렇게 생각하니 가슴이 찢겨지는 듯해서, 나는 결국 참지 못하고 눈물을 뚝뚝 흘리고 말았다. 그러다 어느 순간, 눈물은 흐느낌으로 치환되었다.

"흑……."

흐느낌은 또다시 오열로 치환되었다.

"폐하……."

그가 다친 게 전부 다 나 때문인 것만 같았다. 내가 아까 그런 말을 해서, 그의 마음에 그런 상처를 줘서, 그가 괜히 무리하다 그렇게 된 것만 같았다.

헤아릴 수 없는 죄책감이 내 가슴을 무겁게 짓눌렀다. 나는 입술이 피가 나도록 깨물며 얼굴을 손바닥에 파묻고 울기 시작했다. 이 남자에게 미안하고, 또 미안했다.

'그렇게 말하는 게 아니었는데.'

이렇게 후회할 줄 알았더라면, 나중 일은 생각하지도 않고 그냥 솔직하게 말하는 건데.

"내가 사실은……."

당신을 좋아한다고.

"많이 좋아하고 있다고."

그래서 당신이 입을 맞추었을 때 밀어나지 않았고, 밀어낼 생각조차 그 순간 들지 않았다고.

다만 지금까지 당신에게 보여주었던 내 태도와 내 입장이, 불투명한 미래가 마음에 걸려서 그랬던 것이라고. 그것들이 발목을 잡는 바람에 나는 솔직하지 못했던 것뿐이라고. 그렇게…….

"그렇게 말해줄걸……."

차가운 그의 손을 붙잡고 나는 엉엉 울었다.

결국은 다 부질없는 후회였다. 이 남자는 내 앞에서 이렇게 죽은 듯 누워 있고, 내가 이 남자를 위해 해줄 수 있는 일은 이제 없었다. 그 사실이 사무치게 안타깝고 서글퍼서, 내 눈물은 그칠 줄 모르고 계속해서 흘러내렸다.

"미안해요, 미안해요……."

당신이 이렇게 된 이후에야 내 마음을 고백해서 미안해요. 정말로…….

"미안해……."

결국 당신은 내게 이런 존재였는데. 내가 당신에게 세상 그 무엇보다도 소중한 주인님이었듯, 나 또한 당신에게 세상 그 무엇보다도 소중한 사람이었는데. 그 당연하고도 새삼스러운 사실을 지금에서야 온전히 깨닫게 되었다는 게 믿기지 않았다.

나의 어리석음에 몸서리가 쳐졌다. 지금 상황을 내 탓으로 돌리고 자학하지 않으면 견딜 수가 없을 것 같았다. 나는 그래서 한참 동안 그의 손을 놓지 못하고, 그것이 마치 보물이라도 되는 것처럼 소중하게 어루만지고 있었다.

"폐하!"

바로 그때, 누군가가 요란한 소리를 내며 막사 안으로 들어왔다. 불쾌한 소란에 나는 눈물을 닦고 몸을 돌렸다.

"아……."

그리고 당황한 얼굴의 메리언과 마주했다.

"사토르디 영애?"

나는 도무지, 지금 그녀를 상대할 힘이 남아 있지 않았다. 이미 레이놀즈와 관련된 일에 너무 많은 기력을 써버렸기 때문이었다.

나는 눈물을 닦으며 애써 담담하게 입을 열었다.

"조용히 해주세요, 무디어스 공녀."

그 노력이 무색하게도 목소리는 잔뜩 잠겨 있었고, 형편없이 갈라져 있었다. 그리고 내 말을 들은 메리언은 대놓고 인상을 구겼다.

"영애가 왜 여기 있는 거죠?"

못마땅하다는 목소리가 내 귓전을 울렸다. 방금 전 감정을 폭발적으로 분출했던 탓일까. 나는 기진맥진한 상태에서 신경이 예민해졌다는 사실을 자각했다.

"폐하의 시녀니까요."

그래서일까. 평소보다 나가는 목소리의 톤이 낮고 건조했다. 사실 메리언이라면 내 목소리를 날카로운 것으로 받아들였을지도 모른다. 어쨌든 그녀는 내 대답을 듣고 눈썹을 찡그렸고, 나는 무표정한 얼굴로 다시 레이놀즈에게 고개를 돌렸다. 죽은 듯 자고 있는 모습에 가슴이 다시 욱신거리기 시작했다.

"그래요? 그럼 나도 여기 있어야겠군요."

"……그러세요."

달갑지 않았으나 그녀를 밖으로 물릴 명분은 없었다. 어쨌든 메리언도 중앙궁 시녀였으니까. 나는 아무 말 없이 멍하니 레이놀즈의 곁을 지켰고, 그 시간이 꽤 길어졌음에도 별 감흥이 일지 않았다. 아무리 시간이 길게 흘러도 멈춘 것 같은 기분이었다.

"하암……."

하지만 메리언은 아닌 것 같았다.

"지루하네요."

그 말을 듣고 나는 순간 움찔하지 않을 수 없었다. 하지만 괜한 분란을 일으키고 싶지 않아서 입을 꾹 다물었다.

"영애는 안 지루한가요?"

메리언이 내게 물어왔고, 나는 그 질문을 모욕적으로 느꼈다. 나는 입술을 혀로 축인 다음 고개를 돌려 메리언을 쳐다보았다.

그녀는 정말 지루해 보였다. 누구라도 그녀의 지루함을 발견할 수 있을 것 같은 표정이었으니까. 나는 순간 할 말을 잃었다.

'이 사람은 레이놀즈가 걱정되기는 하는 건가.'

나는 언제 눈을 뜰지 모르는 이 남자가 몹시 걱정되었다. 비단 나뿐만은 아닐 것이다. 그를 아끼고 생각하는 사람이라면 누구라도 그렇겠지. 그래서일까. 이런 메리언의 태도가 나를 기분 상하게, 아니 화나게 만들었다.

"이럴 줄 알았으면 따라오지 말 걸 그랬……."

"무디어스 공녀."

나는 얼핏 들었을 때 차가움이 느껴지는 목소리로 메리언을 불렀다. 메리언이 뭐냐는 듯한 얼굴로 나를 돌아보았다.

"폐하를 사랑하세요?"

그녀에게 이런 질문을 하게 될 줄은 몰랐다. 늘 이런 질문을 하는 쪽은 내가 아닌 그녀였으니까. 그래서인지는 몰라도 메리언은 잠시 당황한 모습이었다. 하지만 곧 침착하게 대답했다.

"물론이죠. 전 폐하를 사랑해요."

"⋯⋯그럴지도 모르겠다고 생각했어요."

나는 조용히 대꾸했고, 메리언은 미간을 좁혔다.

"아니라는 말인가요?"

"오늘 확실히 알았어요."

나는 떨리는 목소리로 말했다.

"아닌 것 같아요."

"뭐라고요?"

"공녀는 폐하를 사랑하지 않아요."

"이봐요, 사토르디 영애."

메리언 역시 목소리를 낮추고 지적했다.

"그 말 아주 무례해요. 도대체 무슨 이유로 그런 말을 함부로 하는 거죠?"

"공녀가 폐하를 사랑한다면 이렇게 눈물 한 방울도 흘리지 않아서는 안 돼요. 그런데⋯⋯."

나는 슬픈 목소리로 고개를 저었다.

"공녀의 언행, 눈빛, 표정 그 어디에서도 공녀가 폐하를 사랑한다는 증거를 찾을 수가 없군요."

사랑하는 사람은 티가 나는 법이다. 레이놀즈가 나를 바라볼 때의 눈빛, 표정, 말과 행동은 분명 사랑을 하는 사람의 그것이었다. 그걸 어떻게 모를 수가 있겠는가. 날 바라볼 때의 그 달콤한 눈빛과 황홀한 표정과 다정한 말과 행동을.

사실 그런 것들이 조금이라도 그를 변화시킬지도 모른다는 기대감으로 입궁했고, 다행스럽게도 내 기대는 맞아떨어졌다.

"공녀의 그 어느 것에서도 슬픔이란 찾아볼 수 없어요."

맥켈리드 백작부인이, 실은 메리언이 폐하를 사랑하는 게 아니라고 말했을 때 나는 그녀의 예측이 틀렸기를 바랐다. 높은 확률로 그녀는 황후가 될 것이었고, 그렇다면 레이놀즈를 사랑하는 편이 더 좋았으니까. 정확히는 내가, 그가 사랑받기를 바랐으니까. 그의 아내로부터. 그래서 메리언이 내게 질투심을 보여 왔을 때 그것이 레이놀즈 때문이기를 바랐다.

"정말 폐하를 사랑해요?"

하지만 아니었어.

"……내가 대답해야 하나요?"

"굳이 하지 않아도 난 답을 알아요."

이 여자는 레이놀즈를 사랑하지 않아.

"영애는 황후의 자리를 사랑하죠."

누가 황제였대도 상관없다고 말했을 거야.

"하지만 황제를 사랑하는 건 아니에요."

황후만 될 수 있다면 말이지.

"……"

메리언은 내 말을 듣고 잠시 침묵했다. 나는 그녀의 표정에서 정곡이 찔렸다는 생각을 읽을 수 있었다. 그 모습을 보자 이상하게 비참해졌다. 내 기대는 완전히 부서져 산산조각이 났다.

"설령 그렇다고 해도."

메리언이 살짝 미소 띤 얼굴로 내게 물었다.

"그게 문제가 되나요?"

"아뇨."

나는 고개를 저었다.

"그 마음을 비난하고 싶은 마음은 없어요."

사람마다 가치관은 다르니까. 그걸 탓하고 싶은 마음은 조금도 없다.

"다만 좀 더 솔직해지지 그랬어요. 그럼 내가……"

나는 입술을 꾹 깨물었다 말했다.

"괜한 고민 따위 안 해도 됐을 텐데."

의미심장한 한마디였다. 메리언은 그것을 눈치채고 왼쪽 눈썹을 치켜떴다.

"무슨 뜻이에요?"

뭐긴 뭐야.

"들으신 그대로예요."

내가 이 남자를 포기할 생각이 없다는 거지.

"공녀로 인해 제가 주저하던 일이 있었어요."

마음을 깨달은 지금, 더더욱 그럴 이유가 없어졌다.

"더는 주저하지 않으려고요."

"방금 그 말."

메리언이 헛숨을 내뱉으며 말했다.

"내 귀에는 폐하를 두고 나와 다퉈보겠다는 걸로 들리는데요."

"……."

"아니라고 해줄래요? 싸우는 거, 별로 안 좋아해서."

"무슨 말씀을 하시는 거예요, 무디어스 공녀."

나는 삐딱한 미소를 지으며 자리에서 일어났다. 그런 다음 메리언을 향해 몸을 굽혀 그녀의 귓가에 속삭였다.

"입궁한 순간부터 내게 싸움을 걸어왔던 건 그쪽이면서."

"영……!"

"잠시 나갔다 올게요. 폐하를 잘 부탁해요."

그 말만 남기고서 나는 몸을 일으켰다. 그런 다음 뒤쪽에서 메리언이 날 앙칼지게 부르는 소리도 전부 무시하고 막사 바깥으로 나왔다. 그제야 조금 마음이 편안해졌다.

"폐하의 곁을 지키시지 않고요."

그런 내게 맥켈리드 백작부인이 다가와 말을 걸었다. 그녀는 아까 봤을 때보다는 좀 더 안정된 모습이어서, 내 마음까지 편하게 했다.

"잠시 머리가 복잡해서…… 좀 쉬려고요."

"아아."

"무디어스 공녀와 함께 있는 게 지치기도 하고요."

내 말을 들은 맥켈리드 백작부인이 조금 놀랍다는 표정을 지었다. 그 모습을 보고 내가 물었다.

"왜 그러세요?"

"아뇨, 아닙니다."

하지만 그렇게 답한 뒤에 맥켈리드 백작부인은 바로 덧붙였다.

"처음 들어보는 것 같아서요."

"네? 무엇을요?"

"영애가 무디어스 공녀에 대해 안 좋게 말한 적이 없거든요."

"아."

나는 머쓱하게 대꾸했다.

"……그랬나요."

"네, 그래서 조금 놀랐답니다."

"저도 백작부인처럼 공녀를 좋아하지 않거든요."

나는 조용히 중얼거렸다.

"다만 지금까지 숨겨왔을 뿐이지요."

"눈빛이 조금 달라진 것 같네요."

맥켈리드 백작부인이 흥미로운 목소리로 말했다.

"중대한 결심이라도 내린 사람 같아요."

"중대한 결심인지는 모르겠지만, 깨달은 바는 있답니다."

"뭔지는 몰라도 좋은 것 같네요."

"그런가요?"

"표정이 아까보다 밝아 보여서요."

맥켈리드 백작부인이 부드럽게 미소 지었다.

"그게 뭔지는 모르겠지만, 계속 밀고 나가기를 바라요."

어쩐지 속을 다 꿰뚫린 듯한 기분이다. 나는 미소로 대답을 대신했다. 그때, 누군가가 나를 불렀다.

"레이디 유리네트."

익숙한 목소리의 주인공은 루퍼트였다. 나는 서둘러 그에게로 시선을 옮겼다. 회의가 끝난 듯 막사 안에서 귀족들이 줄줄이 나오고 있었다. 나는 재빨리 그에게로 달려갔다.

"공작 전하."

"나와 계셨군요."

"안에 무디어스 공녀가 있습니다."

"아아……."

아닌 척하지만 떨떠름한 듯한 표정. 나는 싱긋 웃으며 루퍼트에게 물었다.

"회의는 잘 마치셨나요?"

"언제 의식을 회복하실지 알 수가 없으니, 일단은 상태가 안정되시기 전까지라도 이곳에 머무르기로 했습니다. 귀족들은 지금 저택으로 귀가할 예정이고요. 그동안은 제가 섭정으로서 정무를 보게 될 겁니다."

"아아."

나는 고개를 끄덕이며 말했다.

"전하께서는 잘해주실 겁니다."

"그럴까요."

"그럼요."

나는 온화하게 미소 지으며 덧붙였다.

"1년 전에도 폐하께서 의식을 잃고 쓰러지셔서 섭정을 맡으셨다 들었습니다."

"아아, 네. 그랬습니다."

"이번에도 그때처럼……."

내 표정이 급격히 어두워졌다.

"오래…… 못 깨어나시는 건 아니겠지요?"

"아닐 겁니다, 영애."

루퍼트가 조금의 머뭇거림도 없는 기색으로 조심스럽게 내 손을 붙잡았고, 그 따스함에 순간 다시 눈물이 날 것 같은 기분이 들었다. 나는 애써 눈에 힘을 주며 루퍼트 앞에서 흉한 꼴을 보이지 않기 위해 애썼다.

"분명 금방 깨어나실 겁니다. 궁의도 상황을 심각하게 보지는 않았는걸요."

"너무 걱정이 돼요……."

"건강하신 분이시고, 얼마 전까지 요양도 다녀오셨으니 분명 괜찮으실 겁니다. 그러니 너무 걱정 마시고, 좀 쉬시는 게 좋겠습니다."

"전 괜찮아요."

"많이 지쳐 보이시는걸요. 중앙궁 시종들이 폐하의 곁을 지킬 테니, 너무 혼자 부담을 떠맡지 않으셔도 괜찮습니다."

"부담이라고 생각하지는 않아요."

"그렇지만 영애의 건강도 충분히 중요하니까요. 잠시 쉬시는 것도 좋을 겁니다."

"……."

결국 나는 고개를 끄덕였다.

※ ※ ※

"사토르디 영애가 제게 전쟁을 선포했어요."

무디어스 공작저로 돌아가기 전, 딸을 만나기 위해 잠시 들렀던 무디어스 공작은 딸의 입에서 나온 뜻밖의 소리에 의아한 표정으로 물어야만 했다.

"그게 무슨 소리냐?"

"사토르디 영애가 폐하를 두고 저와 다퉈 보겠다고 말했다고요."

"그 중앙궁 시녀가?"

"폐하께서 그 영애를 총애하세요. 이러다간 자칫 황후의 자리가 물 건너갈 수도 있다고요, 아버지."

메리언이 신경질적인 목소리로 무디어스 공작에게 말했다.

"폐하께서 깨어나시면 저를 황후로 책립해 달라고 말씀드려 보세요, 아버지. 네?"

"하지만 약속을 해버렸단 말이다."

"무슨 약속이요? 절 중앙궁 시녀로 들이는 대신 황후 책립에 대한 말은 꺼내지도 않겠다는 약속이요?"

딸의 말에 무디어스 공작이 퍽 놀란 눈으로 물었다.

"알고 있었느냐?"

"사토르디 영애에게 들었어요."

메리언이 사나운 눈초리로 말했다.

"그 여자를 없애야 해요."

"쉬잇!"

딸의 말에 놀란 무디어스 공작이 입가에 손가락을 가져다 대며 그녀를 주의시켰다.

"입조심 하거라, 메리. 이곳에는 듣는 귀가 많단다."

"사냥터에서 머무는 지금이 적기예요, 아버지. 황궁에 돌아가면 없애는 게 더 어려워질걸요."

메리언이 초조한 목소리로 무디어스 공작에게 물었다.

"어떻게 안 될까요?"

"위험부담이 너무 커. 뜬금없이 그녀가 살해당한다면 폐하께서 누굴 의심하시겠니."

그도 그랬다. 메리언이 수긍 간다는 듯 인상을 찌푸리며 '그럼 어떻게 해야 하나' 하고 고민하는 사이, 무디어스 공작이 사근사근한 목소리로 딸을 달랬다.

"네가 걱정하는 바는 충분히 알겠다. 아무렴 나라고 네가 아닌 다른 이가 황후가 되는 꼴을 보고 싶어 하겠니."

"그럼⋯⋯!"

"일단은 때를 기다려 보자꾸나, 메리언. 아직 폐하께서는 혼수상태시고, 그녀를 황후로 책립한다는 이야기가 나온 적도 한 번도 없으니 말이다."

"하지만⋯⋯."

"분명 우리에게 기회가 올 거다."

아버지의 말에 메리언은 결국 고개를 끄덕일 수밖에 없었다. 하지만 여전히 못마땅한 표정이었다. 그 모습을 보고 무디어스 공작이 걱정하지 말라는 듯 딸의 어깨를 툭툭 두드렸다.

"넌 아무 걱정 말고 그저 폐하의 눈에만 들면 된단다."

❧ ❧ ❧

레이놀즈가 쓰러지고 나흘이란 시간이 흘렀다. 황제가 쓰러진 게 처음이 아니기 때문일까. 주변의 분위기는 생각했던 것보다 차분하게 돌아가고 있었다. 레이놀즈가 쓰러져 누워 있는 시간이 처음처럼 1년을 넘기지만 않는다면 다 괜찮을 것 같다는 분위기였다.

"언제 깨어나실래요, 폐하."

하지만 내게는 이 남자가 쓰러진 게 처음이었다. 그래서 그가 깨어나기를 기다리는 시간이 몹시도 길고 힘들게만 느껴졌다. 그래도 나보다는 쓰러져 있는 레이놀즈가 더 힘들 것 같아서, 그의 옆을 지키는 시간 동안은 최대한 힘든 내색을 하지 않았다.

한편, 나를 제외한 모든 사람들은 처음 받았던 충격에서 빠르게 회복된 듯 보였다. 맥켈리드 백작부인은 내궁 관리를 위해 황궁으로 복귀했고, 이따금씩 사냥터를 방문했다.

애슐리 경을 포함한 많은 중앙궁 시종들이 레이놀즈의 곁을 지켰기에 그래도 무방하기는 했다. 루퍼트는 섭정으로서 정무에 혼선이 오지 않도록 잘 조율했고, 급한 안건만 처리하면서 국정이 마비되지 않도록 애쓴다고 들었다.

모두가 그가 쓰러진 동안 각자의 위치에서 제 할 일을 다 하고 있었다.

"교대시간이에요."

뒤쪽에서 들려오는 목소리에 나는 반사적으로 뒤를 돌았다. 살갑지 않은 인상의 메리언이 서 있었다. 우리는 3시간마다 한 번씩 교대하며 레이놀즈를 간병하고 있었다.

'시간이 벌써 그렇게 됐나.'

나는 별생각 없이 자리에서 일어났다. 그리고 메리언과 눈도 마주치지 않고 바깥으로 나가려던 순간이었다.

"어……?"

갑자기 무언가가 내 발에 걸렸고, 나는 균형을 잃고 비틀거렸다.

"악!"

나는 자연스럽게 바닥으로 넘어졌다. 주변에 있던 레이놀즈의 시종들이 그런 나를 보고 걱정스럽게 물어왔다.

"레이디 유리네트!"

"괜찮으십니까?"

"네에……. 괜찮아요."

나는 어색하게 웃으며 대답한 뒤, 한편으로는 메리언을 흘겨보았다. 당신이 발 건 거 내가 모를 줄 알아? 하지만 메리언은 딴청을 피우며 '내가 뭐?' 하는 표정을 짓고 있었다. ……유치하긴.

'에휴. 말을 말아야지.'

어차피 여기서 당신이 그랬냐고 물어봤자 메리언은 '그런 적 없는데요?'라면서 발뺌할 가능성이 높았다. 아파서 쓰러진 사람 앞에서 소모적인 다툼을 하고 싶지 않았다. 내가 툭툭 자리를 털고 일어나려던 때였다.

'어……?'

누군가 주저앉은 내 앞으로 손을 내밀었다. 고개를 위로 들어 올리자 걱정스러운 눈으로 나를 바라보는 루퍼트의 모습이 보였다. 그가 표정을 그대로 옮겨놓은 듯한 목소리로 물어왔다.

"괜찮으십니까?"

"아, 네……."

손을 뿌리치기가 머쓱해 루퍼트의 손을 잡자, 그가 부드럽게 힘을 주어 나를 일으켜줬다. 나는 옷매무새를 정리한 다음 그에게 말했다.

"감사합니다, 전하."

"다치신 곳은 없고요?"

"네. 다행스럽게도."

그렇게 대답하면서 나는 다시 한번 메리언을 쏘아보았다. 여전히 그녀는 모르쇠로 일관하은 중이었다. 으, 얄미워……!

"폐하를 뵈러 오신 모양이로군요. 오신 줄 알았다면 마중이라도 나갈 걸 그랬습니다."

"괜찮습니다, 영애. 이리 얼굴이라도 뵐 수 있어 만족합니다."

"네, 그럼 저는 이만……."

"아, 나가시는 길이셨습니까?"

"네. 방금 레이디 메리언과 교대했답니다."

"같이 나가시지요!"

갑작스러운 그의 말에 나는 영문을 모르겠다는 눈으로 그를 쳐다보았다. 레이놀즈…… 보러온 거 아니었어?

"폐하를 뵈러 오신 게 아니었나요?"

"맞습니다. 하지만 영애께 드릴 말씀이 있어서요."

"아아, 그럼 함께 나가시지요."

그래서 결국 우리는 같이 막사를 나오게 되었고, 나는 막사를 벗어나자마자 그에게 물었다.

"제게 하실 말씀이라는 게 뭔가요, 전하?"

"아까 그 발, 무디어스 공녀가 건 것이지요?"

"헉, 어떻게 아셨어요?"

그걸 봤나? 거기 같이 있던 시종들도 못 본 것 같던데. 내가 믿을 수 없다는 눈으로 루퍼트를 쳐다보자, 루퍼트가 낮게 웃으며 대답했다.

"들어오는데 마침 보였습니다."

"관찰력이 좋으시네요. 저말고 아무도 못 본 줄 알았는데."

"저도 잘못 봤나 싶었는데 무디어스 공녀의 표정이 의미심장하더군요."

"절 싫어해요."

나는 이제 익숙하다는 듯 어깨를 으쓱였다.

"그래서 그런 걸 거예요."

"그 자리에서 말씀드리려다 어쩐지 영애께서도 알고 계신 듯한 눈빛이라."

"괜히 폐하가 계신 곳에서 목소리 높이고 싶지 않았어요."

내 말에, 나를 지그시 바라보던 루퍼트가 미소 지었다.

"폐하를 많이 생각하시는군요."

"제가 충심으로 모시는 분이니까요."

"그 이유가 전부입니까?"

뜻밖의 이유에 나는 잠시 멈칫했다. 루퍼트를 쳐다보자 그가 의미심장한 얼굴로 나를 바라보고 있었다. 나는 입술을 달싹거리다 말했다.

"아뇨."

이젠 숨길 이유가 없었다.

"좋아해요, 그분."

루퍼트는 의외로 내 말에 놀라지는 않았다.

"안 놀라시네요."

"알고 있었습니다."

"제가 폐하를 좋아하는 걸 알고 계셨다고요?"

나는 어리둥절한 표정으로 물었다.

"어떻게……."

"처음부터 부정하셨지만, 그건 부정한다고 숨길 수 있는 게 아니었죠."

"무슨……."

"영애의 표정 말입니다."

루퍼트가 부드럽게 미소 지으며 답했다.

"이미 깊이 좋아하고 계신 분의 눈빛이었어요."

"……."

"저희가 처음 춤을 춘 날을 기억합니까?"

"물론이지요."

입궁한 뒤 참석한 첫 정기무도회에서였다. 나는 고개를 끄덕였다.

"그걸 어떻게 잊겠어요."

"그렇게 말씀해 주시니 기쁘군요."

루퍼트의 미소가 좀 더 짙어졌다.

"그때도 여쭈었던 것으로 기억합니다. 폐하를 향한 마음, 오직 충심뿐이냐고."

"……그때 전 그렇다고 답했었지요."

"하지만 그 대답을 하는 영애의 표정은 아니었습니다."

"저 자신보다도 저를 잘 알고 계셨군요."

"말씀드리지 못해 죄송합니다."

"아뇨, 아니에요."

나는 고개를 저었다.

"누가 말해준다고 해서 깨달을 일이 아니었어요. 그건…… 저 스스로가 자각해야만 하는 문제였지요. 전하께서 설령 말씀해 주셨다 한들 제게는 의미 없었을 거예요."

"마음이란 본디 그런 것이지요. 외부에서가 아닌 내부에서 답을
찾아내야 하는 것⋯⋯."

그렇게 중얼거리면서, 루퍼트는 씁쓸한 미소를 머금었다.

"하지만 때로는 외부에서 마음의 답을 찾아내야 할 때도 있습
니다."

"네?"

"레이디 유리네트."

그는 알 수 없는 소리를 하더니 돌연 나를 불렀다. 내가 의아한
얼굴로 그를 돌아보자, 그가 싱긋 웃더니 내게 이런 소리를 했다.

"고맙습니다."

그 순간이 되어서야 그가 내게 무엇에 대한 감사 표시를 한 것인
지 알아차렸다. 나는 할 말을 잃고 루퍼트를 쳐다보았다. 천사처럼
미소 지으며 나를 바라보는 그의 모습을 똑바로 마주 보기가 힘들
었다. 그런 그에게 무슨 말을 하기란 더 어려운 일이었다.

"저도⋯⋯."

결국 한참 후에야 나는 입을 열었다.

"고맙습니다, 전하."

그리고 받아주지 못해서 미안해요.

❧ ❧ ❧

그 후 세 시간의 휴식을 취한 후에, 나는 다시 레이놀즈의 간병을 위해 막사로 되돌아왔다. 메리언이 나를 못마땅한 시선으로 바라보는 것을 어렵지 않게 무시한 다음, 나는 레이놀즈의 침대 맡에 앉았다.

여전히 눈만 감고 누워 있는 레이놀즈의 모습은 아무리 봐도 익숙해지지 않았다. 내가 기억하는 그는 이렇게 고요하고 조용한 사람이 아니었기에. 당장이라도 눈을 뜨고 나를 바라보며 '유린'하고 다정하게 불러줄 것만 같았다.

"언제 일어날 거예요……."

나는 징징거리는 어린아이처럼 그의 손을 쓰다듬으며 중얼거렸다.

"더 기다리기 힘들다, 정말."

오늘로 나흘째. 내일이면 닷새. 시간이 지날수록, 하루가 지날수록 내 마음이 타들어 간다는 걸 이 남자는 알고 있을까. 나는 눈을 감은 그의 풍성한 속눈썹을 보며 중얼거렸다.

"당신한테 할 말이 있단 말이에요."

"……."

"좋아한다고 말하고 싶은데……. 내 다짐 변하기 전에 일어나요, 얼른."

나는 천천히 몸을 일으켜 레이놀즈를 향해 허리를 굽혔다. 그리고 조심스레 그의 볼 위로 입술을 가져갔다. 쪽. 부드럽게 키스하는 소리가 조용한 막사 안에 잔잔하게 울려 퍼졌다.

그 순간이었다.

"으악!"

갑자기 누군가가 나를 침대 쪽으로 잡아끌었다. 그게 누구인지 생각할 겨를도 없이, 나는 놀라 크게 떠진 눈을 끔뻑이지도 못하고 레이놀즈를 쳐다보았다. 눈을 뜨고 나를 빤히 바라보는 레이놀즈가 보였다. 나는 믿을 수 없다는 얼굴로 중얼거렸다.

"……폐하?"

"일어났어."

그가 살짝 잠긴 목소리로 속삭였다.

"잠자는 왕자가 공주의 키스를 받아서 깨어났네."

"……진짜요?"

내가 긴가민가한 표정으로 멀뚱거리며 그를 쳐다보자, 레이놀즈가 낮게 웃었다.

"농담이야. 그걸 믿어?"

"헐."

"의외로 순수하네."

그가 싱긋 웃으며 내 이름을 불렀다.

"유린."

그걸 듣는데 가슴속에서 기쁨이 몽실몽실 피어오르는 기분이었다. 나는 순간 울컥해져서 울음을 참기 위해 억지로 미소 지었다.

"1년 동안 고양이로 살았다는 이야기도 믿었는걸요."

"음, 그렇네."

"정말…… 언제부터 깨어나 계셨던 거예요?"

"오래는 안 됐어. 아까 전부터."

"정확히 언제요?"

"으음……."

레이놀즈가 고민하는 표정을 짓다 입을 열었다.

"좋아한다고 말하고 싶은데, 유린이 나한테 그렇게 말했을 때?"

"딱 중요할 때 일어나셨네요."

"진심이야?"

여전히 나를 끌어안은 채, 그가 지긋한 시선을 보내오며 물었다.

"그 말."

"진심일 거 같아요?"

"아니면 슬플 것 같아."

그 말에, 나 역시 그를 빤히 쳐다보다 대꾸했다.

"……그럼 슬퍼할 일 없겠네요."

그리고 곧바로 그의 입술 위에 부드럽게 내 것을 가져다 댔다. 내가 먼저 그에게 다가간 건 이번이 처음이었다. 그래서일까. 레이놀즈는 꽤 놀란 듯 잠깐 동안 몸이 경직되어 있었다. 몸이 굳은 그가 아무 행동도 하지 못하는 사이, 나는 부드럽게 그에게서 내 입술을 떼어 냈다. 하지만 나와 다시 시선을 마주한 뒤에도 그는 믿기지 않는다는 듯 얼떨떨한 표정을 지었다.

"……아직 꿈인가?"

그 말을 듣고 이번에 나는 그의 볼 옆에 키스했다. 그는 아까보다 더 얼빠진 표정이 되었고, 나는 그런 그의 표정을 감상하듯 바라보며 웃었다.

"아닐 걸요, 아마."

"꿈같은걸."

"꼬집어 드릴까요?"

"아니."

그가 조용히 고개 저었다.

"키스해줘."

나는 기꺼이 그의 말에 따랐다. 다시 눈을 떠준 것만으로도 감사해서, 나는 그 순간 무엇이라도 할 수 있을 것만 같은 기분이었다. 내가 다시 그에게 다가가 입술을 겹쳤고, 그런 온화한 분위기는 오래도록 지속되는 듯했다.

"아……!"

하지만 어느 순간 가만히 있던 레이놀즈가 입술을 움직여 내 입을 벌렸고, 당황한 내가 입을 벌리는 사이 그가 집어삼킬 듯 내 입술을 베어 물었다. 당황한 내가 아까보다 더 입을 벌렸고, 그 사이로 뜨거운 것과 뜨거운 것이 얽혀 들어갔다. 가슴 위에 엎어진 야릇한 자세에서 꽤 깊은 입맞춤을 나누고 있다는 사실이 묘한 흥분감을 불러일으켰다. 나는 조금 당황한 듯한 얼굴로 눈을 감으며 그의 어깨를 꼭 붙잡았다.

"하아……."

숨과 숨이 맞닿으며 깊은 탄식을 자아냈다. 누군가가 바깥에서 들어올 거라는 걱정 따위는 그 순간 하지 않았던 것 같다. 나는 오직 그에게만 집중했고, 그 또한 그런 듯했다.

그가 소중한 것을 감싸듯 내 얼굴을 감싼 채 내게 입맞춤을 퍼부었고, 나는 방금 일어난 사람에게 이런 열정이 나올 수 있다는 사실에 감탄하면서 그에게 의지했다. 점점 열기를 띠는 분위기가 막사 안을 후텁지근하게 만들었다.

어느 순간, 우리는 서로 신호를 받은 사람들처럼 자연스럽게 서로에게서 입술을 떼어 냈다. 그리고 서로를 가만히 바라보다가 동시에 웃음을 터뜨렸다. 웃음소리는 높지 않으면서도 청량했고, 밝으면서도 경박하지 않았다. 사랑스러운 웃음이었다.

나는 행복감을 느끼며 그에게 말했다.

"좋아해요, 폐하. 정말로……."

아직 가시지 않은 흥분감이 목소리에 그대로 묻어나왔다. 그마저도 그는 사랑스럽게 느낄 터였다. 나는 빙긋 웃으며 다시 한번 고백했다.

"좋아하는 것 같아요, 폐하."

"낙마하길 잘했어."

그는 황홀하기까지 한 목소리로 말했다.

"이렇게 빠르게 솔직한 진심을 끌어낼 수 있을 줄이야."

"말이라고 하세요."

내가 미간을 좁히며 그를 타박했다.

"제가 얼마나 놀랐는데요."

"결국 나는 무사한 데다 덕분에 좀 더 행복해졌으니, 나로서는 남는 장사야."

"맙소사."

나는 못 말린다는 듯 절레절레 고개를 저었다.

"너무 과격한 방식이에요. 설마 일부러…… 그러신 건 아니죠?"

"설마. 내가 그렇게까지 미친놈은 아니야."

그나마 다행이었다. 나는 헛웃음을 짓다가 그를 꼭 끌어안았다.

"무사히 깨어나 주셔서 기뻐요."

"나도 기뻐. 다시 유린을 볼 수 있어서."

그가 다정한 목소리로 내게 속삭였다.

"이제 각서 이야기는 안 꺼내네?"

"그거 돌아가자마자 찢어버리려고요."

내 말에 레이놀즈가 청량하게 웃었다.

나는 살짝 민망해하면서도 마음을 숨기지 않고 그를 좀 더 힘주어 끌어안았다. 옆에 있을 때 내 진심과 마음을 다 보여줘야 한다는 걸 이번에 뼈저리게 깨달았기 때문이었다.

"정말 꿈같아요……."

"그동안 잘 지냈어?"

"폐하께서 눈도 못 뜨고 계시는데, 잘 지냈겠어요?"

"감동적이네."

그가 싱긋 웃으며 내 머리를 쓰다듬다가 문득 궁금한 목소리로
물었다.

"아, 그보다 내가 며칠이나 이러고 있었지?"

"그게 이제야 궁금하세요?"

내가 피식 웃으며 대답했다.

"오늘로 나흘이에요. 곧 닷새가 될 뻔했죠."

"닷새를 넘기기 전에 일어나서 다행이네."

"닷새 동안 누워 계셨으면 저 울었을지도 몰라요."

"그럼 안 되지. 일찍 일어나서 다행이야."

"어디 편찮으신 데는 없으시고요?"

"다행히도. 간호를 누가 했지? 그 사람 덕분인 거 같은데."

"으음……."

나는 떨떠름한 표정을 지으며 답했다.

"저도 하긴 했지만."

"했지만……?"

"무디어스 공녀도 했어요."

"이런. 말을 바꿔야겠네."

그가 돌연 내 이마 위에 키스하더니 속삭였다.

"당신 덕분에 일찍 일어난 거야, 유린. 내 곁에 있어 줘서 고마워."

"천만에요."

입장이 바뀌었어도 상황은 달라지지 않았을 것이다. 그 또한 내가 정신을 잃고 닷새 동안 쓰러져 있었다면 기꺼이 곁을 지켜 간병했을 테니까.

"무디어스 공녀가 괴롭히지는 않았고?"

"애도 아니고. 걱정하지 마세요."

물론 자잘한 해프닝이 있기는 했지만, 그 정도는 말하기에도 민망했다.

"선전포고하기는 했어요."

"무슨 선전포고?"

"폐하를 좋아한다는 걸 드러냈거든요."

"이런."

그가 절레절레 고개 저으며 내 이마에 다시 한번 키스했다.

"일찍 일어나지 못한 게 정말 아쉽네."

"지금이라도 일어났으니 됐죠, 뭐."

"지금 궁으로 돌아갈까?"

"바깥이 어두워요, 폐하. 지금 마차를 타고 이동하시는 건 위험해요. 아직 의식만 회복하셨다뿐이지 완전히 회복하신 것도 아니고요, 자세한 건 궁의와 상의하세요. 제가 지금 불러올⋯⋯."

"가지 마."

그때 레이놀즈가 부드럽게 내 말을 막았고, 나도 모르게 입이 조개처럼 꾹 다물렸다. 그리고 우리 사이에는 아무 말도 오가지 않았지만, 나는 고개를 끄덕이고 그가 하려던 말을 대신했다.

"여기 있을게요."

"고마워."

"그래도 궁의를 시급히 보시는 게 중요해요. 폐하의 상태가 어떤지 너무 궁금하다고요."

"날 생각하는 건 역시 유린뿐이야."

만족스럽게 속삭이면서, 그가 아기고양이처럼 내 품에 파고들었다. 실상 그와 나의 체구 차이가 있어 모양만 그런 느낌이었지만.

"그런 말은 다른 분들이 들으시면 서운해하실걸요."

"그래?"

"다들 얼마나 쓰러져 계신 동안 걱정했는데요. 다른 사람 앞에서는 그런 말씀 하시면 안 돼요."

"좋아."

"그럼 이제 궁의를 불러올게요."

그렇게 말하고 몸을 일으키려던 찰나였다. 레이놀즈가 나를 부드럽게 제 쪽으로 다시 끌었다. 내가 왜 그러냐고 물으려는데, 무언가가 부드럽게 내 입술을 감싸 안았다.

"음……."

아까보다는 옅지만 결코 시시하지는 않은 입맞춤이 이어졌다. 나는 속눈썹을 파르르 떨며 정신을 잃지 않기 위해 애썼다. 그리고 잠시 뒤에 그가 만족한 목소리로 내게 속삭였다.

"됐다. 이제 다녀와."

"방금 그건 뭐예요?"

"떨어져 있는 동안 버티려고."

씩 웃으면서 레이놀즈가 입술을 혀로 야릇하게 핥았다. 그걸 보고 이상하게 나는 이상하게 얼굴이 빨개져서, 도망치듯 빠르게 그의 막사 안에서 나와버렸다.

3
I'm Yours

다행스럽게도 검진 결과는 정상이었다.

궁의들은 그의 예후가 몹시 좋다고 결론 내렸고, 그의 환궁은 사흘 뒤로 결정되었다. 레이놀즈는 당장이라도 궁으로 돌아가고 싶어 했지만, 나를 포함한 모두가 말린 덕에 간신히 그의 뜻을 꺾을 수 있었다.

"깨어나셔서 다행입니다, 형님."

공작저에 있던 루퍼트도 한달음에 달려와 레이놀즈와 인사를 나누었다. 그는 간단하게 지난 나흘 동안 있었던 일을 레이놀즈에게 보고했고, 다행히 별문제는 없는 듯했다.

그리고 그런 일련의 과정들이 전부 끝난 뒤에야 우리는 다시 단둘이 있을 수 있게 되었다.

"일어나자마자 지치는 기분이야."

"그래도 깨어나셔서 좋으시죠?"

"말이라고."

그가 싱긋 웃으며 내 머리를 쓰다듬었다.

"꿈속에서 유린이 안 나왔거든."

"무슨 꿈을 꾸셨는데요?"

"음……."

그가 잠시 고민하는 표정을 짓다 얼버무렸다.

"뭐, 그렇게 좋은 꿈은 아니었어."

그런가보다. 나한테 말을 안 해줄 정도면.

'너무 나쁜 꿈만 아니었다면 좋을 텐데.'

지나가 버린 일을 소망하며 나는 조용히 레이놀즈의 손을 만지작거렸다. 그런 내 모습을 가만히 지켜보던 레이놀즈가 씩 웃으며 물었다.

"무슨 생각을 그렇게 해?"

"아무 생각도 안 했어요."

"거짓말."

"진짜예요."

나는 레이놀즈를 살짝 흘겨보며 항변했다.

"기분이 너무 좋고 편안하면 아무 생각도 안 하게 돼요."

"정말?"

"폐하께서 이렇게 무사히 일어나시니까 기분이 좋네요. 안정되고."

"본의 아니게 많이 걱정시켰네."

그가 천천히 손을 뻗어 내 볼을 어루만졌다. 평소와는 다르게 손이 차갑지 않았다.

"아시면 앞으로 잘하세요."

"그래야지. 어떻게 받아준 마음인데."

그 말을 듣고 나는 결국 웃어버렸다.

"레이디 유리네트."

그때 바깥에서 애슐리 경의 목소리가 들려왔다.

참고로 우리 둘 외에 막사 안에는 지금 아무도 없는 상황이었다. 이상한 짓을 한 것도 아닌데 괜히 찔려서, 나는 서둘러 레이놀즈의 손을 놓았다. 그러자 레이놀즈의 눈매가 가늘어졌다.

"이만 들어가 쉬셔도 될 것 같습니다."

"네. 금방 나갈게요!"

"금방 나간다고?"

레이놀즈가 뿔이 난 목소리로 내게 따지듯 물었다.

"오늘 여기서 자고 가는 거 아니었어?"

"폐하, 큰일 날 소리를."

내 눈매도 똑같이 가늘어졌다.

"아직 저희 아무 사이도 아니거든요. 공식적으로는요."

"얼른 황후를 책립해야겠어."

"폐하!"

내가 당황한 목소리로 그를 부르자, 레이놀즈가 무슨 문제라도 있느냐는 듯한 얼굴로 나를 빤히 쳐다보았다. 나는 입술만 달싹거리며 아무 말도 못하다가, 결국 깊게 한숨을 내쉬었다.

"하아······. 그건 환궁하신 뒤에 말씀 나눠요."

"원래 황후로 입궁시킬 생각이었어."

"네?"

"사토르디에서 말이야."

맙소사, 그러니까 이 남자의 야심은 내가 생각했던 것보다도 더 어마어마했던 것이다. 나는 입을 떡 벌린 채 아무 말도 못 하다가, 한참 후에 중얼거렸다.

"꿈이 크셨네요."

"지금 생각하면 딱히 그런 것도 아닌걸. 결국 내게 마음을 열었잖아. 그렇지?"

그렇긴 한데······ 그래도 그건 아니지!

"하여튼 시간도 늦었으니 일단은 주무세요."

"정말 나랑 같이 안 잘 거야?"

"엄연한 성인 남녀가 한 침대에서 같이 잘 수는 없죠."

"한 침대에서 자자는 말은 아니었는데. 기대했어?"

"······아뇨."

나는 일부러 딱딱하게 대답했지만, 이미 레이놀즈는 웃고 있었다. 아, 제기랄.

"폐하, 정말 짓궂으세요."

내가 그를 흘겨보며 말했지만, 레이놀즈는 그 말마저 사랑스럽게 들리는 듯했다. 아무 말 없이 나를 흐뭇하게 바라보는 그를 보면서 나는 어이가 없어졌다. 콩깍지가 아주 제대로 쓰이셨어.

"저 이만 가볼게요."

"벌써 가?"

"자야 할 시간이에요. 폐하께서도 얼른 주무셔야 하고요."

"난 괜찮은데."

"아직 환자이신 걸 잊지 마세요."

"으음……."

그는 그 사실이 불만스러운 것처럼 보였다. 아무래도 그냥 두고 가면 삐질 것 같은 느낌적인 느낌. 나는 하는 수 없이 웃으며 그에게로 고개를 숙였다.

쪽!

잠시 후 귀여운 소리와 함께 내 입술이 그의 볼 위에서 떨어졌다. 다시 레이놀즈의 얼굴을 보았을 때, 그는 놀란 기색 하나 없이 그저 능글맞은 미소로 나를 바라보고 있었다. 나는 살짝 수줍어하는 목소리로 말했다.

"선물이에요."

"한 번 더는 안 되나?"

"그러다 끝이 안 날 걸요."

한 번이 두 번 되고, 두 번이 세 번 되다가…… 안 끝날 가능성이 높았다.

"그보다 안 놀라시네요."

"아까 너무 놀라 버려서."

그가 씩 웃으며 덧붙였다.

"놀라는 모습이 보고 싶으면, 앞으로는 놀라볼게."

"됐어요. 저 이만 진짜로 가볼게요. 밖에서 이상하게 생각하겠다."

"어차피 우리 관계 알 사람은 다 알아."

허언 같지는 않아서 나는 움찔했다. 사실 이렇게 티를 내는데 모르면 그것도 이상했다.

'사실 레이놀즈가 전부터 나를 좋아하는 내색을 많이 하긴 했지.'

그렇게 생각하자 급격하게 부끄러움이 올라왔지만, 이제는 돌이킬 수 없는 일이었다.

"몰라요. 가볼게요."

나는 붉어진 양 볼을 손등으로 두들기며 빠르게 막사에서 빠져나왔다. 그런 나를 보고 애슐리 경이 부드러운 음성으로 물어왔다.

"폐하께서는 좀 어떠십니까?"

"아, 괜찮으신 것 같아요."

"확실히 영애께서 곁에 계셔서 호전이 빠르신 것 같습니다."

그 말을 듣자 마지막으로 막사 안에서 들었던 말이 떠올라버렸다. 나는 어쩐지 민망해져서 어색하게 웃음을 흘리며 고개를 끄덕였다.

"다행이네요."

"앞으로도 잘 부탁드립니다."

그 말이 내 귀에는 이상하게. '평생토록 잘 부탁드립니다'로 들렸다. 나는 다시 민망해져서 부자연스럽게 입꼬리를 끌어 올렸다.

❧ ❧ ❧

우리는 이틀 동안을 더 사냥터에서 보냈다.

당장에라도 환궁하고 싶어 하던 레이놀즈는 의외로 뜻밖에 주어진 이틀의 휴식이 꽤 마음에 든 듯했다. 환궁 전날 하루만 더 있다가면 안 되겠느냐고 묻기까지 했으니까.

나는 별로 상관없을 것 같다고 생각했지만, 중앙궁에서 혹시 모를 안전상 위험을 이유로 곤란해하는 모습을 보였기 때문에 결국 우리는 예정대로 환궁하게 되었다.

그 후에는 다가오는 건국제 준비 때문에 정신없이 바쁜 나날을 보냈고, 레이놀즈 역시 밀려드는 정무를 처리하느라 눈코 뜰 새 없이 바빠졌다.

그렇게 시간은 빠르게 흘러, 어느새 건국제 하루 전이 되었다.

"아가씨."

책을 읽고 있는데 에이미가 나를 불렀다. 나는 책에서 눈을 떼지 않은 채 대답했다.

"응?"

"폐하께서 오셨습니다."

그 말에 나는 재빨리 책을 덮었다. 에이미의 질문이 이어졌다.

"어떻게 할까요?"

어떡하긴.

"안으로 모셔."

대답이 끝나기가 무섭게 문이 열리고 레이놀즈가 안으로 들어왔다. 하녀들이 눈치 있게 자리를 비켜 주었고, 나는 미소와 함께 그를 맞아들였다.

"폐하."

"유린."

습관적으로 내 이름을 부른 레이놀즈가 부루퉁한 목소리로 내게 불평했다.

"요즘 우리 너무 적게 보는 것 같아."

그 말에 나는 황당해져 대꾸했다.

"어제저녁 함께 드셨잖아요."

"오늘 보는 건 이게 처음이야."

"얼마나 봐야 많이 보는 건가요, 폐하 기준에서는?"

"음……."

내 질문을 들은 레이놀즈는 진지한 고민 끝에 입을 열었다.

"적어도 다섯 번."

"……."

과하다, 과해.

"상식적으로 불가능하다고 생각하지 않으세요?"

조심스럽게 물었지만 돌아오는 건 이해 안 된다는 반문이었다.

"같은 궁에 바로 옆방인데 어째서?"

사실 그런 요건 덕분에 우리는 하루에 한 번씩은 꼭 만날 수 있었다. 내가 눈매를 좁히며 말했다.

"부부도 그렇게 자주는 안 만나요. 제가 24시간 폐하의 곁을 지키지 않는 이상은……!"

"그거 괜찮은데?"

"네?"

"시종들처럼 내 방에서 머무르는 건 어때? 그럼 24시간 같이 있을 수 있잖아."

헐.

"말도 안 돼요."

"어째서?"

"저도 제 사생활이 필요하다구요. 그리고 폐하께서도 별로 안 좋아하실걸요?"

"내가? 아니야."

"맞아요."

나는 고개를 절레절레 저으며 이유를 밝혔다.

"애슐리 경하고 조금만 이야기해도 그렇게 질투를 하시면서."

변명의 여지가 없는 말에 레이놀즈는 아무 말도 하지 못했고, 나는 것 보라는 듯 고개를 살짝 추켜들었다.

"거처를 폐하의 방으로 옮기면 분명 애슐리 경과 더 자주 이야기하게 될 텐데, 폐하는 그거 못 견디세요."

그 부분만큼은 확신할 수 있었다. 내 설명을 들은 레이놀즈는 차마 반박하지 못했고, 나는 승리자의 미소를 지으며 그를 다독였다.

"앞으로 더 자주 볼 수 있도록 노력은 해볼게요. 근데 전 정말 이 정도로도 충분하다고 생각했는데."

"불충분해."

그가 불만스러운 목소리로 말하며 나를 꼭 끌어안았다. 갑작스러운 포옹에 깜짝 놀란 것도 잠시, 나는 곧 편안한 마음으로 그의 품 안에 안겨들었다.

"보고 있어도 또 보고 싶고, 안고 있어도 또 안고 싶거든."

"……그 말은 좀 오그라드는데요."

"왜?"

그가 몸을 뗀 다음 나를 빤히 바라보며 물었다.

"유린은 아니야?"

"……."

이 질문에 어떻게 '네'라고 대답할 수가 있단 말인가. 나는 입술을 오물거리며 대답을 피했고, 레이놀즈는 것 보라는 듯 피식 웃었다.

"하여간 솔직하지 못하지."

"어쨌든 저로 인해 생활에 지장이 가시면 안 돼요."

"지장이라니. 활력소라면 모를까."

"나 참."

띄워주는 게 비행기 수준이다. 절대 싫지 않은 얼굴을 하고, 나는 그에게 물었다.

"내일 건국제인 거 아시죠?"

"당연하지."

아무렴 그걸 잊었겠느냐는 듯한 목소리였다.

"기대하고 있어."

"열심히 준비했어요."

케이터링은 지난 무도회 때보다 더 수준이 높아졌다. 규모가 커졌기 때문이기도 했지만, 내가 그때보다 좀 더 성장했기 때문도 맞다. 나는 으스대는 목소리로 그에게 말했다.

"기대하셔도 좋아요."

"다른 게 더 기대되는걸."

다른 거? 내가 눈을 동그랗게 뜨고 물었다.

"뭔데요?"

"내일 같이 춤추는 거."

나직하게 대답한 그가 시선을 느릿하게 내 쪽으로 옮겼다. 갑작스럽게 눈빛을 받게 되자 나는 자연스레 당황할 수밖에 없었다. 순식간에 야릇하게 전환된 분위기에 당황하는 사이, 레이놀즈가 내 쪽으로 거리를 좁혀 조용하게 속삭였다.

"기대하고 있어."

"……."

"아주 많이."

방금 그건 평서문인가 명령문인가. 나는 살짝 붉어진 얼굴로 작게 대꾸했다.

"저 춤 잘 못 춰요."

"지난번에 보니까 잘 추던데."

"공작 전하께서 잘 리드해 주셨거든요."

"그래?"

다정하게 묻는 목소리에서 어쩐지 미약한 분노가 느껴졌다. 거봐, 이렇게 질투를 하는데 어떻게 방을 옮겨. 나는 속으로 쿡쿡 웃었다.

"미안하지만 루퍼트보다 내가 더 춤은 잘 춰."

"아, 그래요?"

"못 믿는 거야?"

"아뇨, 믿어요."

나는 태연한 목소리로 대꾸했다.

"지난번에 무디어스 공녀와 추는 걸 보니 잘 추시던걸요."

"……"

내 말에 할 말이 없어진 레이놀즈가 잠시 침묵했고, 나는 다시 한 번 속으로 쿡쿡 웃었다.

"앞으로 유린 말고 다른 사람하고 춤출 일은 없어. 맹세하지."

갑작스러운 맹세에 내가 눈을 크게 뜨고 레이놀즈를 쳐다보았다.

그 모습을 본 그가 빙긋 웃으며 내 이마 위에 부드럽게 키스했다.

"그러니까, 앞으로 질투할 일을 조금도 만들지 않겠다는 뜻이야."

"저 그때 질투 안 했어요."

"무도회 다음날 나한테 무디어스 공녀와 춤췄다고 따졌잖아."

"헐. 전후 관계를 따지자면 폐하께서 먼저 제게 서운하다고 하셨거든요?"

황당해진 내가 쏘아붙이자, 거기까지는 기억을 못 했던 건지 레이놀즈가 흠칫했다.

"……그랬나?"

"그랬어요."

나는 옹골찬 목소리로 덧붙였다.

"그리고 제가 아무리 질투심이 많아도 폐하보다는 아니에요."

내 말에 레이놀즈가 그건 아니라는 듯 헛숨을 내뱉었다.

"누가 들으면 내가 사소한 거에도 옹졸하게 질투만 하는 줄 알 겠어."

"본인 행적을 한번 잘 되새겨 보세요. 저한테 애슐리 경이랑 공작 전하를 좋아하느냐고 물어보신 것만 해도 두 번이에요."

레이놀즈처럼 질투심이 많은 사람을 찾기도 어려울 거야. 솔직 히 자기 문제로 자기 시종하고 이야기하는 것까지 질투하는 사람 이 어디 있어?

"……맞는 것 같네."

인정할 건 인정할 줄 아는 사람이라 다행이었다. 내가 피식 웃으 며 그의 입술 위에 부드럽게 키스했다 떨어졌다.

"뭐, 저도 노력해볼게요."

"뭘?"

"폐하가 질투 안 하시도록?"

하지만 그렇게 말한 뒤에 나는 곧바로 고개를 저었다.

"그런데 워낙 사소한 걸로도 질투하시는 분이라 어려울 수도 있 어요."

"······좀 더 아량을 키워볼게."

"좋아요."

나는 씩 웃은 다음 그에게 다시 한번 입을 맞추었다. 아까보다 좀 더 긴 키스였다.

❦ ❦ ❦

그리고 마침내 건국제 당일이 되었다.

엘스워드의 건국을 기념하는 축제이니만큼 진행은 오전부터 시작되었다. 하지만 내가 생각하기에 건국제의 하이라이트는 바로 해가 진 저녁부터였다. 예쁜 등이 거리를 빛내며 축제 분위기를 고조시킬 것이고, 해가 완전히 지면 불꽃놀이까지 진행될 예정이었다.

'물론 황궁 밖까지 나가기는 어렵겠지만······.'

아무래도 궁에 예속된 몸이라 함부로 나가기가 어려웠다. 그리고 만약 외출한다고 하면 레이놀즈가 자신과 시간을 보내지 않는다고 엄청 서운해할 가능성이 높았다.

'뭐, 불꽃놀이는 잘하면 황궁 안에서도 보일 테니까.'

나는 그 사실에서 그나마 위안을 얻기로 했다.

"아가씨, 분홍색 연두색 조합이 좋으세요, 아니면 분홍색 하늘색 조합이 좋으세요?"

"로즈쿼츠와 투어멀린 중에 뭐가 더 마음에 드시나요?"

"힐은 6cm로 할까요, 8cm로 할까요?"

건국 기념 연회는 오후 3시부터 있었고, 나는 이르게 점심을 먹은 뒤 곧바로 연회 준비에 돌입했다. 오늘 내 드레스코드는 '러블리'로 정해졌는데, 당연히 내 뜻은 아니었고 아니스와 리셸, 패티와 에이미의 뜻이었다. 벚꽃을 닮은 색감의 프릴드레스를 입고 흰 꽃들로 이루어진 화관까지 머리에 얹으니 완전한 봄이 연상되었다. 심지어 액세서리로 착용한 목걸이와 귀걸이 모두 화사한 색감의 보석으로 만들어져 있어서 더욱 그런 분위기가 심화되었다.

모든 준비를 마친 후, 거울 앞에 선 나는 '흐음' 소리를 내며 중얼거렸다.

"좀 과한 것 같기도 하고."

내 말에 옆에서 득달같이 아니라는 소리가 들려왔다.

"예쁘시기만 한데요?"

"사랑스러우세요!"

"하나도 안 과해요."

이 적극적인 부정에 나는 결국 참지 못하고 웃음을 터뜨렸다. 이왕 꾸민 거 다시 덜어낼 수도 없고, 어쩌겠어. 이대로 가야지.

그때 패티가 웃는 목소리로 내게 말을 건넸다.

"폐하께서도 분명 좋아하실 거예요."

그 말에 내 얼굴은 완전히 붉어지고 말았다. 옆에서 아니스가 당

172

황한 얼굴로 패티의 옆구리를 쿡 찌르는 게 보였다.

'뭐야, 다들 알고 있었어?'

……라고 생각하다가, 나는 이내 눈치를 못 채려야 못 챌 수가 없는 상황이었다는 사실을 깨닫고선 속으로 탄식을 흘렸다. 하기야 그렇게 분위기를 흘려대는데 눈치를 못 챌 수가 없을 테지.

"앗, 죄송해요, 영애. 제가 눈치 없이!"

……굳이 한 번 더 말하지 말아 줄래, 패티. 나는 어색하게 웃으며 모두와의 시선을 피했다. 본의 아니게 갑자기 어색해진 분위기에 리셸이 서둘러 끼어들었다.

"이, 이만 연회장으로 가시는 게 좋겠어요, 영애."

"맞아요. 일찍 가서서 연회장 구경도 하셔야죠."

아니스까지 거들어준 덕분에 어색한 분위기는 다행히 환기되었다.

나는 연회가 열리는 레지나 궁으로 발걸음을 옮겼다. 이미 많은 귀족들이 궁전 근처에 도착한 모습이 보였다.

잠시 후 궁전 안으로 들어가 연회장에 들어서자, 화려한 분위기의 샹들리에가 나를 가장 먼저 맞아 주었다.

'오……'

확실히 지난 무도회 때보다 커진 규모가 눈에 띄었다. 나는 조금 흥분한 마음으로 연회장 안에 들어섰다. 성장한 귀족들이 테이블 근처에 모여 먹고 마시며 이야기를 나누고 있었다. 역시나 내 눈을 가장 사로잡는 건 테이블 위에 잔뜩 차려진 핑거링 푸드와 칵테일이었다. 나는 속으로 뿌듯한 감정을 느끼며 가장 근처에 있는 테이블로 걸어갔다. 잘 차려진 음식들이 침샘을 자극했다.

'괜찮은걸.'

가장 앞에 놓인 참치 카나페 하나를 입에 넣자 맛이 괜찮았다. 내가 입은 드레스와 똑 닮은 색의 칵테일을 한 모금 마신 뒤에, 나는 천천히 고개를 돌려 주변을 살폈다. 확실히 사람이 더 많이 모인 것 같았다. 그때, 익숙한 얼굴이 내 시선을 잡아끌었다.

'……이런.'

메리언이었다. 그녀는 강렬한 색감의 레드 드레스를 입고 있었는데, 몸에 달라붙는 모양이라 그런지 상당히 관능적으로 보였다.

'피해야겠다.'

가급적 그녀와 마주치지 않는 게 좋았다. 메리언과 마주친다면 괜한 시비에 휘말릴 가능성이 높았기 때문이었다. 내가 다른 곳으로 가기 위해 몸을 돌리던 순간이었다.

"어……?"

익숙한 남자가 나를 바라보며 미소 짓고 있었다. 나는 뜻밖의 등장인물에 놀라 무의식적으로 입을 틀어막았다.

"폐하?"

"안녕, 유린."

"아니, 세상에…… 언제 오셨어요?"

이렇게 등 뒤에까지 왔는데 왜 나는 모르고 있었지? 스스로의 둔감함에 다시 한번 놀라는 사이, 레이놀즈가 대답해왔다.

"방금?"

"정말요?"

"한 1분 됐지. 뭘 그렇게 빤히 보느라 내가 온 것도 몰랐던 거야?"

"아, 그냥 이것저것 둘러보고 있었어요."

나는 씩 웃으며 테이블에 놓인 음식들을 손으로 가리켰다.

"이것들, 다 제가 준비한 거예요. 아시죠?"

"알지."

그가 기특하다는 듯 손가락으로 내 볼을 가볍게 두드렸다.

"안 그래도 아까 와서 보면서 감탄하고 있었어."

"너무 준비를 잘해서요?"

"그래. 무도회 때보다 더 나아진 것 같은데."

"정말요?"

"물론 지난번에도 잘했지만."

"맛도 보셨어요?"

"당연하지."

그가 부드러운 눈빛으로 나를 바라보며 말했다.

"그래도 직접 먹여주면 더 좋을 거 같은데."

헐. 그 말에 나는 조금 당황해서 그에게 물었다.

"그래도…… 돼요?"

"안 될 이유는?"

"그러니까…… 너무 개방된 장소잖아요. 사람들도 많고……."

"나 좋아하기로 한 거 아니었어?"

갑자기 훅 들어온 질문에 얼굴이 빨개졌다. 이로써 머리부터 발끝까지 전부 다 벚꽃색이 되어버린 셈이었다. 그 모습마저 사랑스럽게 보이는지 레이놀즈가 흐뭇한 미소를 띤 채 나를 바라보았다. 나는 민망함을 참다못해 물었다.

"왜 그렇게 보세요?"

"사랑스러워서."

그 달콤한 목소리에서는 조금의 거짓도 느껴지지 않았다. "원래도 사랑스러웠는데, 오늘 모습은 더 그렇네. 나 정신 못 차리게 하려고 그런 거면 성공이야."

"그럴 의도는 없었는데."

"사실 뭘 입고 왔어도."

그가 낮게 웃는 소리를 내며 내 쪽으로 몸을 숙였다. 갑작스럽게 좁혀진 거리에 나는 자연스레 당황했다.

'설마 여기서 키스하려는 건 아니겠지?'

오, 절대 안 돼. 모두가 보는 앞에서 그러는 건 아직 너무 이르다고!

나는 눈을 질끈 감았고, 그래서 한동안 레이놀즈가 무슨 행동을 하는지 볼 수가 없었다. 그리고 잠시 후, 작게 웃는 소리가 들려왔다.

"난 정신 못 차렸겠지, 유린에게."

내 귓가에 대고 그가 속삭였다. 목소리의 울림이 귀를 간지럽히며 기분을 야릇하게 만들었다. 그리고 천천히 눈을 뜬 그 순간, 레이놀즈와 눈이 마주쳤다.

"그렇지, 내 주인님?"

내 얼굴은 더 빨개지기 시작했다. 이 남자는 이렇게 뜻밖의 순간 사람을 당황하게 만들 만큼 야한 구석이 있었다. 나도 모르게 마른 침이 꿀걱 넘어갔다.

"……몰라요."

앞에서 그가 했던 말은 이미 까맣게 잊어버린 지 오래였다. 나는 붉어진 얼굴이 얼른 원래의 색을 되찾기를 바라며 빠르게 뛰기 시작한 심장을 애써 잠재웠다.

"폐하!"

그때, 뒤쪽에서 달갑지 않은 목소리가 들려왔다. 계속 피하려고 했지만 결국 마주치게 되어 버린 상황이었다. 이쯤 되면 나도 메리언과는 운명이었다. 악연도 운명이라면 운명일 테니까.

"여기 계셨군요."

레이놀즈를 부르는 메리언의 목소리는 분명 설레어 보였다. 이전의 나라면 그런 그녀의 목소리를 듣고 그녀가 정말로 레이놀즈를 좋아하고 있다고 생각할지도 모른다.

하지만 그가 쓰러졌을 때 보인 무관심한 태도를 본 나로서는 이제 조금도 그런 생각이 들지 않았다. 그저 피곤함만 느껴질 뿐.

"메리언 비쥬 생 무디어스가 엘스워드의 태양을 뵙습니다. 황가에 광영이 깃들길."

"……무슨 일이지, 무디어스 공녀?"

차마 무시할 수는 없었기에 레이놀즈는 물었다. 나는 말없이 두 사람의 모습을 가만히 지켜보았고, 메리언 역시 내게는 눈길조차 주지 않은 채 - 사실 레이놀즈와 함께 있는 모습을 봤을 때 세모눈이 되기는 했다 - 레이놀즈에게만 집중했다.

"내게 할 말이 있나?"

"폐하께 춤을 신청하고자 왔습니다."

메리언은 퍽 정중한 말투로 말을 이어나갔다.

"지난 무도회 때 함께해주셨으니, 이번에도……."

"유감이군, 무디어스 공녀."

레이놀즈가 딱딱하지 않은, 하지만 분명한 음성으로 메리언의 말을 잘랐다. 말이 끊긴 메리언이 영문을 모르겠다는 얼굴로 레이놀즈를 쳐다보았다.

"춤을 추고 싶은 상대가 이미 있어서 말이야."

그 말에, 메리언의 표정이 딱딱하게 굳었다. 레이놀즈는 아직 그 상대에 대해 말하지 않았지만, 메리언은 그게 누군지 알아차린 모양이었다. 그녀의 날카로운 시선이 나를 향하고 있었기 때문이었다. 졸지에 따가운 눈초리를 받게 된 내가 어색한 표정으로 그녀의 시선을 피했다. 아, 불편하다.

"레이디 유리네트."

레이놀즈가 부드러운 목소리로 나를 불렀고, 나는 그의 부름에 대답하는 대신 메리언의 얼굴을 흘긋 쳐다보았다. 시베리아 북풍이 휘몰아치는 듯한 눈빛으로 나를 쏘아보고 있었다.

나는 어색한 목소리로 입을 열었다.

"네, 네에."

"나와 함께 춤추지 않겠어?"

나는 옆에서 매서운 눈매로 나를 바라보는 메리언을 애써 무시하고 고개를 끄덕였다.

폐하, 이렇게 공개적으로 물어보실 필요는 없는데요……. 옆에서 메리언이 저 째려보는 거 못 느끼시겠어요……?

"가지."

유감스럽게도 레이놀즈는 메리언을 별로 신경 쓰지 않는 듯했다.

그가 태연한 얼굴로 내게 손을 내밀었고, 나는 조심스럽게 그의 손을 잡았다. 그리고 메리언을 내버려 둔 채 춤을 추기 위해 발걸음을 옮겼다. 나는 어쩐지 메리언을 그렇게 두고 오는 게 신경 쓰여서 뒤를 자꾸 흘끔거렸다. 그녀는 입을 꾹 다문 채 나와 레이놀즈의 뒷모습을 노려보고 있었고, 주변에서는 우리 셋을 두고 수군거리고 있었다. 그 모습을 보자 어쩐지 마음이 불편해졌다.

　내가 메리언을 신경 써서 그런 게 아니라, 그 눈이 금방이라도 무슨 짓을 저지를 것만 같은 사람의 눈이었기 때문이었다.

　'……별일 없겠지.'

　비슷한 일이 몇 번 일어나기도 했고, 별일은 없을 것이다. 나는 그렇게 생각하며 애써 마음을 진정시켰다.

　·

　·

　·

　"무디어스 공녀가 신경 쓰이나 봐?"

　스테이지에서, 레이놀즈가 내 허리를 부드럽게 감아오며 물었다. 섬세한 손길에 나도 모르게 마른침을 삼키면서, 나는 조용히 되물었다.

　"무슨 뜻이에요?"

　"오는데 계속 뒤를 흘긋거리길래."

　"……아아."

　나는 머뭇거리다 답했다.

　"신경 쓰이죠. 대놓고 그녀를 망신 주신 거잖아요."

　"흐음."

　"그러셔선 안 됐어요. 자존심을 건드리신 거라고요."

　"그녀를 꽤 많이 생각하나 보군."

"그런 게 아니에요, 폐하."

나는 한숨 섞인 목소리로 그의 말을 부정했다.

"눈빛이 심상치가 않았어요. 제게 해코지라도 하면 어쩌시려고."

"내가 있는데 무슨 걱정이야."

그가 다정하게 속삭이며 살짝 흘러내린 내 머리카락을 귀 뒤로 넘겨주었다.

"무디어스 공녀가 그대에게 손끝 하나 대지 못하도록 할게."

"……참."

듣기 좋은 말에 나도 모르게 웃음이 새어 나왔다. 물론 레이놀즈가 내가 위험에 처하도록 그냥 내버려 둘 거라곤 생각하지 않는다. 그래도 괜히 분란의 씨앗을 만드는 것보다는 나았으니까.

'사실 피할 수 있는 일은 아니긴 해.'

이런 일은 앞으로 더 자주 일어날 거고, 결국 레이놀즈는 그녀를 황후로 책립하지 않을 것이다.

'결국 언젠가 한 번은 메리언과 크게 갈등을 빚을 일이 생기겠지. 지금은 어쩌면 그 과정의 일부일지도 몰라.'

그때, 가만히 있던 내 오른손을 누가 부드럽게 잡아왔다. 갑작스러운 스킨십에 나는 깜짝 놀라 앞을 쳐다 보았다. 레이놀즈가 나를 지그시 바라보며 미소 짓고 있었다. 그 모습이 너무 예쁘고 설레어서, 나도 모르게 마른 침이 꿀꺽 넘어갔다. 그가 나와 깍지를 낀 손을 부드럽게 위로 올리며 내 목덜미 위에 입을 맞추었다. 뜨거운 입술이 목 옆을 야릇하게 스치고 지나갔다.

"이제 다른 여자 생각은 그만하고."

이어지는 낮은 목소리가 진득하게 속삭였다.

"나한테 집중하면 안 될까, 주인님?"

……되죠. 왜 안 되겠어요. 나는 빨개진 얼굴로 고개를 끄덕였다.

※ ※ ※

결과적으로, 레이놀즈는 춤을 꽤 잘 추었다.

아니, '꽤'라는 표현으로는 부족한가. 상당히 잘 추었다. 춤을 춘 경험이 입궁한 뒤 고작 두 번이었지만 - 사실 입궁 전에도 춤을 춰 본 적은 없다 - 그래도 그가 춤을 잘 춘다는 사실쯤은 어렵잖게 알 수 있었다. 내가 조금의 불편함도 느끼지 않도록 잘 리드해 주었으니까. 그건 분명 쉬운 일은 아니리라.

"한 곡 더?"

첫 번째 춤이 끝났을 때 그가 내게 물어왔다. 나는 긴 고민 없이 대답했다.

"폐하께서 원하신다면요."

"으음. 그럼 한 곡 더."

"춤을 그렇게 좋아하시는 줄은 몰랐네요."

"아니. 그렇게 좋아하는 건 아닌데."

"근데 왜 한 곡 더 추고 싶으신 건데요?"

"저기."

레이놀즈가 슬며시 손가락을 어깨 뒤로 향하게 했다. 내 시선이 자연스럽게 그의 어깨 너머로 향했다.

하지만 내 눈앞에 보이는 건 특별할 것 없는 광경들이었다. 춤을 추고 있는 사람들, 칵테일을 마시며 이야기하는 사람들. 그가 가리킨 것 중 내가 이유로 납득할 만한 요소는 없어 보였다. 어리둥절해 있는 내게 레이놀즈가 친절히 부연했다.

"계속 우리 이야기를 하고 있더군."

"네?"

아, 잠깐만. 설마 이 남자…….

'자랑, 하려고 이러는 건 아니지?'

……아니라고 해줘, 제발. 진짜면 내가 너무 부끄러울 거 같아서 그래요, 폐하.

'아니, 자랑이라는 말도 좀 웃긴데.'

그건 뭔가 대단히 부끄러운 단어였던 것이다. 나는 서서히 얼굴이 달아오르는 것을 느꼈다.

"더 많은 사람들이 우리 모습을 보면 좋겠어."

"왜……요?"

"그래야."

그가 나직하게 웃으며 내게로 고개를 숙였다. 갑작스럽게 좁혀진 거리에 나도 모르게 헛숨을 들이켰다. 이런 상황, 꽤 자주 있었지만 익숙해지기에는 늘 자극적이었다. 심장이 조금씩 빨리 뛰기 시작했을 때, 속삭이는 목소리가 주변의 공기를 간질거렸다.

"알 수 있을 테니까."

무엇을, 이라고 묻지 않아도 답이 보이는 눈동자였다. 나는 마른 침을 삼켰다. 그리고 그는 뒷말을 이어서 했다.

"유린이 내 거고, 내가 유린 거라고."

"그걸 그렇게 알리고 싶으세요?"

"당연하지."

그의 입꼬리가 유려하게 위로 올라갔다.

"그래야 아무도 유린에게 접근하지 못할 거고, 내게도 마찬가지일 테니까."

짙은 소유욕이 묻어나는 것과는 대조적으로 부드러운 목소리였다.

나는 작게 웃음소리를 흘리며 그에게 속삭였다.

"아무도 저한테 접근 안 해요."

"정말?"

내 눈을 빤히 바라보며 묻는 그의 물음에 아무 생각 없이 '그렇다'고 대답하려다가, 일순 누군가가 떠올라 입을 다물었다. 그리고 말없이 레이놀즈와 눈을 맞추었다. 그는 아무 말도 하지 않았지만 '그것 봐'라는 눈빛으로 나를 바라보고 있었다.

나는 살짝 미간을 좁히며 말했다.

"누가 한다고 해도 제가 막아내는걸요."

내 대답을 의외라고 생각했을까. 그가 신기하다는 얼굴을 하고 살짝 미소 지었다.

"그런 대답을 들을 줄이야."

"절 뭘로 보시는 거예요."

"이것 참 고마운걸."

그가 만족스럽게 웃더니 돌연 내 목 쪽으로 입술을 옮겼다.

"그런데 말이야……."

나는 여기서 그가 내게 키스하려는 줄 알고 순식간에 몸에 힘이 들어갔다. 그렇지만 그는 내 목덜미로 입술만 옮길 뿐, 그 위에 키스하지는 않았다. 하지만 멀리서 보는 사람들은 충분히 그런 행위를 연상할 수 있을 것이다.

"나는 아무도 감히, 유린을 넘보지 않았으면 좋겠어."

"아……."

"그 누구도."

민망함에 살짝 붉어진 얼굴이 눈알을 데굴데굴 굴렸다. 그러다 어느 순간, 초점이 누군가에게로 가 맞춰졌다.

'……이런.'

루퍼트가 이쪽을 바라보고 있었다. 그는 나와 눈이 잠깐 마주치더니, 곧 몸을 돌려 다른 곳으로 가버렸다. 그리고 주변의 다른 귀족들이 나와 레이놀즈를 보고 수군대는 모습이 보였다.

'하아……'

나는 속으로 길게 한숨을 내쉰 다음 그에게 말했다.

"갔어요, 폐하."

"응?"

"공작 전하요."

나는 너무한다는 목소리로 그에게 말했다.

"굳이 그러실 필요 없었잖아요."

"……알고 있었네?"

"폐하도 알고 계셨으면서 모른 척하시긴."

미간을 살짝 좁히며 나는 덧붙였다.

"잔인하셨어요."

"그렇게 말할 필요 없어."

그가 대수롭지 않다는 듯 말했다.

"앞으로 계속 보게 될 광경인데. 익숙해져야지."

"……물론 그렇죠. 하지만 폐하께 괜히 악심이라도 품으면 어쩌려고 그러세요."

그 말에 레이놀즈가 나를 빤히 쳐다보았다. 말없이 가만히 바라보는 시선에 나는 자연스레 당황했다.

"왜, 왜요?"

"아니."

그가 실낱같은 미소를 지으며 말했다.

"그런 말을 들을 줄은 몰라서."

"잘못 말했나요, 저?"

"아니. 그런 게 아니라."

"그럼요?"

"그런 걸 걱정하고 있을 줄은 몰라서."

레이놀즈의 대답에 나는 잠깐 침묵했다 입을 열었다.

"어쨌든 공작 전하는 황위의 제 1계승권자시니까요. 폐하의 후계가 없는 지금으로서는⋯⋯."

혹시라도 루퍼트가 괜한 생각을 품어 그에게 해가 되는 일을 저지르기라도 한다면 그것처럼 끔찍한 일도 없으리라. 잔인한 황위 다툼은 차치하고서라도 치정 때문에 형제간에 혈전이 벌어지다니.

'⋯⋯그보다 치정이라는 말은 좀 민망한가.'

이런 말은 내가 무슨 엄청난 팜 파탈이라도 된 것 같은 기분이다. 어쨌든 두 사람은 피를 절반만 공유하는 사람들이니, 역사책 속에서나 나올 법한 일들이 일어나지 않으리라는 법은 없었다. 당장 동복형제 간에도 황위를 다투는 일이 잦았으니 더더욱 긴장의 끈을 놓지 않는 게 좋을 것이다.

하지만 레이놀즈는 이런 내 걱정이 모두 터무니없는 것이라는 듯 참 태평한 표정이었다. 그런 그를 보고 나는 미간을 좁혔다.

"제가 너무 쓸데없는 생각을 하는 거라고 여기지는 마세요. 충분히 가능한 일……."

"알아."

그가 빙긋 웃으며 돌연 내 뺨을 조심스럽게 손가락 등으로 어루만지기 시작했다. 그 스킨십에 순간 야릇한 기분이 들어 자동적으로 입이 다물어졌다. 그런 나를 보는 레이놀즈의 입가 미소가 진해졌다.

"근데 걱정 안 해도 돼."

"……태평하십니다."

"그렇다기보다는 내가 본 루퍼트를 믿는 거지."

그런 말을 하는 게 참 태평해 보였다. 나는 살짝 불만인 듯한 눈으로 레이놀즈를 쳐다보았지만, 그는 끝까지 담담했다. 그저 나를 가만히 응시하다가 돌연 귓가에 이렇게 속삭여왔을 뿐이다.

"나갈까?"

날 자랑하는 건 그만두기로 한 모양이다. 애당초 목적이 루퍼트에게 있었거나.

"좋아요."

나는 뭐, 아무래도 상관없었다.

❦ ❦ ❦

"아무래도 벗는 게 좋겠어."

연회장을 나서자마자 그가 건네 온 말이었다. 나는 순간 내가 잘 못 들은 줄 알고 당황했다.

"네?"

"벗는 게 좋겠다고."

잘못 들은 게 아닌 듯했다. 나는 경악한 눈으로 입을 떡 벌린 채 레이놀즈를 쳐다보았다. 하지만 내 '저질스럽다'는 시선에도 레이놀즈는 태연했다. 저런 태연함이라니!

"뭘 생각하는 거야."

"아야!"

갑자기 그가 내 이마에 아프지 않게 딱밤을 때렸다. 나는 아프지도 않은 이마를 손바닥으로 문지르며 거짓말했다.

"완전 아프네요."

"힘 안 주고 때렸어."

"쳇."

"아프면 키스해줄게."

갑자기 요상한 방향으로 전개된 대화에 나는 당황한 얼굴로 뒷걸음질 쳤다. 키스는 갑자기 웬 키스! 내 쪽으로 몸을 숙이던 레이놀즈가 미소를 띤 얼굴로 왜 그러느냐는 표정을 지었다.

"여기 아무도 없어."

다 연회장에 있었고 주변에는 우리뿐이었다. 그러니 안심하라는 소리였다.

"뭘 그렇게 걱정해?"

"구, 궁에 사람이 얼마나 많은데요."

나도 모르게 말을 더듬었다.

"오, 오다가다 볼 수도 있어요."

"보라고 하지 뭐."

이 양반이 진짜! 어이가 없어진 내가 꼼짝도 못하는 사이, 레이놀즈가 빠르게 내 이마 위에 입술을 맞추었다 떨어졌다. 찰나라고 불러도 좋을 만큼 짧은 시간이었다. 내 두 볼은 새빨개졌고, 레이놀즈는 아무렇지 않아 했다.

"고작 이런 거 가지고."

"고작이요……?"

"고작이지."

그가 미소와 함께 어깨를 으쓱였다.

"정말 이상한 짓을 한 것도 아닌데."

"저, 정말 이상한 짓이라뇨?"

"……할까?"

하, 하긴 뭘 해! 나는 얼굴이 완전히 새빨개져서 레이놀즈를 픽픽 때렸다.

"저 놀리니까 재밌으세요?"

"하하."

나름 세게 때렸는데 레이놀즈는 타격감이 1도 없는 듯했다. 유쾌하게 웃으면서 맞아주는 걸 보면 말이다. 나는 결국 몇 번 때리다 말고 포기하고 말았다.

"이 드레스를 입고 밖으로 나갈 수는 없잖아."

"무슨…… 뜻이에요?"

내가 설마 하는 눈으로 레이놀즈를 쳐다보자, 그가 미소로 답해 주었다.

"나가자."

"어디를……."

"황궁 밖으로."

"네?"

"왜? 싫어?"

"아뇨. 싫은 건 아닌데……."

나는 얼떨떨한 목소리로 답했다.

"급작스러워서요. 그런 말씀을 하실 줄은 몰랐거든요."

"지난번에 루퍼트와 황궁 밖으로 나갔잖아."

갑자기 그때 일은 왜 꺼내시는지? 내가 당황한 얼굴로 그를 쳐다 보자, 빙긋 웃는 얼굴이 시야에 들어왔다.

"그때 깨달아 버렸거든."

"뭘……."

"유린에게 황궁 밖을 보여줄 기회, 빼앗겨 버렸다는 거."

"아……."

그때 일에 그런 의미를 부여하고 있었을 줄이야. 나는 헛숨을 흘리며 그에게 말했다.

"그렇게 생각하고 계실 줄은 몰랐네요."

"나도 한 번쯤은 데리고 나가야지."

그가 속삭이는 목소리로 내게 말했다.

"여기로 데려온 사람, 나니까."

"……."

"그래도 싫으면 말해."

그럴 리가. 나야말로 오늘 꼭 밖으로 나가고 싶었는걸.

일이 이렇게 되어서 오히려 기쁠 지경이다, 지금.

나는 씩 웃으며 먼저 레이놀즈의 손을 잡았다. 그리고 그런 내 행동을 전혀 예측하지 못했는지, 그의 눈동자가 살짝 흔들리는 모습이 보였다.

'귀엽기는.'

평소에 나한테 스킨십 하는 건 스스럼없고 과감하면서. 평소와 지금 보이는 반응의 차이가 너무 커서 나도 모르게 미소가 지어졌다.

"좋아요."

'좋아해요'라는 대답을 들은 사람처럼 그의 귀가 붉어졌다. 사랑스럽다.

꒦꒷ ꒦꒷ ꒦꒷

황궁에서 수도의 중심지로 나오는 일은 완전히 낯선 길은 아니었다.

이미 한 번 루퍼트와 나가본 적이 있었기 때문이었다. 그렇지만 역시 길 안내는 수도에서 30년 가까이 산 레이놀즈가 맡게 되었다.

"와, 폐하. 저기 좀 보세요."

나는 처음 와보는 곳도 아닌데도 그런 사람처럼 굴었다. 그도 그럴 것이 루퍼트와는 낮에 이곳을 왔고, 지금은 밤이었기 때문이었다. 밤에 궁 밖으로 나온 것은 처음이었고, 밤의 분위기는 예전에 낮에 보았던 그것과는 또 다른 느낌을 풍겼다. 낮과는 다른 활기참과 생기가 나를 흥분시켰다.

나는 주변의 모든 것들을 신기한 듯 감탄하며 바라보다가 곧 무언가를 발견하고 작게 탄성을 내질렀다.

"아, 세상에."

나는 자석에 이끌리듯 내 시선을 잡아끈 것을 향해 다가갔다. 그건 등불이었다. 캐모마일이 그려진 등불. 지난번 루퍼트와 함께 수도 구경을 나왔을 때 내가 냈던 의견이었다.

나는 환하게 웃는 얼굴로 등불을 잡은 다음 중얼거렸다.

"이게 진짜 됐구나……."

"건의를 유린이 했다고 들었는데."

"맞아요. 제가 했어요."

나는 뿌듯한 목소리로 답했다.

"진짜 받아들여질 줄은 몰랐지만요."

"되게 좋아하는 얼굴이네."

그가 흐뭇한 목소리로 중얼거렸다.

"황후가 되면 국정에도 참여시켜야겠어."

"네에? 아, 아니, 그…… 황후는 내정에 참여하면 안 되잖아요."

"그렇지만 유린이 이렇게 좋아하는걸."

아니, 고작 그런 이유 때문이라고? 누가 폭군 아니랄까 봐! 나는 절레절레 고개를 저었다.

"아뇨. 됐어요, 폐하. 제가 거절할게요."

"왜? 잘할 것 같은데."

"제 능력은 내궁 운영에서 유감없이 발휘할게요. 국정은 제 소관이 아닌걸요."

"엄격하네."

"원칙은 지켜야죠."

"그러니까 내 황후가 되려는 마음은 있다는 거네?"

갑자기 대화가 이상한 쪽으로 방향을 틀었다. 나는 흠칫하며 레이놀즈를 쳐다보았다. 그가 아까와 같은 흐뭇한 미소로 나를 바라보고 있었다.

"초심을 버린 것 같아서 다행이야."

"다시 찾을까요, 초심?"

"뭐하러."

그가 살짝 미간을 좁혔다가 갑자기 내게 가까이 다가왔다. 아까도, 이전에도 수없이 겪은 상황이었지만 거리가 좁혀지는 건 늘 두근거린다. 내가 아무 말 못하고 눈만 깜빡거리는데 순간 거대한 그림자가 내 얼굴을 덮쳤다. 곧이어 부드럽고 달콤한 감각이 물밀 듯 쏠려 들어왔다.

"지금이 훨씬 좋아."

속삭이는 목소리가 표현할 수 없을 정도로 달콤했다. 기쁜 감정에 자연스럽게 미소 짓는 사이 레이놀즈가 천천히 내게서 떨어졌다. 그 순간의 감각이 아쉽기도, 설레기도 해서 나는 말없이 입꼬리만 위로 올렸다. 그러는 사이 아까의 입맞춤과 비슷한 달콤한 온기가 내 손을 조심스럽게 잡았다.

"갈까?"

여전히 미소 지으면서, 나는 고개를 끄덕였다.

 ❧ ❧ ❧

우리는 넓은 시내를 돌아다니면서 즐거운 시간을 보냈다. 함께 맛있는 음식을 사 먹기도 하고, 예쁜 수공예품을 구경하기도 했다.

그 자체로 놓고 보면 별것 아닌 행동이었고, 지난번 루퍼트와 왔

을 때도 똑같이 겪었던 일들이었지만, 이상하게 레이놀즈와 함께
하니 모든 게 다 즐겁고 재미있었다.

아, 아무래도 내 콩깍지도 제대로 씌어 버린 게 틀림없었다.

"폐하."

분수대 벤치에 앉아 아이스크림을 먹고 있는데 따가운 시선이
느껴졌다.

"뭘 그렇게 자꾸 보세요?"

참다못해 옆으로 고개를 돌려 물어보자 흐뭇하게 웃는 레이놀
즈의 표정이 들어왔다. 흡사 처음 밥을 처음 먹는 어린 아기를 보는
부모의 얼굴이랄까.

"너무 예뻐서."

대답이 가관이다. 나도 모르게 눈살을 찌푸렸다. 하지만 그는 제
말을 취소할 생각이 없는 듯했다.

"너무 예뻐, 유린."

"……제발 그런 말은 둘이 있을 때만 해주세요, 폐하. 아셨죠?"

이런 말을 남들 앞에서 듣는다면 견딜 수가 없을 것이다. 하지만
내 말을 들은 레이놀즈는 도통 이해하지 못하는 얼굴이었다.

"어째서?"

"어째서라뇨. 부끄럽잖아요!"

"하나도 안 부끄러운데."

그가 태연하게 대답하며 웃었다.

"얼마나 좋은데. 이렇게 예쁜 여자가 내 여자인 거잖아."

아, 제발…….

"폐하 팔불출이라고 욕먹어요."

"상관없어. 유린만 욕 안 들으면 돼."

"저야 폐하만 잘하시면 욕먹을 일 없죠."

"무슨 소리야?"

"제가 폐하와 가까이 지내는데 폐하께서 정치를 잘 못하시면, 모두 절 요부라고 욕하겠죠."

"그런 자가 있다면."

그가 나긋나긋한 음성으로 말했다.

"목을 베어 버릴 거야."

……뒤이은 말과는 전혀 어울리지 않는 목소리. 나는 마른침을 꿀꺽 삼킨 다음 대꾸했다.

"그럼 저는 더 욕먹을걸요."

"……."

"모두의 입을 막을 수는 없잖아요. 저를 위해서라도 앞으로 선정을 베풀어 주세요."

"그렇게 하지."

나는 미소 지었고, 그도 미소 지었다. 그가 아이스크림 한 입을 베어 문 뒤 중얼거렸다.

"하여튼 착해."

"그래요?"

한 번도 내가 착하다고 생각해본 적이 없어서 의아해졌다. 고개를 갸웃거리는 나를 보고 레이놀즈가 피식 웃었다.

"착하지, 유린은."

이어지는 말이 내 입을 다물게 만들었다.

"보잘것없는 아기 고양이를 비 오는 날 거둬줬잖아."

"그건⋯⋯."

고양이는 귀여우니까요⋯⋯라고는 차마 답할 수 없었다.

"그날 날 발견했던 사람은 유린만이 아니었어. 아주 많은 사람들이 날 발견해줬지만, 그저 흘긋 보고는 가버렸지. 그때 나는 더러운 상태였거든."

그랬다. 그래서 처음 레이놀즈를 봤을 때, 혹시 병에 걸린 고양이는 아닌가 하고 걱정했었다. 다행히 아니었지만.

"그런데도 나를 데려가 준 거야."

"⋯⋯."

"유린."

그가 아름답게 미소 지으며 부드러이 나를 불렀다. 나를 빤히 바라보는 저 눈빛은 형용할 수 없이 사랑스럽고, 달콤하며, 아름다워서, 나는 순간 눈물이 나올 것만 같았다.

"사랑해."

처음으로 그가 사랑을 말했다.

"사랑하고 있어."

그가 천천히 내게로 몸을 숙여왔다.

"아주 많이."

입술과 입술이 부드럽게 맞닿았다. 아이스크림 맛이 났다. 그는 내 입술이 먹고 있던 아이스크림이라도 되는 것처럼 부드럽게 빨아들이기 시작했다. 나는 천천히 눈을 감으며 그의 움직임에 화답했다.

툭- 들고 있던 아이스크림은 입맞춤에 온 정신을 쏟은 주인의 손끝에서 힘없이 미끄러져 아래로 추락했다. 어느 순간 레이놀즈 역시 아이스크림을 내팽개치고 내 얼굴을 부드럽게 감싸 안았다.

나는 그의 목을 끌어안으면서 그와 접촉했다. 방금까지 먹었던 아이스크림으로 차가웠던 입안은 금세 따뜻해졌고, 곧 뜨거워졌다.

퍼엉!

머리 위에서 불꽃이 터지는 소리가 들려왔다. 주변에 있던 사람들이 그 모습을 보고 환호하는 소리도. 하지만 나는 그토록 기대했던 불꽃놀이였음에도 차마 그를 밀어내지 못했다.

지금 이 순간이 우리 두 사람의 불꽃놀이였기에.

❧ ❧ ❧

한편, 레이놀즈와 유리네트가 떠난 연회장은 여전히 활기로 가득 찬 상태였다. 귀족들은 밤늦게까지 파티를 즐기며 사랑하는 이들과 춤을 추거나 즐거운 대화를 나누었다. 아주 넓은 연회장에서 두 사람이 사라졌다는 사실은 중앙궁의 시종들을 제외하면 아무도 눈치채지 못한 것처럼 보였다.

'없어.'

당연히 거기에는 중앙궁의 시녀인 메리언도 포함이었다.

물론 그녀는 중앙궁의 시종들과는 다르게 레이놀즈의 언질이 없었음에도 그의 부재를 알고 있는 상태였다.

'둘 다 없어.'

레이놀즈에게 거절당한 분노의 감정을 조용히 홀로 삭이고 있던 메리언은 어느 순간 레이놀즈와 유리네트가 동시에 사라졌다는 사실을 알아차렸다. 처음에는 잘못 본 줄 알고 두 사람을 샅샅이 찾아다녔지만, 이내 자신의 생각이 맞다는 것이 드러났다.

'사라진 거야?'

메리언은 처음에는 황당해 했다.

'아직 연회가 한참인데?'

이다음에는 불안해했다.

'설마 두 사람…… 아니겠지? 아닐 거야.'

종래에는 분노했다.

'어떻게 감히……!'

그녀는 두 사람이 사랑의 열기를 주체하지 못하고 중앙궁으로 일찌감치 돌아갔으리라고 판단했다. 황제의 부재에도 태연한 중앙궁 시종들의 모습이 그 증거였다.

사실 중앙궁 시종들이 태연한 까닭은 이전에도 황제가 이따금씩 호위 없이 출궁했으며, 그의 무예 실력이 여타 장군들과 비교해도 손색없을 정도로 훌륭하다는 데 있었지만, 메리언은 이성이 마비되어 거기까지는 생각이 닿지 않았다.

'합궁한 건 아니겠지.'

메리언은 불안감에 저도 모르게 손톱을 잘근잘근 씹기 시작했다. 그녀의 마음속에 자리 잡은 작은 불안감은 점점 그 몸집을 키워 산처럼 불어났다.

'이대로 있어서는 안 돼.'

결심이 섰다. 메리언은 매서운 눈빛으로 주변을 둘러보며 누군가를 찾기 시작했다. 자신이 찾는 이를 발견하는 것은 그리 어렵지 않았다.

"아버지."

자신을 부르는 딸의 목소리에 무디어스 공작은 뒤를 돌았다. 메리언이 몹시 화가 난 듯한 얼굴로 자신을 향해 걸어오고 있었다. 무디어스 공작은 이야기를 나누던 다른 귀족들에게 양해를 구한 다음 딸을 맞았다.

"메리언."

"아버지."

그녀는 화난 음성으로 무디어스 공작을 불렀다.

"폐하께서 사라지셨습니다."

"뭐? 그게 무슨 말이냐."

"폐하께서 사라지셨다고요."

그제야 무디어스 공작은 주변을 둘러보며 황제를 찾기 시작했지만, 보일 턱이 없었다. 귀족들과 대화를 나누느라 정신이 팔려 있던 사이 그는 사라진 것이다. 그 사실을 알아차린 무디어스 공작이 당혹스러운 목소리로 중얼거렸다.

"정말이군. 도대체……."

"그 여자를 안으러 가신 거예요."

의심은 확신이 되었다.

"그 여자가 폐하를 유혹했다고요!"

메리언이 분노를 이기지 못하고 목소리를 높이자, 주변의 시선이 잠깐 집중되었다. 무디어스 공작은 당혹스러움을 숨기며 우선 딸을 진정시켰다.

"일단은 진정하거라, 얘야."

"진정이요? 어떻게 그런 말씀을 하세요?"

메리언은 흥분을 이기지 못하고 속사포처럼 쏘아붙였다.

"이러다 그 여자가 황후가 정해지기도 전에 아이를 배면요? 그럼 제 꿈은 전부 물거품이 되는 거예요!"

"그런 상황이 오게 내가 놔두겠느냐. 네가 황후가 되는 건 비단 너만의 꿈이 아니다. 아주 오래전부터, 너보다 내가 먼저 품었던 꿈이었어."

"그럼 제가 믿을 수 있도록 행동해주세요."

메리언이 날카로운 목소리로 물었다.

"제가 지난번에 했던 말을 기억하시죠?"

기억하고 있었다. 무디어스 공작이 고개를 끄덕였다.

"조치를 취하마."

그제야 메리언의 얼굴에 미소가 깃들었다.

♪ ♪ ♪

건국제가 끝난 후, 나는 다시 일상으로 돌아왔다.

하지만 예전보다는 분명 여유로운 생활이었다. 궁중 수업은 어느덧 끝을 보이고 있었고, 당장 예정된 커다란 국가 행사가 없었기 때문이었다. 나는 책을 읽거나 차를 마시면서 한가로운 나날을 보냈다.

"하녀들이 이야기하는 걸 들었는데, 모두 폐하께서 영애를 황후로 맞아들이실 거라고 수군거린대요."

리셸은 건국제 이후 궁 안에서 떠도는 이야기를 자주 전해 주었다.

"건국 기념 연회에서 폐하와 영애가 춤추는 모습을 안 본 사람이 없다던 걸요. 그래서 자기 딸을 황후로 욕심내던 귀족들도 거의 포기하는 분위기라네요."

"그래?"

나로서는 반가운 소리였다. 그때, 바깥에서 에이미가 인상을 잔뜩 찌푸린 얼굴로 들어왔다.

"어휴, 정말."

"무슨 일이야, 에이미?"

"말도 마세요, 아가씨."

에이미가 처음보다 더 인상을 구기며 말했다.

"복도에서 무디어스 공녀와 마주쳤는데, 전 분명 인사를 예의 바르게 했거든요?"

"그런데?"

"90도로 허리를 굽혀 인사하지 않았다면서 절 30분 동안이나 세워두고 혼낸 것 있죠?"

"정말이야?"

"네. 하여튼 심보가 못됐어요."

"요즘 이상하게 무디어스 공녀가 영애께 적대적인 것 같긴 해요."

"뭐……."

이유는 대강 짐작되었다.

"내가 폐하와 춤추는 모습을 무디어스 공녀도 보았을 테니까."

그렇게 말하면서 나는 연회장에서 보았던 그녀의 눈빛을 떠올렸다. 무시무시했던 눈빛. 악의를 잔뜩 품고 있던 그 눈빛. 그래서 아직까지도 잊지 못하고 생생하게 기억나는…….

나는 눈매를 살짝 좁히며 물었다.

"내가 무디어스 공녀에게 가서 말해볼까?"

"됐어요. 그냥 제가 운이 없었다고 생각할래요."

에이미가 손사래를 치며 나를 말렸다.

"아가씨가 무디어스 공녀와 사이 안 좋은 거 뻔히 아는데, 괜히 신경 쓰시게 만드는 건 싫어요."

"그렇게 말하니 감동이지만…… 언젠가 만나게 되면 말해볼게."

"그럼 저도 감동이죠."

에이미는 흐흐 웃다가, 문득 떠오르는 게 있는지 손뼉을 쳤다.

"참, 그거 들으셨어요?"

"뭔데?"

"롤씨족이 이번에 또 국경을 침입했대요."

"또? 지난번에도 그랬잖아."

"뭐 한두 번인가요."

"걔네도 참 지긋지긋해. 왜 자꾸 쳐들어오는 거야."

"그래도 침입할 때마다 잘 막고 있으니 다행이죠."

"그런데 이번에는 좀 규모가 큰가 봐요."

"그래?"

"네. 그래서 오늘 관련해서 회의가 길게 있었대요."

"잘 해결되어야 할 텐데 걱정이네."

"잘 해결될 거예요. 이제껏 잘 막아왔잖아요."

"하긴. 그렇겠지."

"영애."

그때 바깥에서 아니스의 목소리가 들려왔다. 우리 모두 잠깐 대화를 멈추었고, 나는 부드럽게 말했다.

"무슨 일이야, 아니스?"

"폐하께서 오셨습니다."

레이놀즈가……? 나는 잠깐 어리둥절해졌다가 곧 답했다.

"안으로 모셔."

잠시 후 문이 열리며 레이놀즈가 모습을 드러냈고, 리셀과 에이미는 눈치 있게 자리를 비켜 주었다. 두 사람이 나가고 문이 닫히자마자, 나는 빙긋 웃으며 자리에서 일어났다.

"폐하."

"안녕, 유린. 뭐하고 있었어?"

"저야 그냥 책 읽으면서 있었죠."

나는 어깨를 으쓱인 다음 아까 하던 이야기를 떠올리고 물었다.

"롤씨족이 또 침입했다면서요. 괜찮은 거예요?"

내 말을 들은 레이놀즈는 대답하지 않았고, 나는 왠지 걱정이 되어 미간을 살짝 좁혔다.

"심각한 건가요?"

"우린 운명인가 봐."

그가 뜬금없는 소리를 꺼냈다. 나는 영문을 모르겠다는 얼굴로 눈동자를 크게 떴다.

"안 그래도 그 일 때문에 찾아온 건데."

"네? 그게 무슨……."

"이번 침입에 내가 직접 출정할 예정이야."

"……뭐라고요?"

정말 예상치 못한 한 마디에, 나는 믿기지 않는다는 듯 눈을 크게 뜨고 멍청한 표정을 지었다. 하지만 레이놀즈는 제대로 들었다는 듯 아까 했던 말을 그대로 해주었다.

"이번 침입에 내가 직접 출정할 예정이야."

"그게 무슨…… 폐하가 왜요."

"이대로 계속 좌시하다가는 문제가 커질 수 있어."

레이놀즈는 침착하게 내게 설명해 나갔다.

"이번에 본때를 보여줄 생각이야."

"……다른 장군들을 보내면 되잖아요."

"내가 가야 해, 유린."

그는 평소와는 다르게 건조하고 딱딱한 목소리였다. 하지만 그 속에서도 나를 생각하는 마음은 엿보였다.

"너무 오래 전쟁을 쉬었어. 이건 상징성과도 관련된 문제야."

"하지만……."

나는 어느새 울먹거리기 시작하는 목소리로 물었다.

"안 가면…… 안 되나요?"

"유린."

"가지 마세요, 폐하."

나는 고개를 저으며 그에게 애원했다.

"폐하 외에도 나가 싸울 사람은 많아요. 폐하가…… 다칠까 봐
걱정돼요."

지난번 사냥대회에서처럼 그가 다치기라도 한다면…… 난 견딜
수가 없을 것 같았다.

내가 연신 고개를 저으며 그를 말리자, 그런 나를 가만히 바라보
던 레이놀즈가 짧게 한숨을 쉬더니 나를 꼭 안아 주었다. 하지만 그
의 품 안에서도 나는 안심이 되지 않았다.

"유린."

부드럽게 부르는 목소리가 내게 일말의 희망을 주었다. 나는 두
근거리는 마음으로 그의 다음 말을 기다렸다.

"걱정해 줘서 고마워."

그러나 그다음에 들려오는 말을 듣고, 나는 그가 절대 마음을 바
꾸지 않을 것임을 깨달았다.

"절대 다치지 않을게."

"폐하."

"맹세해. 이건 정복 전쟁도 아니고, 그냥 방어전일 뿐이야. 내가 무리하는 일은 아마 없을 거야."

"정말로…… 가시겠다는 건가요?"

"가야 해, 유린. 반드시 무사히 돌아오겠다고 약속할게. 그러니까……"

그가 따뜻한 목소리로 나를 얼렀다.

"나를 보내줘."

그는 허락을 구하는 것처럼 말하고 있었지만, 나는 알 수 있었다. 그 말은 전부 껍데기에 불과하다는 걸.

나는 어두워진 얼굴로 그의 어깨를 좀 더 꽉 끌어안았다. 무서웠다. 혹시라도 그가 전투에서 잘못될까 봐. 물론 이전의 숱하게 많았던 전투에서 전부 승전고를 울리고 귀환한 사람이라는 걸 알았지만, 그래도, 그래도. 이번에는 다를지도 모르니까. 늘 그래왔다고 해서 이번에도 그럴 거라는 보장은 없으니까.

"너무하세요."

서운함을 토로했지만, 그의 마음 또한 편하지 않을 거라는 건 짐작할 수 있었다. 나는 애써 눈물을 삼키며 그에게 물었다.

"얼마나 걸리는데요?"

"그건 나도 정확히는 몰라."

그가 부드럽게 나를 토닥이며 말했다.

"그렇지만 늦어도 한 달 끝내고 돌아올게. 약속해."

한 달……. 너무 길었다.

나는 불만스러운 표정을 지었지만, 안겨 있었기에 그는 내 얼굴을 보지 못했다. 나는 대놓고 깊게 한숨을 쉬었다.

"제가 따라가면 방해만 되겠죠."

"황후가 황궁을 지켜야지."

그 말에 내가 무슨 황후냐며 타박하려던 나는, 곧바로 들려오는 말에 입을 다물고 말았다.

"다녀와서 청혼할 거야, 유린. 그러니 조금만 기다려 줘."

"……전 못 기다려요."

나는 일부러 퉁명스러운 목소리로 말했다.

"폐하가 안 계신 황궁을 지킬 자신이 없어요."

그 말에 레이놀즈는 기분이 좋은지 웃었다.

"출전하신 동안에는 사토르디에 가 있을게요."

"안 돌아오는 건 아니지?"

"무사귀환하셔야 돌아올 거예요."

그 반대의 경우는 굳이 가정하지 않았다.

"그러니까 꼭 돌아오세요. 털끝 하나 다치지 마시고."

내 말에 레이놀즈가 낮게 웃음소리를 내며 나를 안은 팔에 힘을 주었다.

"꼭 무사히 돌아올게."

"그래서 정말 출정하신대요?"

레이놀즈가 방에서 나간 후, 내게 이야기를 전해 들은 패티가 궁금하다는 목소리로 물었다. 나는 고개를 끄덕였다.

"어떻게 해, 그럼. 붙잡을 수도 없고."

"그건 그렇지만……."

"무사히 돌아오시기를 빌어 드려야지, 나는."

"그럼 영애께서는 정말로 폐하께서 출정하시는 동안 사토르디로 가실 건가요?"

"응. 그래야…… 내가 좀 편할 거 같아. 버틸 수 있을 것 같기도 하고."

정말로, 그가 없는 황궁을 지킬 자신이 없었다.

"그리고 무디어스 공녀를 피할 수 있기도 하고."

레이놀즈가 없는 상황에서 메리언이 어떤 식으로 내게 위해를 가할지는 아무도 모를 일이다. 물론 내가 지나치게 멀리 내다보고 있는 것일지도 모르겠지만…… 조심해서 나쁠 건 없으니까. 적어도 사토르디에 있으면 안전 문제는 확실하게 보장될 것이다.

"가족들을 너무 오래 못 보기도 했고. 폐하께서 자리 비우신 사이에 다녀오는 게 좋을 것 같아."

"그럼 한 달 동안 영애를 못 보게 되겠네요."

그 사실이 퍽 서운하다는 듯 패티가 눈살을 폭 구겼고, 나는 낮게 웃으며 패티의 손을 부드럽게 쓰다듬어 주었다.

"누가 보면 내가 영영 사토르디로 가버리는 줄 알겠어."

"그건 아니지만 한 달은 긴 시간이니까요."

"그래도 황후가 되시면 앞으로 평생 여기 계실 거야, 패티."

옆에서 가만히 보고 있던 리셸이 끼어들었다.

"그럼 떨어져 있는 한 달이 무색하게 긴 시간을 모시게 될 거라고."

"그것도 그렇네요."

리셸의 말을 들은 패티가 과장스럽게 허리를 굽히며 내게 인사했다.

"미리 축하드립니다, 황후 폐하."

"맙소사. 아직 나는 아무것도 아니야."

"구두로 된 약속도 약속이에요. 폐하께서 황후로 책립하겠다 하셨으면 그 순간부터 황후 폐하나 다름없으시지요, 뭐."

패티의 완고한 말에 나는 할 말을 잃고 피식 웃고 말았다.

"그래서 출정은 언제시래요?"

"최대한 빨리 출발하신댔어. 아마 나흘 뒤?"

"와, 정말 빨리 가시네요."

"급한 일이니까."

나는 고개를 끄덕이며 중얼거렸다.

"모쪼록 무사히 돌아오셔야 할 텐데……."

꙾ ꙾ ꙾

결국 레이놀즈의 출정이 확정되었고, 그 후 나흘간은 정신없이 출정 준비가 이루어졌다.

중대한 사안인 만큼 내가 할 수 있는 일은 없었다. 그저 나흘 동안 마치 아무 일 아닌 것처럼 그와 시간을 보내는 일밖에는.

"드디어 내일이네요."

창가 앞에 서서 나는 힘없이 중얼거렸다. 그런 내 모습을 본 레이놀즈가 가만히 나를 뒤에서 안아왔다. 등에서 느껴지는 따스함에 나는 천천히 눈꺼풀을 내렸다.

"걱정돼?"

"말이라고요."

나는 한숨을 푹 쉬며 말했다.

"사토르디로 떠나기로 한 건 잘한 결정이에요. 여기 계속 있었으면 매일 마음이 타들어 갈 걸요."

"그렇게 날 생각해주다니 영광인데."

"당연하죠. 내가 사랑하는 사람인데."

뒤에서 기분 좋은 웃음소리가 들려왔다. 에휴, 사람 속도 모르고 좋다고 웃기는.

'솔직히 지금이라도 가지 말라고 붙잡고 싶은 마음이지만…….'

그래서는 안 되는 거겠지. 나는 씁쓸하게 입맛을 다셨다.

"진짜 무사히 다녀오기로 약속하시는 거예요."

"그 약속 한 번만 더 하면 50번이야."

"말도 안 돼요."

"진짜야. 하루에 열 번은 했으니까."

그가 내 어깨 위로 얼굴을 푹 파묻었다. 더운 숨결이 느껴진다.

"무사히 다녀올 테니까, 걱정할 필요 없어. 그동안 유린은 유린의 시간을 살면 돼."

"전장에서 제 생각 하시면 안 돼요. 다치니까."

"유린 생각을 해야 나도 버티지."

그 말에, 나는 결국 참지 못하고 몸을 180도로 확 돌렸다. 갑자기 마주 보게 된 상황에도 레이놀즈는 당황하지 않고 나를 가만히 쳐다보았다. 나는 그런 그를 와락 안으며 가슴 위에 대고 속삭였다.

"무사히 돌아오세요, 폐하."

나는 거의 체념하는 목소리로 말했다.

이제 정말로 그의 부재를 받아들여야만 하는 시간. 그런 내가 안쓰럽게 느껴지기라도 한 걸까. 레이놀즈는 잠시 말이 없다가 내 뒷머리를 부드럽게 토닥여 주었다.

"무사히 돌아올게, 유린."

꼭, 반드시.

わ わ わ

"그래서 요즘은 어떻게 지내세요?"

유리컵의 윗부분을 만지작거리다가, 나는 질문을 받고 고개를 들어 올렸다. 아마나가 빙긋 웃는 얼굴로 나를 바라보고 있었다.

"그냥저냥 지내."

"아무것도 안 하시고요?"

"응. 아무것도 안 하고."

사토르디로 온 지도 벌써 20일 정도의 시간이 흘렀다. 여전히 레이놀즈는 돌아오지 않았고, 나는 사토르디 저택에서 그의 무사귀환 소식만을 기다리며 한가로운 나날을 보내는 중이었다.

"새삼 황궁에 있다 오니 내가 사토르디에서 얼마나 한가롭게 보냈는지가 실감이 나."

"그 정도예요?"

"응. 그 정도. 내가 궁에서 너무 바쁘게 살았다 싶었지."

"마음은 좀 어떠세요?"

"마음은 음⋯⋯."

나는 잠시 고민하다 답했다.

"일단 폐하께서 오셔야 좀 여유를 찾을 텐데."

"아이참. 그런 거 말고요."

"그런 거 아니더라도 궁에 있을 때보다는 편안해."

나는 어깨를 으쓱이며 대답했다.

"황궁에 내가 싫어하는 사람 하나가 있거든."

"그게 누군데요?"

"있어. 나 싫어하는 사람."

나는 작게 한숨을 내쉬며 덧붙였다.

"황후의 자리를 노리는 공녀 하나."

"아아……."

내 설명에 아마나는 그제야 이해가 간다는 듯 고개를 끄덕였다.

"그런 사람이라면 어쩔 수 없이 아가씨를 싫어하겠네요."

"응. 사실 그 여자 때문에 여기 온 거라고 봐야지."

"왜요?"

"폐하께서 안 계신 궁에서 무슨 해코지를 할지 몰라서. 일종의 예방이지."

"잘하셨어요. 적어도 사토르디에서는 아가씨를 해치실 분이 없잖아요."

"응. 나도 지내면 지낼수록 잘 왔다 싶어. 오랜만에 가족들 얼굴도 보고, 아마나의 꽃집도 찾으니 기분이 너무 좋아."

"그렇게 느끼시니 다행이에요. 주스 한 잔 더 드릴까요?"

"그럼 고맙지."

나는 빙긋 웃으며 아마나에게 어느새 빈 컵을 내밀었다. 아마나가 자리에서 일어나 주스를 가지러 간 사이, 나는 멍하니 꽃집을 둘러보았다. 늘 똑같은 꽃집 안의 풍경. 항상 그 자리에 꽂혀있는 싱싱한 꽃들……. 나는 아름다운 꽃들을 가만히 응시하다가, 문득 어떤 꽃 하나를 발견해 냈다.

"아……."

아스포델이었다. 레이놀즈가 좋아하는 꽃. 나는 천천히 자리에서 일어나 아스포델이 있는 쪽으로 발걸음을 옮겼다. 그리고 유리 부스 앞에서 한참 동안 꽃들을 바라보았다.

"휴……."

활짝 피어 있는 아스포델을 보자 갑자기 레이놀즈가 너무 보고 싶어졌다. 급격하게 울적해진 기분이 금방이라도 눈물을 떨굴 것처럼 내 눈가를 뜨겁게 만들었다. 그래도 아마나의 앞에서 눈물을 보이고 싶지는 않아서, 나는 애써 눈에 힘을 주며 눈물을 참았다.

'울지 말자. 영영 안 오는 사람도 아니고.'

이제 고작해야 1주 남았을 뿐이다. 한 달 안에는 무조건 돌아온다고 말했으니 믿어 보기로 했다. 나는 콧물을 훌쩍이며 울 뻔했다는 흔적을 지운 다음 아스포델에게서 등을 돌렸다. 더 안 보는 게 좋을 것 같다. 더 보면 여기서 눈물이 터져 버릴 것 같으니까.

"좀 싸드릴까요?"

그때 아마나의 목소리가 들려왔고, 나는 깜짝 놀라서 무의식적으로 볼을 매만졌다. 다행스럽게도 운 흔적은 없는 듯 메마른 느낌만 손끝에 닿았다. 나는 어색하게 웃으며 물었다.

"응?"

"아스포델 말이에요."

아마나는 차분한 목소리로 내게 말했다.

"폐하께서 가장 좋아하시는 꽃 아닌가요?"

"……맞아."

기억하고 있었구나. 나는 어쩐지 머쓱해진 목소리로 말했다.

"가장 좋아하시는 꽃이지."

"좀 싸드릴게요. 그거라도 보고 계시면 기분이 좋아지실 거예요."

……다 봤구나. 아까 했던 노력들이 전부 무색해지는 순간이었다.

나는 어색하게 웃으며 고개를 끄덕였다.

❦ ❦ ❦

아마나는 예쁘게 포장까지 해서 꽃을 싸주었다.

나는 곧바로 화병에 꽃을 거라고, 그러니 그런 수고를 할 필요는 없다고 말했지만 막무가내였다. 내 기분을 조금이라도 좋게 만들어주려는 그녀의 노력이 감동스러웠다. 덕분에 나는 외출했을 때보다 훨씬 기분 좋아진 상태로 귀가할 수 있었다.

"언니."

저택으로 오자마자 오드리가 나를 반갑게 맞아 주었다. 나는 익숙하게 그녀를 안아주며 인사했다.

"안녕, 오드리."

"잘 다녀왔어?"

"잘 다녀왔지."

나는 씩 웃으며 들고 온 꽃다발을 흔들어 보였다.

"이것 봐. 아마나가 준 꽃다발이야."

"오, 너무 예쁘다."

"그치? 아스포델이야."

"그런데 갑자기 웬 꽃다발?"

"음…… 아마나가 나 기분 좋아지라고 선물해 줬어."

"예쁘다. 말려둬도 괜찮을 것 같은데."

"화병에 꽂으려고 했지."

"뭐 그것도 괜찮고. 내가 손질해줄게."

화사하게 웃으며 내게서 꽃다발을 가져간 오드리가, 곧 깜빡 잊고 있었다는 얼굴로 내게 말했다.

"참, 언니."

"응?"

"황궁에서 편지가 왔어."

그 말을 듣고, 내 심장은 갑자기 빠르게 뛰기 시작했다. 나는 순간 할 말을 잃고 오드리를 빤히 쳐다보았다.

"언니가 아마나의 꽃집에 갔을 때 왔는데……"

"그 편지, 지금 어디 있어?"

"언니 책상 위에 올려뒀어."

오드리의 대답에 나는 곧바로 계단을 올라갔다. 몹시 빠른 걸음으로 문 앞까지 도착한 나는 벌컥 문을 열고 방 안으로 들어섰다.

성큼성큼 책상이 있는 곳까지 걸어가자 정말로 얌전히 올려져 있는 편지 하나가 보였다. 나는 빠르게 그것을 집어 든 다음 봉투 칼로 봉투를 뜯었다. 잠시 후 정갈한 글씨체로 적힌 편지글이 눈에 들어왔다.

레이디 유리네트, 오랜만에 편지를 씁니다. 사토르디에서는 잘 지내고 계시는지요. 형님께서 승전고를 울리고 수도로 귀환 중이시라는 소식을 전해드립니다. 그럼 황궁에서 뵙겠습니다.

편지의 말미에는 루퍼트의 서명이 적혀 있었다. 그는 전장에서 활약하는 레이놀즈를 대신해 섭정이 되어 국정을 다스리는 중이었다.

"아……"

나는 다 읽은 편지를 소중하게 꼭 쥐었다.

"다행이다……"

혹시라도 질까 봐, 정확히는 그래서 그가 위험해질까 봐 얼마나 걱정했던가. 다행히 그가 승전했다는 이야기만 적혀 있을 뿐, 부상에 대해서는 적혀 있지 않았다.

물론 내가 놀랄 것을 염려한 루퍼트가 임의로 그런 내용을 넣지 않았을 수도 있지만…… 나는 그런 생각까지 하지는 않기로 했다.

똑똑. 그때 바깥에서 노크 소리가 들려왔다.

"오드리니?"

"응, 언니. 들어가도 될까?"

"물론이지."

잠시 후 문이 열리고 손에 화병을 든 오드리가 들어왔다. 나는 화병에 아름답게 꽂힌 꽃들을 발견하고 감탄했다.

"꽃꽂이 솜씨가 점점 늘어나는 것 같아. 아마나와 같이 일해도 되겠어."

"에이, 그 정도는 아니야. 마음에 들어?"

"응. 예쁘네."

나는 방긋 웃으며 오드리가 책상 위에 아스포델이 가득 꽂힌 화병을 내려놓는 것을 바라보았다. 그때 오드리가 물어왔다.

"편지는 무슨 내용이야? 폐하께서 승전하셨대?"

"어떻게 알았어?"

"황궁에서 편지가 온다면 내용이야 뻔하지, 뭐."

오드리가 작게 웃는 소리를 내더니, 별안간 내 손을 꼭 잡아 쥐었다.

"축하해, 언니. 정말 다행이다."

"응. 진짜 다행이지."

"여기 와 있는 동안 내심 걱정 많았잖아. 아닌 척했지만, 우리 모두 다 알고 있었어."

"……"

오드리의 말이 맞았다. 사토르디에 와서 한가한 나날을 보내면서도 내 머릿속에서는 늘 레이놀즈가 떠나지 않은 채 자리하고 있었다. 혹시라도 다친 건 아닐까. 그는 무사할까. 이곳에서는 절대 확인할 수 없는 것들을 걱정하면서 꼬박 20일을 보냈던 것 같다.

'나름 티 안 냈다고 생각했는데.'

다 눈치채고 있었나 보네…… 나는 어쩐지 민망해져서 슬며시 시선을 돌렸다. 그 모습을 본 오드리가 미소 짓는 얼굴로 말했다.

"언니 정말 폐하를 좋아하는구나."

"……그런 거 같아."

나는 부정하지 못했다. 아니 부정할 수 없었다. 자명한 사실이었기 때문에.

"그분을 많이 사랑해."

"얼굴에 그게 보여."

오드리가 그렇게 말할 줄 알았다는 듯 고개를 끄덕였다.

"사실은 처음 사토르디에 왔을 때부터 그런 얼굴이었어."

"무슨 얼굴?"

"사랑에 빠진 사람의 얼굴. 난 보고 깜짝 놀랐다니까."

오드리가 킬킬거리며 내 옆구리를 쿡 찔렀다.

"지금 하는 말이지만, 부모님도 그때 놀라셨대."

"내가 어떤 얼굴이었는데 그러는 거야?"

"참 말로 표현하긴 어려운데……. 하여튼 사랑하고 사랑받는 사람들은 그 특유의 생기가 느껴져."

"마치 경험담인 것처럼 말하네."

"굳이 직접 경험하지 않아도 알 수 있거든?"

아직까지 모태솔로인 오드리가 나를 흘겨보며 말했다.

"어쨌든 언니 부럽고 멋있다고. 사실 폐하께서 처음 여기 오셨을 때까지만 해도 둘이 그렇게 될 줄은 꿈에도 몰랐는데."

뭐, 사실 그건 나도 마찬가지였다. 나는 피식 웃었다. 처음 비를 맞고 서 있는 그를 만났던 날, 이렇게 될 줄 누가 알았겠어. 그가 실은 내 고양이 네로였고, 우리는 이렇게 서로 사랑하게 될 줄 알았다는 걸.

"나도 가끔 그런 생각이 들어서 얼떨떨해."

"그래도 폐하께서 잘해주시는 거 같아서 다행이야."

"응. 잘해주셔."

나는 설핏 웃으며 고개를 끄덕였다.

"다정하신 분이야."

"허얼."

오드리가 칠색 팔색을 하며 진저리를 떨었다.

"전혀 상상이 안 가."

"언제 한번 직접 보여줘야겠네."

"……아냐, 사양할게. 굳이 보고 싶진 않거든."

고개를 절레절레 저은 오드리가 말을 돌렸다.

"중요한 건 언니가 행복하다는 거야. 언니, 지금 행복해?"

"응."

나는 망설임 없이 고개를 끄덕였다.

"행복하지."

미소 지으며 대답하는 나를 가만히 바라보다가, 오드리가 다시
물어왔다.

"언제 수도로 돌아갈 거야? 하녀들에게 짐을 싸두라고 이야기해
야겠네."

"최대한 빨리 돌아가야지. 짐은 괜찮아. 애당초 가져온 것도 많이
없는걸."

얼른 돌아가서 그를 보고 싶었다. 나는 설핏 웃으며 루퍼트의 편
지를 만지작거렸다.

❧ ❧ ❧

며칠 후.

"20일이 이렇게 짧게 느껴질 줄이야."

수도로 가는 마차 앞에서 사토르디 자작부인이 나를 꼭 안아주었다. 나는 그런 어머니의 품에 안겨 그녀의 등을 토닥여 주었다.

"또 올게요, 어머니. 너무 아쉬워하지 마세요."

"그게 말처럼 쉬운 게 아니니 아쉬운 거지."

"정말이에요. 약속할게요."

이렇게 아쉬워하는 자작부인의 모습을 보니 마음이 불편해졌다. 나는 앞으로 꼭 주기적으로 방문해야겠다고 생각하면서 자작부인의 볼에 키스했다.

"편지도 자주 쓰고요. 어머니가 이러시니 제가 반성이 되네요."

"조심히 가거라, 유린. 늘 몸조심하고."

"그럼요, 어머니. 황궁은 안전한 곳인걸요."

"혹시 널 시기하는 사람이 있을까 봐 하는 소리지."

그 말에 나는 자연스럽게 메리언을 떠올렸지만, 티 내지는 않았다.

"……네. 조심할게요."

"그래. 이제 정말 갈 시간이구나."

아쉬움이 가득 묻어나는 목소리가 나를 배웅했다.

"모쪼록 건강해야 한다, 유린."

"어머니를 봐서라도 꼭 건강하게 지낼게요. 걱정하지 마세요."

나는 사토르디 자작과 오드리와도 인사를 나눈 뒤에야 마차 안에 탑승했다. 마침내 마차가 출발했고, 나는 마차의 창을 연 다음 가족들이 보이지 않을 때까지 손을 흔들어 주었다.

이제 진짜 레이놀즈를 만나러 갈 시간이었다.

❦ ❦ ❦

"황제 폐하 만세!"

"엘스워드 만세!"

한편 수도에서는 환영식이 열리고 있었다. 롤씨족을 무찌르고 위풍당당하게 귀환한 레이놀즈 황제와 그 병사들을 독려하기 위함이었다. 제국민들은 오랫동안 제국을 위협하던 이민족을 처단한 황제에게 환호했고, 그의 용맹함을 칭송했다. 그간 그를 둘러싸고 있던 악명들은 이것으로 완전히 잊어진 듯했다.

"……."

한편 레이놀즈는 제국민들의 환대에도 별생각이 없었다. 그의 머릿속에는 오직 유리네트를 만나고 싶다는 열망만이 가득했다. 무려 한 달 남짓한 시간을 보지 못했기 때문이었다.

'얼른 보고 싶은데.'

그녀는 지금 황궁에 있을까, 사토르디에 있을까? 사토르디에서 지낸다고 했으니 아직 그곳에 있을 확률이 높았다. 그 사실을 인지

하자 너무나도 아쉬워졌다.

'기다리는 동안 프러포즈 준비라도 해야겠군.'

돌아오면 청혼하겠다고 그녀에게 약속했다. 승전고는 울렸고,
이제 남은 건 청혼뿐이다.

.

.

.

"승전을 경하드립니다, 폐하."

"승전을 경하드립니다, 폐하."

황궁으로 들어서자 모두가 시내에서처럼 그를 환대해 주었다.
레이놀즈는 애슐리에게 가장 먼저 유리네트의 근황부터 물었다.

"그녀는?"

짧고 불친절한 물음이었으나 의미하는 바는 명확했다. 애슐리는
난처한 표정으로 황제에게 답했다.

"아직 사토르디에 계십니다, 폐하."

그 말을 들은 레이놀즈의 표정이 빠르게 실망감으로 물들었다.
주군의 그런 표정을 보는 게 꾁 견디기 어려웠던 애슐리가 빠르게
덧붙였다.

"하지만 지금 수도로 오고 계시다는 연락을 받았습니다, 폐하. 섭
정 각하께서 사토르디로 편지를 보내셨거든요."

"그래?"

그 말에 레이놀즈의 표정이 순식간에 밝아졌다. 지금 출발했다 하더라도 늦어도 오늘 밤에는 도착하겠지. 이제 그에게 남은 건 역시 프러포즈 준비뿐이었다.

'어떻게 해야 가장 완벽한 프러포즈가 될 수 있을까⋯⋯.'

그는 이런 쪽으로는 문외한이었다.

'사실 이런 건 루퍼트가 잘 아는데⋯⋯.'

그렇다고 해도 그에게 이런 문제를 상담할 수는 없는 노릇이다. 그는 그렇게까지 양심 없는 사람은 아니었다. 아무래도 중앙궁의 시종들과 머리를 맞대고 고민해야겠다고 생각하던 때였다.

"폐하."

간드러지는 목소리가 레이놀즈를 불렀다. 하지만 그는 유리네트에게 할 프러포즈를 생각하느라 정신이 팔려 자신을 부르는 소리를 듣지 못했다. 그러자 아까보다 더 교태로워진 목소리가 다시 한번 레이놀즈를 불렀다.

"폐하."

그제야 레이놀즈는 정신을 차리고 자신을 부른 이를 쳐다보았다. 메리언 비쥬 생 무디어스. 무디어스 공작의 무남독녀이자 자신의 황후 자리를 노리고 있는 중앙궁의 시녀. 레이놀즈는 그리 달갑지 않은 존재를 발견하고 가장 먼저 이 생각부터 했다.

'황후를 맞아들이면 굳이 무디어스 공녀를 중앙궁에 둘 필요는 없겠지.'

유리네트는 메리언을 많이 의식하고 있었고, 레이놀즈는 그것을 당연한 일이라고 생각했다. 굳이 그녀가 신경 쓰일 만한 사람을 곁에 두고 싶지 않았다. 무엇보다 레이놀즈 역시 메리언을 그리 좋아하지 않았다. 그는 무감정한 얼굴로 메리언에게 물었다.

"무슨 일이지, 무디어스 공녀?"

"승전을 축하드립니다, 폐하."

"고맙군."

그는 무심하게 대꾸했다. 그런 레이놀즈의 표정을 물끄러미 바라보던 메리언이 물었다.

"독대를 청해도 괜찮겠습니까?"

"무례하십니다, 무디어스 공녀."

옆에 있던 애슐리가 끼어들었다.

"폐하께서는 방금 환궁하신 분이십니다. 휴식을……."

"아니, 괜찮아."

레이놀즈가 건조한 목소리로 애슐리의 말을 끊었다.

"무슨 일이지, 무디어스 공녀?"

"드릴 말씀이 있습니다."

"중요한 이야긴가?"

"네. 제게는요."

"내게 중요한 이야기냐고 묻는 거야."

레이놀즈가 날카로운 눈으로 물었다.

"그런가?"

"……그럴 거라고 추측됩니다."

"좋아."

여전히 건조한 목소리로, 웃음기 없이 그는 대꾸했다.

"들어보고 내게 중요한 문제가 아니라면 각오해야 할 거야."

"……네, 폐하."

메리언의 표정은 진지했다.

❦ ❦ ❦

응접실.

"무슨 일로 독대를 청했지?"

하문하는 레이놀즈의 목소리에는 조금의 감정도 실려 있지 않았다. 그 정 없는 목소리에 메리언은 조금 상처 받을 것 같은 기분이었다. 그녀는 입술을 꾹 깨물고 레이놀즈에게 말했다.

"먼저 승전을 축하드립니다, 폐하."

"그 이야기는 아까도 한 것으로 기억하는데."

"……."

"본론만 이야기하지."

"……저는 폐하께서 황후를 들이셔야 한다고 생각합니다."

아버지가 황제에게 약속한 건 중앙 귀족들과 당신의 입을 막겠다는 것뿐이었다. 메리언은 자신이 거기에 포함되지 않는다고 생각하고 말을 이었다.

"단도직입적으로 말씀드리자면 저, 폐하의 황후가 되고 싶습니다."

"……."

레이놀즈는 귀환하자마자 듣게 된 말도 안 되는 소리에 급격한 피로를 느꼈다. 전장에서 쌓였던 피로가 이 순간 극대화되는 느낌이었다. 그는 길게 한숨을 내쉰 다음 메리언에게 말했다.

"그런 이야기는 별로 듣고 싶지 않은데, 무디어스 공녀."

"하지만 폐하께서도 내년이면 어언 서른……."

"내 말은."

레이놀즈가 단호하게 메리언의 말을 끊고 말했다.

"내 결혼 상대는 내가 알아서 정해, 무디어스 공녀. 그대가 나설 이유는 전혀 없는 것 같군. 그대를 황후로 주청하는 목소리는 이미 지난날 지겹도록 들었어. 공녀를 중앙궁의 시녀로 들인 건 앞으로는 그러지 않겠다는 그대 아버지의 제안을 받아들여서고."

이미 알고 있는 이야기. 하지만 이렇듯 대놓고 진심으로 자신을 공격하는 모습을 보니 메리언은 새삼스럽게 기분이 좋지 않아졌다.

"……사토르디 영애 때문인가요?"

결국 메리언은 절대 꺼낼 일 없을 거라고 생각했던 여자의 이름을 꺼내 들었다. 유리네트의 이름이 거론되자 레이놀즈는 불쾌감에 저도 모르게 눈매를 좁혔다.

"무슨 뜻이지?"

"사토르디 영애와 결혼하실 생각이냐고 여쭈었습니다."

"설령 그렇다고 하더라도."

레이놀즈가 서늘한 목소리로 대꾸했다.

"그게 공녀와 무슨 상관인지 도무지 모르겠군."

"……전."

메리언은 입술을 꾹 깨물며 말했다.

"이 나라의 공녀이자, 중앙궁의 시녀이니까요. 폐하를 모시는 입장에서 궁금한 건 당연합니다."

"……하."

메리언의 대답에 레이놀즈는 한동안 어이없다는 표정을 짓다가 입을 열었다.

"그렇다면 오늘부로 그대의 시녀직을 박탈하도록 하지."

"폐하!"

"그대가 정말 충심으로 나의 곁을 지킨 적이 있었나?"

레이놀즈가 메리언을 꿰뚫을 것 같이 바라보며 물었다.

"정말 사심 없이 나를 향한 충심만으로 이곳을 지킨 적이 있었느냐는 말이다. 단 한 번이라도."

"당연히……."

"없지?"

자문자답이었지만 메리언이 대답하는 것과 크게 다를 바가 없었다. 레이놀즈가 여전히 차가운 목소리로 말을 이었다.

"공녀에게 남아 있는 것이 오직 나를 향한 충심뿐이라면 시녀직을 박탈하는 걸 취소하지. 계속 내 곁에서 머물러도 좋아."

"……."

"하지만 황후는 되지 못할 거다."

"폐하."

메리언이 금방이라도 눈물 흘릴 것 같은 눈으로 물었다.

"어째서 저는 안 됩니까? 제가 사토르디 영애보다 못한 게 뭡니까."

"그게 왜 궁금하지?"

레이놀즈가 피곤하다는 목소리로 메리언에게 말했다.

"설령 공녀가 알게 된다고 해도 그건 어쩔 수 있는 문제가 아니야."

"……."

"그러니 포기하지, 공녀. 그게 공녀를 위해서도 좋을 거야."

"폐하."

"황후의 자리가 그렇게 탐이 나나?"

"전 폐하를 사랑합니다."

"사랑."

레이놀즈가 코웃음을 치며 중얼거렸다.

"그 고귀한 단어를 함부로 입에 담는군."

"폐하……!"

"공녀가 정말로 나를 사랑한다면, 나를 위해 이대로 물러나는 게 맞아. 내가 진정으로 좋아하는 여인과의 행복을 빌어주면서 말이야."

"그런 건 사랑이 아닙니다."

"소유욕과 사랑을 착각하고 있는 것 같군, 무디어스 공녀."

레이놀즈가 천천히 고개를 저었다.

"공녀는 날 소유하고 싶어 할 뿐, 사랑하지는 않아."

"아니……."

"공녀에게 황후의 자리와 황태후의 자리를 약속한다면, 결혼하는 상대 따위 아무라도 상관없을걸. 아닌가?"

정곡을 찌른 질문에 메리언은 답하지 못했고, 레이놀즈는 그럴 줄 알았다는 듯 턱을 들어 올렸다.

"짐은 사랑하는 여인과 결혼할 예정이다. 내가 사랑하고 나를 사랑하는 여인 말이야."

"……그런 게 가당키나 하다고 보십니까."

메리언이 금방이라도 눈물 흘릴 듯 붉어진 눈으로 물었다.

"제국의 태양께서 그런 사사로운 이유로 결혼 상대를 정하시다니요. 고작 자작가의 영애를……!"

"어쨌거나 그녀는 귀족이야."

사실, 유리네트가 귀족이 아니었더래도 레이놀즈는 어떻게 해서든 그녀와 결혼했을 것이다. 그녀에게 직접 성을 내려서라도 말이다.

"그리고 나머지는 공녀가 상관할 바 아니네."

"……."

"이만 가보는 게 좋겠군."

완벽하게 단호한 거절. 메리언은 엄청난 수치심을 느끼며 몸을 부들부들 떨기 시작했다. 그런 메리언의 모습을 감흥 없이 바라보던 레이놀즈가 천천히 자리에서 일어서려던 순간이었다.

"폐하께서는."

메리언의 괴기스러운 목소리가 그를 멈추게 만들었다.

"그녀와 결혼하실 수 없을 겁니다."

목소리만큼이나 괴기스러운 한 마디였다.

4
Happy Ending is Yours

'언제쯤 도착할까.'

마차 안에서, 나는 살짝 지루함을 느끼며 창밖을 바라보았다. 사토르디에서 황궁까지 가는 길은 산길이라 특별히 창밖 구경하는 재미는 없었다. 아무리 가도 나오는 건 초록색 나무와 풀들뿐.

'그래도 곧 있으면 레이놀즈를 만날 수 있어.'

그 사실이 그나마 나를 흥분시켰다. 이게 도대체 얼마 만에 보는 건지. 재회 생각을 하자 벌써부터 가슴이 두근거리고 입가에는 미소가 지어졌다.

'도착하려면 조금 걸릴 거 같은데 그때까지 잠이나 자둘까…….'

어차피 할 일도 없었으니 미리 자면서 체력을 비축해두는 것도 좋을 것이다. 여기서 황궁까지는 꽤 긴 거리였으니까. 한참 동안 달려왔음에도 아직 갈 길이 많이 남아 있었다. 내가 천천히 의자 등받이에 몸을 기대고 눈을 감으려던 찰나였다.

"아……!"

마차가 갑자기 멈추면서 몸이 앞으로 쏠렸다. 나는 깜짝 놀라 눈을 크게 뜨고 팔을 허공에서 휘저으며 앞으로 넘어지지 않기 위해 애썼다.

'갑자기 왜 이러는 거지?'

당황한 내가 창문을 열고 무슨 일이냐고 마부에게 물으려던 찰나였다.

"무슨 일…… 아악!"

질문이 끝나기도 전에 긴 칼날에 의해 마부의 목이 베어지는 모습이 보였다. 적나라한 살해 광경에 나는 몸을 덜덜 떨면서 무의식적으로 몸을 뒤로 뺐다.

지금 눈앞에서 일어나는 모습을 믿을 수가 없었다. 이게 도대체 무슨 일이지? 어떻게 된 일이지? 누가 나를 죽이려고 하는 건가?

온갖 생각들이 머릿속을 둥둥 떠다니며 물음표를 만들어 냈지만, 내 질문에 대한 답을 찾아내는 건 불가능해 보였다.

바깥에서는 칼들이 무서운 소리를 내며 서로 부딪히는 중이었고, 나는 마차 안에서 꼼짝도 하지 못한 채 벌벌 떨었다. 아무것도 하지 못하는 현실이 비참했지만, 지금 상황에서 마차 밖으로 나간다는 건 자살행위와 다름이 없다.

"악!"

어느 순간, 누군가가 바깥에서 마차의 문을 열었다. 온몸이 새카만 남자가 코와 입을 가린 채 칼을 들고 있었다. 나는 직감적으로 내가 곧 죽을 것이라는 사실을 깨달았다. 주춤거리며 최대한 그에게서 멀리 떨어졌지만, 그게 무의미한 짓이라는 것도 느낄 수 있었다. 나는 얼굴이 새파랗게 질린 채 입술을 달달 떨었다. 죽음을 앞두었을 때나 느낄 수 있는 극한의 공포가 다가왔다.

"안 돼……."

그리고, 남자가 칼을 높이 치켜들었다.

❧ ❧ ❧

"그게 무슨 소리지?"

레이놀즈가 불쾌한 목소리로 메리언에게 물었다.

하지만 메리언은 묵묵부답이었다. 초조해진 레이놀즈가 메리언을 재촉했다.

"무디어스 공녀."

"말씀드린 그대롭니다, 폐하."

메리언이 냉소를 머금은 얼굴로 말했다.

"폐하께서는, 어쩌면 사토르디 영애와 결혼하지 못하실 수도 있다고요."

묘하게 아까와 말이 바뀌었다. 레이놀즈가 한쪽 눈썹을 치켜 올리며 메리언을 노려보았다. 메리언은 태연자약한 얼굴로, 그리고 약간의 미소를 띤 얼굴로 똑같이 레이놀즈를 바라보았다.

레이놀즈가 서늘한 목소리로 입을 열었다.

"미리 말해두는데, 혹시라도 그녀에게 무슨 일이 생긴다면."

······정말 생각하기도 싫은 일이었지만.

"공녀의 소행이라고 간주하지."

충분히 가능한 일이다. 충분히.

"폐하, 그 무슨 말씀이십니까."

메리언이 비릿하게 웃으며 고개를 저었다.

"도무지 무슨 말씀을 하시는지 모르겠네요. 아무럼 제가 중앙궁에서 함께 일한 동지에게 나쁜 짓이라도 하려고요?"

"무디어스 공녀."

"이만 가보겠습니다, 폐하."

메리언은 더 이상 볼일 없다는 태도로 자리에서 일어났다. 레이놀즈가 자신을 노려보는 시선이 느껴졌지만, 메리언은 그것마저 무시하고 그를 향해 허리를 굽혀 인사했다. 그리고 허리를 곧추세웠을 때, 그녀는 깜빡 잊었다는 듯 첨언했다.

"사직서는 오늘 맥켈리드 백작부인에게 제출하겠습니다."

레이놀즈는 여전히 말없이 메리언을 노려보고만 있었지만, 메리언은 아무래도 상관없다는 얼굴이었다. 그녀는 조금의 미련도 없는 태도로 응접실에서 나갔다.

쿵.

문이 닫히는 소리와 함께 레이놀즈는 곧바로 애슐리를 불렀다.

"……애슐리 경."

"네, 폐하."

"당장 사토르디로 사람을 보내."

명령을 내리는 목소리가 무겁고 무서웠다.

"사토르디 영애가 지금 무사히 오고 있는지 확인하도록."

"네, 폐하. 알겠습니다."

무시무시한 분위기에, 애슐리는 차마 '일단 오늘까지는 한 번 기다려 보시지요, 폐하'라는 말을 꺼내지 못했다. 지금 그런 말을 꺼냈다가는 레이놀즈의 기세에 눌려 질식할지도 모른다. 애슐리는 빠르게 자리에서 물러났고, 다시 홀로 남겨진 레이놀즈는 초조한 얼굴로 테이블 위에서 검지를 두드렸다.

"제발……."

아무 일도 없어라. 아무 일도.

그러나 유리네트는 그날 밤 돌아오지 않았다.

그다음 날에도 마찬가지로, 돌아오지 않았다.

❧ ❧ ❧

"폐하."

그로부터 이틀 뒤. 레이놀즈는 잠을 자지 못해 피곤한 얼굴을 빠르게 들어 올렸다.

"들어와."

유리네트를 찾는 수색대를 보낸 이후, 레이놀즈는 밤에 한숨도 자지 못했다. 깊은 불면증에 걸려버린 사람처럼 잠이 오지 않았다.

덕분에 레이놀즈의 눈 밑에는 짙은 그늘이 서서히 자리 잡아가고 있는 중이었다.

"사토르디 지방으로 보냈던 수색대가 도착했습니다."

애슐리의 말에 레이놀즈의 눈빛이 흔들렸다. 말을 전하는 애슐리의 표정이 어두웠기 때문이었다. 레이놀즈는 애써 고개를 쳐드는 불길함을 무시하며 침착하게 물었다.

"어떻게 됐지?"

"사토르디 자작부부께서는 아무것도 모르는 눈치셨다고 합니다. 당연히 지금쯤 황궁에 도착하고도 남았을 거라고 생각하고 계시더군요."

"……."

"그리고…… 사토르디에서 황궁으로 오던 길목에서 버려진 마차를 발견했습니다."

레이놀즈의 눈빛이 아까보다 더 흔들리기 시작했다.

"사토르디 영애의 마차인가?"

"그런 것으로 추정됩니다. 마부는 죽어 있었고…… 살수들과 저희 쪽 병사들의 시체가 즐비하게 있었다고 합니다."

"제길, 정말로 살수가……!"

레이놀즈가 이를 부득 갈며 손끝을 강하게 말아 쥐었다.

사실, 그는 롤씨족과의 전투를 위해 출정하기 전 루퍼트에게 미리 부탁해 놓은 바가 있었다. 혹시라도 자신이 없는 사이 그녀에게 위험한 일이 생길 것을 대비해 병사를 붙여 달라고. 루퍼트는 레이놀즈의 말대로 했지만, 결과는 그가 걱정했던 그대로였다.

"사토르디 영애는?"

"현재 행방불명 상태십니다."

"……안 돼."

그가 눈에 띄게 초조해진 얼굴로 중얼거렸다.

"혹시 사체가 발견되었다거나……."

"현장에서 여성의 시신은 발견되지 않았습니다, 폐하."

"그 말은……."

"네."

애슐리가 고개를 끄덕였다.

"분명 영애께서는 어딘가에서 살아계실 겁니다. 그러니 너무 걱정 마시고, 일단은 기다려 보시지요."

"수색대를 다시 보내서 그녀를 찾아."

레이놀즈가 다급함이 느껴지는 목소리로 말했다.

"반드시 찾아야만 한다."

"네, 폐하. 지금 바로 수색대를 꾸려 사건 현장 주변으로 보낼 예정입니다."

그렇게 말한 애슐리가 걱정스럽게 레이놀즈를 바라보며 말을 돌렸다.

"그러니 너무 걱정 마시고, 좀 주무시지요. 요즘 한숨도 잠들지 못하신 것 알고 있습니다."

"……잠을 잘 수가 없어."

중얼거리는 목소리는 이미 피곤함에 찌들어 있었다. 그가 불안해 하는 모습을 보이며 물었다.

"혹시라도 그녀가 잘못되었으면 어쩌지, 애슐리 경?"

"아닐 겁니다, 폐하. 그랬다면 이미 현장에서 발견되셨겠지요."

사실 애슐리라고 부정적인 생각을 하지 않은 것은 아니었다. 유리네트가 사고를 당한 곳이 산세가 험한 지형이었기에 굳이 실수 때문이 아니더라도 혼자서는 생존하기 어려울 확률이 높았기 때문이었다. 하지만 그 속내를 지금 그대로 내보일 수는 없었다. 그렇게 되면 레이놀즈는 지금보다 더 불안해 할 것이다. 그런 상황은 막아야만 했다. 애슐리가 차분한 목소리로 주군을 안심시켰다.

"분명 작은 문제가 생겨 돌아오지 못하고 계신 것뿐이거나, 어쩌면 지금 돌아오고 계실지도 모릅니다. 희망을 포기하기에는 아직 이릅니다."

"정말 그럴까?"

"그럼요, 폐하. 영애를 한 번 믿어보시지요."

"제발 그래야 할 텐데……."

한숨 같은 목소리가 분위기를 우울하게 물들였다. 애슐리는 자신이 이곳에 더 있어 봐야 그에게 도움이 되지 않을 거라는 사실을 빠르게 깨닫고 조용히 레이놀즈의 집무실에서 물러났다.

홀로 남은 레이놀즈는 간절한 목소리로, 아마 유리네트에게 건네는 말을 중얼거렸다.

"내가 너무 오래 기다리지 않게 해줘."

꽃 꽃 꽃

"이제 그만 황후를 들이셔야 될 때가 온 줄로 압니다, 폐하."

"그렇습니다. 폐하께서도 내년이면 벌써 서른의 나이시지요."

"얼른 결혼하고 후사를 보셔야 황가와 제국이 안정될 겁니다."

메리언이 시녀직을 그만둔 후, 귀족들은 본격적으로 레이놀즈에게 황후 책립을 주장하는 목소리를 높였다. 그들 중에는 충신도 있었고, 메리언이 황후가 되면 이득을 볼 사람들도 있었다.

"아직은 생각이 없다고 말한 것 같은데."

유리네트가 실종된 지 일주일 째. 레이놀즈는 심각한 스트레스를 받는 중이었다.

"요즘 조용하다가 갑자기 황후 책립에 대해 목소리가 높군."

그 시기가 메리언의 퇴궁과 맞물리는 것을 꼬집는 말이었다. 하지만 무디어스 공작은 태연하게 대꾸했다.

"폐하께서 지나치게 결혼에 대한 부담감을 받으시는 것 같아 잠시 목소리를 낮추었을 뿐, 저희 귀족들은 늘 폐하의 결혼에 대해 고대하고 있습니다. 아시잖습니까."

말은 잘하는군.

"폐하께서 나이도 있으시고, 후사가 없으셔서 모두가 불안해합니다."

"……사실."

레이놀즈는 무디어스 공작을 가만히 바라보다가 천천히 입을 열었다.

"아예 생각이 없는 건 아니네."

그 말에 귀족들은 수군거렸다. 늘 결혼에 대해 회의적인 입장을 취하던 황제가 처음으로 긍정적인 뉘앙스를 주었기 때문이었다.

"그게 누굽니까, 폐하?"

"아직은 그녀와의 결혼을 확정한 게 아니야."

정확히는 프러포즈를 받아야 할 사람이 지금 실종상태였다. 당연히 이 사실은 숨긴 채 레이놀즈는 말을 이었다.

"좀 더 생각할 시간이 필요하다."

"그렇다면 언제 답을 주실 생각이신지."

무디어스 공작이 빙긋 웃으며 레이놀즈에게 물었다. 그 모습을 보고 레이놀즈는 그가 정말로 유리네트에게 살수를 보냈다는 사실을 깨달았다.

'감히⋯⋯.'

순간 치솟는 분노에 그는 저도 모르게 주먹이 하얗게 질리도록 말아 쥐었다. 그 모습을 확인한 무디어스 공작의 입가에 언뜻 미소가 스쳐 지나갔다.

"더는 신민들이 불안해하는 일이 없어야지 않겠습니까. 폐하께서는 전장에도 자주 나가시니, 더더욱 황궁의 안주인이 필요한 상황입니다."

"빠른 시일 내에 결정할 생각이네, 무디어스 공. 더는 재촉하지 않았으면 좋겠는데."

부드러운 경고에 무디어스 공작은 그제야 입을 다물었다. 그러자 이제는 옆에 있던 다른 귀족이 끼어들었다.

"폐하, 그렇다면 다음 달 있을 폐하의 탄신연 전까지 답을 주시는 건 어떠십니까."

레이놀즈가 말을 꺼낸 귀족을 쳐다보았다. 그는 무디어스 공작과는 크게 연이 없는 자로, 정말 순수한 이유로 자신의 결혼을 원하는 사람이었다.

"폐하의 탄신연은 외국의 국빈들 또한 참석하는 자리이지요. 그 자리에서 예비 황후가 되실 분을 소개하신다면, 분명 뜻깊고 의미

있는 일이 될 것입니다."

"나쁘지 않군요."

무디어스 공작이 입가에 미소를 띠운 채 말했다.

"폐하의 탄신연이 두 달 뒤였던가요?"

"그렇지요. 두 달이 조금 못 남았지요."

"그렇다면 이번 달까지는 말씀을 주셔야겠군요."

서로 주거니 받거니 하는 모습을 보는 레이놀즈의 표정이 점점 어두워졌다. 사실 그것은 대답을 주기에 무리 없는 기간이었다. 이번 달의 말일까지는 3주 정도가 남은 상황. 그 안에 만약 유리네트가 귀환하지 않는다면……. 생각조차 하고 싶지 않았다.

"어떻게 생각하십니까, 폐하. 그때까지 마음을 결정하실 수 있겠습니까?"

"……좋아."

그는 긴 고민 없이 대답을 내뱉었다.

"정확히 이번 달 말일에 결혼 상대를 발표하도록 하지."

이렇게 되면 적어도 유린을 황후로 맞아들일 때 특별한 반대는 없을 것이다. 지금 귀족들의 주장은 '누구라도 좋으니' 서둘러 결혼하라는 것이었으니까. 레이놀즈가 최대한 긍정적으로 보자고 생각하며 마음을 차분하게 다스리고 있을 때였다.

"혹시라도 황후에 적합한 영애가 없다고 판단되시면 언제든 말씀하시지요, 폐하."

그 말과 함께 무디어스 공작이 비열하게 미소 지었고, 레이놀즈는 속을 게워내고 싶을 정도의 역겨움이 들었다. 그가 비소를 머금은 얼굴로 무디어스 공작의 기대를 산산이 조각냈다.

"그럴 일은 없을 테니 안심해도 좋아, 공."

❧ ❧ ❧

"일주일 동안 많이 수척해지셨습니다."

루퍼트의 걱정스러운 목소리에, 테라스에서 아래를 내려다보던 레이놀즈가 뒤를 돌았다. 목소리와 똑같은 걱정하는 표정이 제일 먼저 눈에 들어왔다. 레이놀즈가 피식 웃으며 그를 불렀다.

"루퍼트."

"괜찮으십니까."

"괜찮지 않아."

하나뿐인 남동생 앞에서, 그는 솔직하게 말했다.

"일주일 동안 감감무소식이라니. 살아는 있는 건지……."

"분명 무사히 살아계실 겁니다. 무슨 사정이 있으셔서 아직 못 돌아오신 걸 거예요."

"제발 그래야 할 텐데."

"……죄송합니다, 폐하."

뜬금없는 사과에 레이놀즈가 의아한 표정으로 루퍼트를 바라보왔다. 그리고 이해 가지 않는다는 목소리로 물었다.

"뭐가 죄송하다는 거지?"

"제가 좀 더 영애에게 신경을 썼어야 했습니다."

루퍼트가 괴로움이 느껴지는 목소리로 말을 이었다.

"일이 이렇게 된 데에는 제 책임도 있습니다."

"네 책임이 아니다, 루퍼트. 의미 없는 자책을 하고 있구나."

레이놀즈가 냉정하게 상황에 대해 평했다.

"이 일은 그냥 사고야. 넌 내 명을 받들어 그녀에게 병사들을 보냈고, 그들은 그녀를 지키다 죽었다. 네가 내 명에 따르지 않았다면 자책하는 게 맞지만, 그게 아닌 상황에서는 그러지 마라."

"좀 더 많은 인원을 보낼 것을 그랬습니다."

"그런 건 후회해봤자 의미가 없어. 어쨌든 이렇게 생사를 기대하고 있는 것만으로도 얼마나 다행이냐."

"……."

"네가 내 명을 잊어버리고 한 명도 보내지 않았다면 지금쯤 난 한 줌 기대조차 없이 폐인이 되었겠지."

"면목이 없습니다, 폐하."

"그렇게 말하지 말래도."

레이놀즈가 미간을 좁히며 루퍼트에게 말했다.

"수색대가 찾고 있으니 분명 머잖아 소식이 올 거다. 난 뭐 하나 확실해질 때까지 아무 생각도 안 할 거야."

"……."

"그러니까 너도 미리 자책하지 마라."

"알겠습니다."

그렇게 대답했음에도 여전히 루퍼트는 마음속에서 죄의식을 떨쳐 내기가 어려웠다. 전부 다 자신의 잘못인 것 같았다. 레이놀즈가 전투에 나간 사이 자신이 좀 더 신경을 썼어야 했는데…….

그가 입술을 꾹 깨물며 레이놀즈에게 말했다.

"혹시 지금 오고 있는 중일지도 모르니, 황궁 주변의 검문소에 은밀히 공문을 보내보겠습니다."

"그래. 고맙다, 루퍼트."

그 대화를 나눌 때까지도 두 사람은 예측하지 못했을 것이다. 결국 유리네트는 그 달 말까지 귀환하지 못한다는 걸.

❦ ❦ ❦

그리고 마침내, 한 달의 끝이 찾아왔다.

"폐하."

무디어스 공작이 부드러운 목소리로 레이놀즈를 불렀다.

"오늘이 무슨 날인지 알고 계실 겁니다."

안다. 알고 있었다. 오늘은 그 달의 마지막 날이었다.

"결혼에 대해 정확한 답을 주신다고 하셨지요."

그리고 레이놀즈가 귀족들에게 결혼 상대를 발표하기로 한 날이기도 했다.

"결정하셨습니까?"

질문하는 공작의 목소리가 밝았다. 아직 유리네트가 돌아오지 않았다는 사실을 알고 있었기 때문이었다. 오늘까지 유리네트가 황궁으로 돌아오지 않았으니, 큰 문제가 없다면 그녀를 대신하여 메리언이 황후의 자리에 오를 가능성이 높았다. 이미 귀족들도 다 메리언을 추천하도록 포섭해둔 뒤였고, 황제가 오늘 확답을 주겠다 말했으니 여기서 발을 빼기도 쉽지 않을 것이다.

무디어스 공작은 자신만만한 얼굴로 레이놀즈의 대답을 기다렸다.

그리고 레이놀즈는 아무 말도 하지 못했다. 유리네트가 아직 돌아오지 않았기 때문이었다. 생사도 불확실한 상황에서, 그리고 그 사실이 모두에게 암암리에 알려진 상황에서 함부로 그녀와의 결혼을 말할 수는 없는 노릇이었다.

레이놀즈는 애써 난처함을 숨기며 대답을 미루었다.

"아직 마음을 못 정하신 겁니까, 폐하?"

"……."

"혹 마땅한 결혼 상대가 없으시다면, 제 여식은 어떠실……."

"폐하."

그때였다. 누군가가 레이놀즈를 부르며 장내로 들어왔다. 갑작스러운 손님의 방문에 모든 귀족들의 시선이 문을 열고 들어온 이에게로 쏠렸다.

"드릴 말씀이 있습니다."

그는 애슐리였다. 잔뜩 상기된 얼굴의 그는 이곳까지 속력을 늦추지 않고 달려온 사람처럼 보였다. 보기 드문 애슐리의 흐트러진 모습에 레이놀즈가 의아한 표정으로 그를 향해 손짓했다.

"가까이 오도록."

잠시 후, 레이놀즈의 곁으로 다가간 애슐리가 그에게만 들리도록 귓가에 대고 무언가를 소곤거렸다. 레이놀즈의 동공이 점점 확장되기 시작했고, 그 모습을 지켜보는 귀족들은 도대체 무슨 일이길래 황제가 저런 표정을 짓는 것인지 궁금해졌다.

"그게 정말인가?"

애슐리의 말이 끝나자, 레이놀즈가 떨리는 목소리로 그에게 물었다. 애슐리가 고개를 끄덕였다.

"네, 폐하."

"그럼 지금……."

"지금 상황에 대해서는 알고 계십니다."

애슐리가 살짝 흥분한 듯한 목소리로 말을 이었다.

"원하신다면 지금 당장 장내로 모시겠습니다."

레이놀즈는 긴 고민 없이 고개를 끄덕였다. 잠시 후 애슐리가 나가자, 귀족들은 모두 궁금해 하는 얼굴로 레이놀즈가 무슨 일인지 설명해주기를 기다렸다. 그리고 레이놀즈의 자신감 넘치는 얼굴을 본 무디어스 공작은 알 수 없는 불안감에 휩싸였다. 처음 보였던 것과는 180도 달라진 모습이었다.

'설마……'

아니다. 아닐 것이다. 그럴 리가 없었다. 무디어스 공작이 흔들리는 눈빛으로 레이놀즈를 쳐다보았으나, 그는 그런 그의 모습을 보고서도 비웃음이 서린 표정으로 일관할 뿐이었다.

잠시 후 레이놀즈가 입을 열었다.

"3주 전 내가 약속했던 것에 대한 답을 해야겠지."

그의 목소리는 자신감에 넘치고 있었다.

"나는 사토르디 가문의 레이디 유리네트를 황후로 맞아들일 예정이다."

"하지만 폐하."

무디어스 공작이 곧바로 입을 열었다.

"사토르디 영애께서는 현재 실종 상태이신 것으로 압니다."

"……방금 전까지는 그랬지."

그가 비소를 머금은 얼굴을 한 채, 큰 소리로 외쳤다.

"문을 열어라!"

레이놀즈의 명령에 시종들이 천천히 회의장의 문을 양옆으로 열었다. 모든 귀족들이 열리는 문틈 사이로 시선을 주목했다.

누군가가 천천히 안으로 들어오고 있었다. 발을 다친 것인지 살짝 거동이 불편해 보이는 걸음걸이로, 젊은 여성은 꼿꼿하게 레이놀즈가 있는 곳까지 몸을 옮겼다.

그리고 그녀가 누구인지 확인한 무디어스 공작의 입속에서 저도 모르게 비명 같은 한마디가 흘러나왔다.

"말도 안……!"

"위대하신 엘스워드의 태양, 황제 폐하를 뵙습니다."

하지만 레이놀즈의 앞에서 허리를 굽히며 인사하는 사람은 분명 그가 알고 있는 유리네트 조셋 엘 사토르디가 맞았다.

무디어스 공작이 사시나무 떨듯 몸을 떨며 레이놀즈에게 한 걸음씩 앞으로 다가가는 유리네트를 쳐다보았다. 그리고 레이놀즈는 그녀가 자신에게로 오기를 기다리지 않고 먼저 황좌에서 내려가 그녀에게로 성큼성큼 걸어갔다.

"유린."

그가 유리네트의 애칭을 부르며 그녀를 와락 껴안았다. 지금 이 순간, 아무것도 생각할 수 없었다. 그 누구의 눈치도 보고 싶지 않았다. 그저 유리네트를 다시 만났다는 기쁨뿐이었다.

"너무 늦었습니다, 폐하."

"아니."

그가 그녀를 안은 팔에 꽉 힘을 주며 속삭였다.

"하나도 늦지 않았어."

돌아와 줘서, 살아줘서 고마워. 진심이 농축된 말들이 유리네트의 심장 속을 파고들었다. 그녀는 지쳐 보이는 듯한 얼굴로 눈을 감고 가만히 그의 품에 안기었다.

잠시 후, 조심스럽게 유리네트를 품에서 떼어낸 레이놀즈가 주변의 당황한 귀족들을 쳐다보았다. 모두 영문을 모르겠다는 듯 어리둥절한 모습이었다.

"……."

무디어스 공작을 제외하고.

그는 계획에 틀어진 것에 대한 분노를 간신히 참으며 부들부들 몸을 떨었다. 유리네트를 안을 때와는 대조적으로 싸늘한 얼굴을 한 레이놀즈가 그런 공작을 똑바로 바라보며 입을 열었다.

"이제 더 이상 실종상태가 아니군, 공작."

"……."

"더 할 말이 있나?"

있을 리가 없었다. 무디어스 공작이 침묵한 채 고개를 푹 숙였고, 그것은 항복을 의미했다.

레이놀즈는 다른 귀족들에게도 질문했다.

"사토르디 영애를 황후로 삼는 데 반대하는 사람, 더 있나?"

아무도 대답하지 못했고, 그제야 그의 표정은 만족스럽게 변했다. 그는 지난 한 달간 볼 수 없었던 아름다운 미소를 지으면서 모두에게 말했다.

"결혼 날짜는 다음 달에 있을 짐의 탄신연에서 발표하도록 하지.

오늘 회의는 이것으로 마치겠다."

어차피 지금은, 더 있어봤자 회의에 집중할 수 없을 테니까.

❦ ❦ ❦

레이놀즈와 나는 곧장 중앙궁으로 돌아왔다. 레이놀즈는 다리가
불편한 나를 직접 안고 중앙궁까지 왔는데, 내가 아무리 걸을 수 있
다고 말해도 들으려고 하질 않았다.

나를 무슨 중환자로 여기는 그의 태도는 중앙궁에 도착한 뒤에
도 그대로였다. 레이놀즈는 황궁의 모든 궁의들을 불러들여 나를
진찰하게 했고, 내가 지나치다고 말했음에도 역시나 듣지 않았다.

"영애께서는 건강하십니다, 폐하."

"하지만 다리가 불편한 것 같던데."

심지어는 궁의의 말도 듣지 않았다. 자기가 의사야, 아주. 나는
부끄러움에 얼굴을 못 들겠다고 생각하면서 빠르게 끼어들었다.

"3주 전에 다리가 부러지긴 했지만, 지금은 거의 다 나았어요."

궁 안의 모든 의사들이 날 둘러싸고 있는 상황이 어쩐지 부끄러
웠다. 물론 날 이렇게 생각해 주는 건 정말 고맙긴 했지만…….

'이건 좀 지나치다고!'

나는 속삭이는 듯한 목소리로 그를 채근했다.

"정말 괜찮으니까 이제 그만 궁의들을 물리세요, 폐하."

하지만 이번에도 역시, 그는 나의 말을 듣지 않았다. 아아, 폐하……

"특별하게 신경 써야 할 부분은 없나?"

"……폐하, 그만 하세요."

"휴식과 안정을 취하시는 게 무엇보다도 중요합니다. 지금 많이 지치신 상태이시니 잘 드시고, 잘 쉬시고, 잘 주무시면 금방 원래 상태로 회복하실 수 있으실 겁니다."

"흐음……."

레이놀즈가 진지한 얼굴로 고개를 끄덕였고, 나는 그가 궁의의 말을 상당히 과장되게 해석해 버렸음을 깨달았다.

아, 얼마나 날 또 금방이라도 깨질 것 같은 유리처럼 다룰지 벌써부터 걱정스러워졌다. 난 진짜 괜찮은데!

"그럼 이만 물러나 보겠습니다, 폐하."

궁의들이 물러난 뒤에야 우리는 다시 단둘이 되었고, 레이놀즈는 나를 말 없이 가만히 쳐다보기만 했다. 그 시선이 어쩐지 부담스러워서 나도 모르게 엉덩이를 뒤로 슬쩍 당겼는데, 그가 갑자기 내 손목을 덥석 잡아 왔다. 놀라 동그래진 눈으로 레이놀즈를 응시하자 그가 입술을 달싹이더니 드디어 목소리를 냈다.

"도대체 어떻게 된 일이야?"

……그렇지. 이 질문이 안 나올 수가 없지.

"……으음."

나는 도대체 지난 한 달간 있었던 이야기를 어떻게 꺼내야 하나 난감해했다. 정확히는 어디서부터 이야기를 꺼내야 하는지가 난감했다. 그러다 잠시 후 천천히 입을 열었다.

❦ ❦ ❦

"으윽!"

외마디 비명과 함께 남자가 앞으로 고꾸라졌다. 극한의 공포로 얼굴이 새하얗게 질린 채, 나는 여전히 칼을 쥔 채로 내 앞에 쓰러진 남자를 쳐다보았다. 칼이 몸을 정확하게 꿰뚫으며 피를 내고 있었다.

"꺄아아악!"

그 잔혹한 광경을 목도한 순간, 나는 너무 놀라 비명을 지르지 않을 수 없었다. 그 상황에서는 도무지 침착할 수가 없었다. 금방이라도 쓰러질 것처럼 얼굴에서 핏기가 사라지는 게 느껴졌다. 속에서는 토기가 쏠려왔고, 나는 입을 틀어막은 채 애써 정신을 잃지 않기 위해 애썼다. 하지만 그 일련의 노력들이 내게는 너무나 힘겨운 일이었다.

"영애, 괜찮으십니까!"

힘겹게 고개를 들어 올리자 다급한 표정의 병사 하나가 보였다. 나는 얼빠진 목소리로 중얼거렸다.

"누구……."

"질문은 나중에 하시고, 일단은 피하셔야 합니다."

병사가 빠르게 나를 마차 안에서 끌어냈다. 얼떨결에 마차 밖으로 나오자 병사들이 검은 복면을 쓴 사내들과 대치 중인 모습이 보였다. 두 번의 삶에서 모두, 이런 상황 속에 놓인 것은 처음이었다. 다리가 금방이라도 주저 앉을 것처럼 후들후들 떨려왔다. 나는 애써 다리에 힘을 주며 정신을 차리기 위해 애썼다.

그때, 나를 마차 밖으로 끌고 내린 병사가 내게 소리쳤다.

"이곳은 우리에게 맡기시고, 어서 도망가십시오!"

"하지만……!"

"시간이 없습니다, 영애. 어서요!"

병사의 재촉에 나는 입술을 꾹 깨문 뒤 긴 드레스 자락을 잡아들고 무작정 달리기 시작했다. 어딘가로 달려가고 있는지도 몰랐다. 그 순간에는 그저 살아야 한다는 생각뿐이었고, 이 끔찍한 상황을 피할 수 있는 곳이라면 어디든 좋았다.

일단은 저들의 눈에 띄지 않는 곳으로 몸을 숨겨야만 했다. 목숨만 부지한다면 얼마든지 다시 황궁으로 돌아갈 수 있을 테니까.

쉬잉- 퓩!

도망치는 뒤쪽에서 하나둘 씩 화살이 날아와 내 주변으로 꽂히기 시작했다.

'무서워…….'

너무 무서웠다. 마음 같아서는 그 자리에 주저앉아 엉엉 울어 버리고 싶었지만, 지금은 그런 생각을 할 여유조차 없었다. 달리기는 젬병인 나였지만, 그 순간만큼은 어디서 그런 힘이 나온 건지 모를 정도의 빠른 속도로 발을 움직였다. 역시 사람은 죽음의 공포를 느끼면 초인적인 힘을 발휘하게 되어 있나 보다.

"허억, 허억……!"

그렇게 얼마나 뛰었을까. 나는 숨이 턱 끝까지 차오르는 것을 느끼며 천천히 멈추어 섰다. 얼마나 뛰었는지 입속에서는 비릿한 쇠맛이 났고, 목에서는 기침이 올라왔다. 제대로 숨을 쉬기가 어려울 정도여서, 나는 정신까지 혼미해지는 듯했다.

'누가 아직까지 따라오는 건 아니겠지?'

나는 여전히 뒤쪽에서 누가 쫓아오고 있는지 확인하기 위해 뒤를 돌았다. 아무도 없었다. 다행히도 어느 순간부터는 따라오는 것을 멈춘 듯했다.

'그래도 안심할 수 없어.'

그 싸움에서 누가 이겼는지 모르겠지만, 만약 나를 죽이려는 쪽이 이겼다면 결코 마음을 놓을 수 없었다. 더 먼 곳으로 도망가서, 나를 발견할 수 없는 곳으로 몸을 숨겨야 했다. 나를 찾는 것을 포기할 때까지.

'일단은 좀 더 멀리까지 가보자.'

내가 결연한 표정으로 다시 달려가기 위해 드레스 자락을 붙잡았을 때였다. 어디선가 화살이 날아오더니 정확히 내 어깨를 스치고 날아가 앞에 있던 나무에 꽂혔다.

"윽……."

나는 어깨에 난 상처의 고통에 신음할 새도 없이 뒤를 돌았다. 뒤쪽에서 누군가가 나를 쫓아 달려오고 있었다. 제기랄!

나는 인상을 찡그리며 다시 드레스 자락을 붙잡고 달리기 시작했다. 여전히 어디로 가고 있는지도 모른 채. 일단은 저 사람을 따돌려야 한다는 생각뿐이었다.

"허억, 허억!"

문제는…… 하필이면 잡은 방향의 끝에 절벽이 나타나 버렸다는 점. 나는 당혹스러운 눈으로 나를 쫓아 이쪽으로 점점 더 다가오는 남자의 인영과 절벽 아래를 번갈아 쳐다보았다. 막다른 골목도 아닌 막다른 절벽.

'아, 어쩌지.'

절벽 아래로 보이는 것은 아주 깊어 보이는 강가. 저기 몸을 던지면 곧바로 죽을지도 모른다. 나는 마른 침을 꿀꺽 삼킨 다음 내게 점점 더 가까이 다가오는 남자를 쳐다보았다. 이제 선택할 시간이었다. 이대로 개죽음을 당하든, 베팅을 해보든.

'……아, 모르겠다.'

나는 결연한 얼굴로 크게 심호흡을 했다. 그래도 휘두르는 칼에 죽는 것보다는 조금이라도 살 확률이 있는 쪽으로 몸을 던지는 게 낫지 않을까.

'하나, 둘······.'

셋! 삼초의 망설임 후, 나는 빠르게 절벽 아래로 몸을 던졌다. 가파른 바람이 내 몸을 가르면서, 위쪽에서 '안 돼!' 하고 비명을 지르는 소리가 들려왔다. 나는 피식 웃으며 천천히 눈을 감았다.

풍덩!

뒤이어, 새파란 심연이 나를 덮쳤다.

🌿 🌿 🌿

"······정말 절벽 아래로 몸을 던졌다고?"

내 이야기를 다 들은 레이놀즈는 도무지 못 믿겠다는 표정을 지었다. 허풍 같다는 소리가 아니라, '정말로 절벽 아래로 몸을 던질 용기를 냈느냐'고 묻는 듯했다. 나는 어깨를 으쓱인 뒤 답했다.

"선택의 여지가 없었어요."

정말로 선택의 여지가 없었다. 죽음을 앞둔 절체절명의 위기 상황이었으니까. 그렇지만 내 말을 들은 뒤에도 여전히 레이놀즈는 새하얗게 질린 얼굴이었다.

"그렇다고 해도 절벽에 몸을 던지는 건 쉬운 결정이 아니야."

"알아요. 그래도 그때는 정말…… 그렇게 안 하면 꼼짝없이 죽을 상황이었으니까."

물론 절벽 아래로 몸을 던진다고 해도 살 확률은 희박했지만. 그래도 그 희박한 확률에나마 나는 기대야만 하는 상황이었다. 비참하게도.

"그리고 어찌저찌 눈을 떴어요. 그게 아마 몸을 던지고 사흘 뒤였을 거예요."

"사흘 동안 정신을 잃은 거야?"

"그렇다고 들었어요. 제가 강가에 쓰러진 채 누워 있는 걸 보고, 마음씨 착한 어떤 부부가 절 집까지 데려왔거든요."

"좋으신 분들이네."

"맞아요."

내가 어떤 사람일지 모르는데도 집까지 데려온 거다. 그건 '나라면 그렇게 할 수 있었을까'라는 생각이 들 정도로 대단한 행동이었다.

"눈을 뜨고 침대에서 일어나려는데 다리가 부러졌다는 걸 알았어요. 아무래도 강에 떨어지면서…… 바위에 부딪혔던 모양이에요. 어쩐지 정신을 잃기 전에 다리가 아프더라고요."

내 말을 들은 레이놀즈가 단박에 눈살을 구겼다.

"아프겠다, 많이."

"그래도 머리를 안 다치길 얼마나 다행이에요."

농담처럼 그때 일을 설명하긴 했지만 진심이었다. 바위에 부딪힌 곳이 다리가 아닌 머리였다면 이미 난 이 세상 사람이 아니었을 것이다. 말 그대로 하늘이 도운 일이었다.

"다리를 다쳐서 당장 황성으로 돌아갈 수가 없었어요. 날 죽이려 했던 자들이 아직 그 자리에 죽치고 있는지도 모를 일이고……. 이 래저래 위험부담이 있었죠. 그래서 아예 다리가 다 나을 때까지 부부의 집에서 신세를 지기로 했던 거예요."

"편지라도 보내지 그랬어. 그럼 내가 데리러 갔을 거야. 직접."

"그 생각도 안 해본 건 아니었는데…… 절 도와주신 분들께서 혹시라도 겁을 먹으시거나 잘못되시는 건 아닌지 걱정이 됐어요. 어쨌든 전 섣불리 움직이지 않는 게 좋을 거라고 판단했고요."

"그래."

그가 더 묻지 않고 나를 가만히 안아 주었다.

"잘했어, 유린. 현명했어."

"……늦어서 미안해요."

"아니야. 말했잖아."

그가 내 등을 토닥거리며 속삭였다.

"하나도 안 늦었다고. 안 죽고 살았으니 됐어."

"보고 싶었어요."

그제야 내 솔직한 마음이 나왔다. 나는 울먹이는 눈을 꼭 감으며 속삭였다.

"진짜 많이."

레이놀즈와 떨어져 있는 3주간의 시간, 그리고 다시 3주간의 시간. 한 달이 훌쩍 넘는 시간 동안 레이놀즈를 보지 못하면서 뼈저리게 깨달았다. 내가 생각보다 이 남자를 많이 좋아하고, 사랑하고 있다는 걸. 이 남자가 어느새 내 삶에서 분리할 수 없는 일부가, 어쩌면 전체가 되어 버렸다는 걸.

"나도."

내 목소리에 묻어 난 울음소리를 들었을까. 레이놀즈의 목소리가 아까보다 더 탁해졌다.

"나도 많이 보고 싶었어, 유린."

"……"

"사랑해. 정말로……."

어디 도망가기라도 하려는 사람을 안는 것처럼 레이놀즈의 팔에 힘이 들어갔다. 그 바람에 숨이 조금 답답하긴 했지만, 나를 품에 가두고 가두어 안전하게 보호하려는 그 마음을, 소중하게 생각하는 그 진심을 계속 느끼고 싶어서 나는 아무 말도 하지 않았다.

그리고 그가 내게 그러는 것처럼 나도 그를 힘주어 안아 주었다.

"이 말을 다시 못 하게 될까 봐 두려웠어."

"……저도 사랑해요."

이 말을 다시 못 하게 될까 봐, 나도 무서웠어, 정말로. 나는 그의 품에 얼굴을 깊게 묻으며 작게 속삭였다.

"다시 만나서 정말 기뻐요."

"나도 그래."

우리의 재회는 안도의 한숨과 감격의 눈물로 잔뜩 얼룩졌다. 우리는 아주 오랫동안 서로를 품에 안은 채 사랑을 속삭였다.

❧ ❧ ❧

점심 식사를 마친 뒤, 우리는 침대 위에 누워 서로를 마주 보고 있었다. 그 질문이 들려온 것은 내가 슬슬 식곤증으로 인해 눈꺼풀이 아래로 내려가려던 즈음이었다.

"누가 유린을 감히 죽이려 했다고 생각해?"

듣자마자 잠기운이 확 달아나는 질문이었다. 나는 눈을 가늘게 뜨고 물었다.

"폐하께서도 이미 예상되지 않으세요?"

"추측하는 사람은 동일하겠지."

하나, 둘, 셋. 우리는 동시에 같은 이름을 말했다.

"무디어스 공작."

그 사람이 아니라면 누가 나한테 이런 짓을 할 수 있겠어. 나는 깊게 한숨을 내쉬며 덧붙였다.

"아, 무디어스 공녀도 분명 알고 있을 거예요."

"그런 것 같더군."

레이놀즈가 상당히 불쾌해 보이는 얼굴로 기억을 더듬었다.

"유린이 실종된 날, 내게 유린과 결혼할 수 없을 거라고 말했거든."

……헐. 나는 어안이 벙벙해진 얼굴로 레이놀즈에게 물었다.

"정말로 무디어스 공녀가 그렇게 말했어요?"

"그 말을 듣고 내가 무슨 소리냐고 물으니까 시치미를 떼던데?"

와우……. 나는 할 말을 잃고 말았다.

내 미간이 아까보다 더 좁혀졌다.

"그럼 무디어스 공녀는 지금……."

"유린이 실종된 날 시녀직을 사임했어."

"아…… 그럼 지금은 무디어스 공작저에 있겠네요?"

"그렇겠지."

"그녀를 벌할 생각이세요?"

나는 걱정스러운 목소리로 그에게 말했다.

"지금으로서는 심증뿐이에요. 그 사람들이 절 죽이려 했다는 물증이 있나요?"

"없지. 하지만 상관없어. 그깟 물증 따위는……."

"안 돼요. 물증도 없이 사람을 처벌할 수는 없어요."

"유린, 그게 무슨 말이야."

그가 눈썹을 찡그리며 침대 위에서 벌떡 일어났다. 마치 말도 안 되는 소리를 들은 사람처럼.

"물증이 없어도 그자들이 유린에게 감히 위해를 가하려 했다는 건 충분히 짐작 가능해."

"하지만 물증이 없으면 처벌의 명분도 없어요, 폐하."

나 역시 천천히 자리에서 몸을 일으켰다. 그리고 슬픈 눈을 한 채 고개를 저었다.

"폐하를 폭군으로 만들고 싶지 않아요."

"유린."

"제발요."

나는 목이 멘 목소리로 애원했다.

"제가 왜 입궁했는데요. 폐하를 계속 폭군으로 두고 싶지 않아서였어요."

"그래서 지금 나더러 그깟 명분 때문에 유린을 죽이려던 사람을 살려두라고?"

그가 으르렁거리는 목소리로 내게 말했다.

"그럴 수는 없어."

"폐하."

"내가 스스로를 용서하지 못하도록 둘 셈이야?"

그렇게 묻는 레이놀즈의 목소리에는 눈물이 섞여 있었다. 그 사실을 알아차리고 나는 잠시 말을 잇지 못했다.

"결국 난 유린을 구하지 못했어."

"아니에요, 폐하. 아니에요⋯⋯."

나는 연신 고개를 저으며 그를 위로했다.

"제게 병사를 보내 절 지켜주셨잖아요. 폐하가 그러신 거죠?"

"……."

"폐하께서 절 지켜주신 거예요. 병사를 보내주지 않으셨다면 전 진즉 죽었을 거예요."

"유의미한 도움이 되지 못했잖아."

"충분히 의미가 있었어요. 왜 그렇게 생각하세요?"

나는 눈물이 고인 눈으로 레이놀즈를 쳐다보며 말했다.

"어쨌든 제가 이렇게 살아있는 데는 폐하의 덕이 커요. 정말이에요."

"아니야, 유린. 제발 그런 말로…… 내 죄를 덜어내려고 하지 마."

그가 괴로워하는 얼굴을 손바닥에 파묻었다. 죄책감에 찌든 목소리가 우리의 주변을 울렸다.

"유린을 지키지 못한 건 내 잘못이야. 내가…… 당신을 그런 상태에 두면 안 되었어."

"폐하……."

"나를 용서할 수가 없어. 내가 너무 끔찍해."

"폐하, 제발요."

더 듣기가 힘들어서, 나는 재빨리 그를 품에 안았다. 그가 내 품에 안긴 채 소리 죽여 우는 것이 느껴졌다. 입고 있던 옷이 뜨겁게 젖어드는 것을 느끼며, 나는 그를 힘겹게 토닥였다.

"그런 말 듣고 싶지 않아요. 절 더 괴롭게 만드실 셈이세요?"

"하지만 사실이야, 유린. 내가 그대를 지키지 못했다는 건……."

"아니에요. 아니라니까요."

나는 답답하다는 목소리로 그의 말을 바로 잡았다.

"제가 이렇게 살 수 있도록 여지를 주신 분이 폐하세요. 폐하께서 보낸 병사들이 도착하기 전에 제가 어떤 상황이었는지 아세요?"

"……."

"실수 하나가 마차 문을 열고 저를 죽이려 칼을 높이 쳐올리고 있었어요. 그 실수를 죽인 게 폐하께서 보낸 병사들이에요."

나는 그때의 순간을 떠올리며 무의식적으로 몸을 떨었다. 배 속에서 무언가가 꿀렁꿀렁 위로 올라오는 것 같았다.

"자책 안 하셨으면 좋겠어요. 저는 한 번도 폐하를 원망한 적이 없으니까요."

"유린, 유린……."

"네, 폐하. 이 일에 폐하의 잘못은 조금도 없어요."

나는 조심스럽게 그의 얼굴을 붙잡은 다음 양쪽에 부드럽게 키스했다. 눈물이 흘러내린 양 볼에서 짠맛이 느껴졌다.

"제 말을 믿으셔야 해요. 아셨죠?"

"……."

그가 말없이 고개를 끄덕였고, 나는 그를 다시 한번 꼭 안아주었다.

"전 이제 무사해요. 그러니까 어떤 부정적인 생각도 하지 마세요. 아셨죠?"

"하아……"

"폐하께서 그러시면 제가 더 힘들고 괴로워요. 그러니까……."

"알겠어."

그가 잔뜩 잠긴 목소리로 속삭이며 나를 안은 팔에 힘을 주었다.

"날 걱정하지 마, 유린. 지금 유린이 걱정해야 할 사람은 유린 자신이니까."

"……전 괜찮아요."

"안 괜찮아. 그동안 얼마나 마음고생이 심했을지, 난 짐작도 못하겠으니까."

그가 내 등을 부드럽게 토닥거리며 말을 이었다.

"그리고 무슨 말을 하든, 내가 그들을 벌할 생각을 바꾸지는 않을 거야."

"처벌을 반대하는 건 아니에요. 저도 그 사람들이 미운걸요."

"그럼……."

"하지만 명분 없이 처벌하는 건 안 돼요."

내가 그의 손을 꼭 잡아 쥐며 말했다.

"같이 명분을 찾아봐요. 네?"

"유린."

"폐하께서 괜히 저 때문에 오명을 쓰시는 것, 원치 않아요."

"상관없어."

"저는 상관있어요."

나는 다부지게 눈을 뜨며 그를 쳐다보았다.

"절 폭군의 황후로 만드실 셈이세요?"

"뭐……?"

"약속하셨잖아요."

나는 살짝 얼굴이 붉어진 채로 말을 이었다.

"무사히 돌아오시면, 저한테 청혼하실 거라고."

"아……."

"혹시 그새 마음이 바뀌셨어요?"

"아니! 절대! 그럴 리가!"

레이놀즈가 화들짝 놀라며 황급히 고개를 저었다.

"말도 안 되는 소리야. 내가 그럴 리 없잖아, 유린."

"그럼 제 말 들어주세요, 폐하. 저는 성군의 아내가 되고 싶어요."

나는 부드럽게 그의 손을 매만지며 나긋나긋한 목소리로 말했다.

"분명히 명분을 가지면서도 무디어스 가문을 벌할 수 있는 방법이 있을 거예요."

"……하아."

결국 레이놀즈가 깊게 한숨을 내쉬었다.

"내가 졌군. 알겠어."

"정말요?"

"무슨 소원처럼 말하는데 들어줘야지."

그가 잠시 생각하는 표정을 짓더니 내게 물었다.

"명분만 충분하면 되는 거지?"

나는 고개를 끄덕였다.

"좋아."

내 대답을 들은 레이놀즈는 그제야 만족한 표정이 되었다.

"대신 어떤 꼬투리를 잡든, 그건 내 마음이야."

"합리적이기만 한다면……."

나는 얼떨결에 고개를 끄덕인 다음 물었다.

"묘안이 있으세요?"

"만들면 돼. 그런 건."

그가 너무 걱정하지 말라는 듯 내 이마 위에 키스했다.

"유린은 아무 걱정 하지 말고 마음 편하게 있어. 내가 문제없이 깔끔하게 해결할 테니까."

'으음…….'

하지만 어쩐지 나는 그 말을 듣고 난 뒤에도 썩 안심이 되지는 않았다. 그의 표정이 어쩐지 음흉하게 보였달까.

'그래도 약속을 했으니까…….'

일단은 믿어볼 심산이었다. 아무럼 나한테 그런 걸로 거짓말을 하겠어?

그 시각, 무디어스 공작저.

"아버지."

메리언이 떨리는 목소리로 무디어스 공작을 불렀다.

"그게 사실이에요?"

"……."

"유리네트 그 계집애가 돌아왔다는 게, 사실이냐고요!"

"소리 지르지 마라, 메리언."

"어떻게 안 지를 수가 있겠어요!"

아버지의 말에도 메리언은 조금도 침착해질 수 없었다.

"우린 이제 다 죽은 목숨이에요. 폐하께서 우릴 가만히 두시겠어
요? 분명 죽었다고 그러셨잖아요!"

"절벽 아래로 떨어졌으니 당연히 그럴 줄 알았지."

"아, 쓸모없는 것들 같으니! 끝까지 쫓아가서 완벽하게 숨통을
끊어 놓았어야죠!"

메리언이 답답하다는 듯 가슴을 세게 쳤다. 그렇게 얼마간이 지
난 후였다.

"대책을 세워야 해요, 아버지."

메리언이 덜덜 떨리는 목소리로 말했다. 그녀는 이미 폭군으로

서 레이놀즈가 보였던 면모들에 대한 기억을 되살리는 중이었다. 그의 기분을 거스르게 했다는 이유만으로 숙청되었던 수많은 귀족들……. 메리언이 딱딱 소리를 내며 치아를 부딪쳤다.

"아버지가 공작이라고 해서 안심할 수 없어요. 폐하께서는 분명히 저를 죽이실 거라고요. 유리네트 그 계집애가 폐하를 사주해서! 절 죽일 거라는 말이에요!"

"진정하거라, 얘야. 아무리 폐하라고 해도 공작가를 함부로 건드릴 수는 없어."

"아니에요. 아니에요……."

메리언은 차마 진정할 수 없었다. 생명이 달린 일이었기 때문이었다. 메리언은 재빨리 머리를 굴린 다음 아버지에게 간청했다.

"저를 외국으로 보내주세요, 아버지."

"메리언!"

"제가 살 수 있는 방법은 그것뿐이에요."

"너 지금 네가 무슨 소리를 하는 건지 알고 있는 거냐?"

"알아요. 그래서 말씀드리는 거예요."

"아니, 넌 몰라."

무디어스 공작이 진지한 얼굴로 딸의 어깨를 붙잡고 말했다.

"어차피 물증이 없다, 메리언. 우리는 그냥 가만히 앉아서 모르는 척으로 일관하면 돼. 명분이 없는데 아무렴 공녀와 공작가를 벌하시겠느냐."

"아버지는 그렇게 오래 폐하를 뵈어 놓고도 그분의 성정을 모르세요?"

메리언이 답답하다는 목소리로 무디어스 공작에게 말했다.

"폐하께 그런 건 전혀 중요하지 않아요. 명분 따위가 그분의 발아래에서 무슨 의미가 있다고요. 마음만 먹으시면 제게 무슨 누명이든 씌우실 수 있어요."

"메리언, 그래도……!"

"하루빨리 이 나라를 뜨고 싶어요, 아버지. 제발 절 도피시켜 주세요."

거의 강박에 가까울 정도로 메리언은 해외 도피를 주장했다. 딸의 불안해 하는 모습을 본 무디어스 공작은 결국 깊게 한숨을 쉬며 그녀에게 말했다.

"해외 도피는 네가 죄를 저질렀다는 걸 결국 인정하는 꼴이야. 그래도 정말로 하겠느냐?"

"목숨을 부지하는 일이 가장 중요해요."

"공작가의 명예와 체면은 어쩌고!"

"지금 제가 죽게 생겼는데 그런 것 따위가 중요하세요?"

메리언이 황당해하는 얼굴로 무디어스 공작에게 쏘아붙였다.

"어쨌든 제 말 알아들으신 것으로 알고 있을게요. 하녀들에게 짐을 준비하라고 할 거예요."

"메리언!"

"그러니까 아버지가 처음부터 제대로 일을 처리하셨으면, 이런 일도 없었을 것 아니에요!"

메리언은 신경질적으로 쏘아붙인 다음 더 말하지 않고 방을 나가버렸다. 홀로 남겨진 무디어스 공작의 한숨만 깊어졌다.

※ ※ ※

소식이 들려온 것은 그다음 날 오전이었다.

"폐하, 무디어스 공녀가 어젯밤 출국했다고 합니다."

"뭐라고……?"

애슐리가 전해준 말에 레이놀즈가 황당해하는 표정을 지었다.

'헐.'

그리고 그건 나도 마찬가지였다.

'이건 완전히 자기 죄를 시인하는 꼴이잖아.'

다른 목적이 있다고 말하기에는 시기가 너무나도 절묘했다. 굳이 내가 돌아온 날 밤에 출국을?

"목적지가 어디지?"

"카마텔 제국으로 간다고 합니다."

"아주 먼 곳이군."

레이놀즈의 입가에 비소가 스쳐 지나갔다.

"어지간히 겁이 났나 봐. 명분을 스스로 만들어줄 정도라니."

그 말과 함께 레이놀즈가 은근한 눈빛으로 나를 쳐다보았다. '이 정도면 괜찮지?'라고 묻는 것 같은 표정에 나는 어색한 미소만 지었다. 아, 이런 식의 해결 방안일 줄은 생각도 못 했는데.

❦ ❦ ❦

"결혼식 준비는 맥켈리드 백작부인이 도맡아 할 예정이다. 다른 의견 있나?"

"없습니다, 폐하."

"그리고……."

황좌 위에 앉은 레이놀즈가 느릿하게 고개를 돌려 무디어스 공작에게로 시선을 두었다.

"사토르디 영애를 해하려 한 자들을 색출해 내야 하는데."

"……."

"무디어스 공녀가 어젯밤 비밀리에 출국했더군?"

설명을 요구하는 질문에 무디어스 공작이 마른 침을 삼켰다. 뒷수습은 그의 몫이었다.

"어떻게 된 일이지, 무디어스 공?"

"잠시 몸이 좋아지지 않아 요양 차 떠난 것뿐입니다."

"그 먼, 먼 카마텔까지 말인가?"

말도 안 된다는 목소리가 무디어스 공작의 마음을 쿡쿡 찔렀다.

그가 마른침을 삼키며 변명을 계속했다.

"카마텔에 먼 친척이 있기도 해서 그리로 보냈습니다."

"나는 무디어스 공녀가 몸이 아픈 줄은 전혀 모르고 있었는데."

레이놀즈가 의외라는 목소리로 말을 이었다.

"그녀가 중앙궁의 시녀로 일하고 있을 때 전혀 맥켈리드 백작부인에게 전달받은 바가 없었거든."

"……저도 얼마 전에 알았습니다, 폐하."

무디어스 공작이 침착하게 대꾸했다.

"제 딸아이가 워낙 속이 깊어…… 제 아픈 이야기를 잘 하지 않아서요."

"그래?"

레이놀즈가 턱 아래를 매만지며 말했다.

"하지만 미심쩍은 부분이 너무 많아. 공작도 그렇게 생각하지 않나?"

"……."

"왜 굳이 어젯밤에 몰래 출국해야 했을까? 그것도 사토르디 영애가 살아 돌아온 날 밤 급하게 말이야."

"몰래가 아닙니다, 폐하. 원래 예정되어 있던 출항이었습니다."

"그래?"

그가 별 감흥 없는 목소리로 질문을 계속했다.

"그렇다면 이건 어떻게 설명할 거지?"

"무슨……"

"무디어스 공녀가 사토르디 영애가 실종된 날 나를 찾아와 이런 말을 하더군."

레이놀즈는 이제 한 달쯤 지난 일을 기억 속에서 더듬었다.

"내가 사토르디 영애와 결혼할 생각이라고 말하니, 그럴 일은 없을 거라고 말했어. 그리고 그날 사토르디 영애는 살수의 습격을 받았지."

"그런……!"

"이게 우연일까?"

그가 신기하다는 듯 입꼬리를 길게 끌어 올렸다.

"우연치고는 참 기묘해. 모든 것이 이렇게 딱딱 맞아 들어갈 수는 없는 것 아닌가. 그렇지?"

은근하게 긍정의 답을 유도하는 질문에 무디어스 공작은 침묵한 채 침통한 표정을 지었다. 어떤 말도 함부로 할 수 없었다. 여기서 잘못 걸리면 꼼짝없이 숙청이다.

"그저 우연의 일치일 뿐입니다, 폐하."

무디어스 공작은 침착하게 답변했다.

"제 여식이 폐하의 옆자리를 늘 바라왔던 것은 여기 있는 귀족들 또한 다 아는 사실이지요. 그래서 중앙궁의 시녀로 지원하기도 하였고요."

"……"

"그저 치기 어린 마음에 내뱉은 말이었을 겁니다, 폐하. 사토르디 영애의 일과 저희 가문은 조금의 연관성도 없습니다."

무디어스 공작은 스스로를 최대한 낮추었다. 지금은 꼬투리를 잡힐 만한 언행을 최대한 삼가야만 했다. 이미 메리언을 황후로 세우는 일은 물 건너갔으니 목숨이라도 보전해야 한다.

'……으음.'

한편 레이놀즈 역시 지금 상황이 불편하기는 마찬가지였다.

'이런 식으로 계속 나오면 곤란한데……'

본디 명분이란 빼도 박도 못 하게 확실한 물증이 있을 때나 성립되는 것이다. 아니면 그에 준하는 심증이 있거나. 지금 상황에서는 둘 중 그 무엇도 확실하지 않았다.

레이놀즈는 자신의 평소 방식대로 일을 해결하고 싶은 마음이 굴뚝같았다. 하지만 회의에 참석하기 전까지 유리네트가 귀에 못이 박이도록 말던 '명분이 있어야만 처벌할 수 있다'를 상기하고서는 인내심을 최대한 발휘했다.

'마음 같아서는 진짜……'

당장에라도 이 자리에서 끌어내고 싶었는데, 일단은 참아야만 했다.

'어쩌지.'

어쨌든 레이놀즈는 무디어스 공작의 모습을 다시는 황궁 안에서 보고 싶지 않았다. 심증뿐이었으나 무디어스 공작이 이번 사태의

배후라는 것은 유리네트까지 동의하는 바였으니. 생각만 해도 가슴 깊은 곳에서부터 불길이 화르륵 치솟는 것이었다.

레이놀즈는 결국 고민 끝에 무디어스 공작을 불렀다.

"무디어스 공."

"네, 폐하."

무디어스 공작은 혹시라도 레이놀즈의 입에서 '저놈을 당장 끌고 가라!' 따위의 소리가 나올까 봐 조마조마해 하며 숨을 멈추었다.

"아무래도 잠깐 나와 단둘이 봐야 할 것 같은데."

그 말을 들은 무디어스 공작의 등골이 쭈뼛 섰다.

※ ※ ※

도대체 무슨 말씀을 하시려는 걸까.

중앙궁의 응접실로 향하면서, 무디어스 공작은 계속 그 생각뿐이었다. 지금이라도 도망쳐서 메리언과 함께 수도를 뜨고 싶은 마음이 굴뚝같았다. 하지만 만약 그렇게 했다가는 자신의 변명이 전부 거짓임이 들통나버릴 것이리라. 그렇게 되면 정말로 되돌릴 수 없었다. 무디어스 공작은 최대한 침착한 태도를 유지하며 응접실 앞까지 다다랐다. 그런 무디어스 공작을 본 애슐리가 눈을 가늘게 뜬 채 그를 흘긋거리더니, 곧 아무렇지 않게 입을 열었다.

"폐하, 무디어스 공작 전하 드셨습니다."

"안으로 들이도록."

낮은 목소리로 명령이 떨어지고, 응접실의 문이 열렸다. 무디어스 공작은 저도 모르게 깊은 심호흡을 했다. 그리고 최대한 보폭을 좁게 하여 응접실 안까지 들어갔다. 무디어스 공작이 안으로 들어오는 소리가 들리자 레이놀즈의 시선 역시 그에게로 향했다. 그는 심신 안정에 좋은 캐모마일 티를 마시는 중이었다.

"엘스워드의 태양, 만물의 주인, 황제 폐하를 뵙습니다."

"앉게, 공."

"황공합니다, 폐하."

평소라면 하지 않았을 인사말까지 과도하게 붙이면서, 무디어스 공작은 레이놀즈의 맞은편에 앉았다.

잠시 후 무디어스 공작에게도 심신 안정에 좋은 캐모마일 티가 내려졌다. 그는 떨리는 손끝을 애써 감추며 찻잔을 들어 올렸다. 우습다면 우스운 일이었지만, 그 차는 정말로 무디어스 공작의 마음을 조금이나마 진정시켜 주었다.

"내가 왜 독대를 요청했는지 알고 있나?"

무디어스 공작이 빠르게 대답했다.

"모르겠습니다, 폐하."

……사실은 알았다. 하지만 제 입으로 그 대답을 직접 할 수는 없는 노릇이라.

"모른다고?"

레이놀즈가 서늘하게 웃었다. 그는 보는 눈이 없다는 이유로 굳이 표정 관리를 하지 않았다. 그리고 눈매를 가늘게 뜬 다음 무디어스 공작을 노려보았다.

"나는 공이 내 아내 될 사람을 해쳤다는 사실을 알고 있어."

"폐하, 거듭 말씀드리지만 이는 우연의 일치……."

"공작."

차가운 목소리가 무디어스 공작의 말을 끊었다.

"내가 언제 그대에게 발언을 허락했지?"

"……."

하려던 말이 쑥, 입안으로 들어갔다. 무디어스 공작이 긴장으로 마른침을 꿀꺽 삼켰다.

"뭔가 착각하고 있는데, 내가 지금 그대를 봐주고 있는 것은 순전히 사토르디 영애가 선처를 부탁했기 때문이야."

"폐, 폐하."

"그래서 나는 아주 초인적인 인내심을 발휘해서 그대와 그대의 딸을 살려두고 있는 것이고."

"……."

"내가 카마텔에서 공녀를 찾아내지 못할 거라고 생각하나? 그렇게 생각했다면 아주 유감인데."

"폐하."

무디어스 공작이 긴장 섞인 목소리로 애원했다.

"살려 주십시오. 저는 정말로 아닙니다."

"……."

역시나 그는 노련했다. 끝까지 제 잘못을 인정하지 않는 꼴이라니. 레이놀즈는 못마땅한 얼굴로 무디어스 공작을 노려보다가, 결국 깊게 한숨을 내쉰 다음 입을 열었다.

"두 가지 선택지가 있어."

"말씀하십시오, 폐하."

"하나는 그대가 모든 죄를 시인하고 그대의 딸과 함께 형장의 이슬로 사라지는 것."

"……."

"두 번째는 모든 관직에서 사임하고 무디어스 영지로 내려가 여생을 마감하는 것."

"폐하……!"

"조용하게, 죽은 듯이, 있는 듯 없는 듯."

레이놀즈가 건조한 목소리로 말을 이었다.

"어차피 죽을 목숨 살려줬다고 생각하고. 어떤가? 참고로 3번은 없어."

여기서 죽든지 시골에서 죽을 때까지 조용히 지내든지. 둘 중 하나를 선택하라는 이야기였다.

"……."

무디어스 공작은 지금 닥친 상황을 도무지 수용할 수가 없었다. 그는 본래 권력욕이 많은 사람이었다. 그런 사람이 시골에서 조용히 산다는 건 있을 수 없는 일이다. 차라리 지금 죽는다면 모를까.

'끄응.'

……하지만 말은 그렇게 해도, 무디어스 공작은 별로 죽을 마음이 없었다. 어쨌거나 제 목숨처럼 소중한 건 없었으니까.

"어떻게, 시간이 더 필요한가?"

조금 인내심이 사라진 목소리로 레이놀즈가 물었다. 대답이 나오기까지 더 기다리고 싶지 않다는 의미였다. 무디어스 공작은 입술을 파르르 떨었다가 마른침을 한 번 삼켰다. 이제는 선택해야 했고, 사실 결정은 처음부터 내려진 것이나 마찬가지였다.

"……황은에 감사드립니다, 폐하."

❧ ❧ ❧

"영애, 맥켈리드 백작부인 오셨습니다."

아니스의 말에 나는 읽고 있던 책에 책갈피를 꽂으며 대답했다.

"안으로 모시세요."

잠시 후 문이 열리고 조금 피곤해 보이는 표정의 맥켈리드 백작부인이 모습을 드러냈다. 나는 자리에서 몸을 일으킨 다음 그녀를 맞아들였다.

"오늘따라 조금 피곤해 보이세요, 부인."

"아아. 어젯밤 잠을 충분히 자지 못해서요."

"왜……."

"폐하께서 결혼식을 너무 앞당기시는 바람에요."

맥켈리드 백작부인이 미간을 좁히며 대답했다.

"당분간 제대로 수면을 취하기란 어려울 것 같습니다."

"하하……."

나는 어색하게 웃으면서 슬며시 사과했다.

"죄송해요, 부인. 제가 폐하를 잘 말렸어야 하는 건데."

"아닙니다, 영애. 폐하께서 어디 말한다고 들으실 분이십니까."

맥켈리드 백작부인이 자신도 잘 알고 있다는 듯 절레절레 고개를 저으며 말했다.

"폐하께서 영애를 너무나도 사랑하시는 것이지요. 저도 잘 알고 있습니다."

"하하……."

"뭐, 황궁에 빨리 안주인이 생겨서 나쁠 것은 없으니까요. 몸은 힘들어도 기쁘게 준비하는 중입니다."

"그렇게 말씀해 주셔서 감사합니다, 부인. 부인의 기대에 어긋나지 않도록 제가 잘해야 할 텐데요."

"영애께서는 지금도 잘해주고 계십니다. 분명 좋은 황후가 되실 겁니다."

"아직 그런 말씀은 쑥스러운데요."

내가 머쓱하게 웃으며 볼을 붉혔다.

"사실 아직은 잘 믿기지 않거든요. 제가 정말로 황후가 된다는 게……."

"지금이야 당연히 그렇지요. 좀 더 준비가 진행되고 앞으로 많은 행사에 참석하시다 보면 점점 실감이 나실 거랍니다."

"정말 그럴까요?"

"그럼요. 당장 내일 황제 폐하의 탄신 연회가 있잖아요? 거기 참석하셔서 여러 국빈들과 말씀 나누시다 보면 분명 더 실감이 나실 거예요."

"제가 잘할 수 있을까요?"

나는 조금 걱정하는 표정으로 턱 끝을 매만졌다.

"혹 실수를 하고 오는 것은 아닌지……."

"제게 배우신 것이 있으신데요. 잘해내실 겁니다. 영애께서는 총명하신 분이시니까요."

"과찬이십니다, 부인."

낯간지러운 말에 나는 고개를 살짝 내리며 웃었다. 내 시녀 수업을 도맡아 해주었던 맥켈리드 백작부인은 황후 수업까지도 교사로 참여하고 있었다. 물론 결혼 준비와 겹쳐 그녀가 할 일이 너무 많아지는 바람에 많은 시간을 할애하지는 못했지만 말이다.

"부인의 가르침대로만 행동할 수 있다면 더 바랄 게 없겠어요."

"잘하실 거라니까요. 계속 의식하시면 행동에 어색함이 묻습니다. 자연스럽게만 행동하시면 돼요."

"네. 명심하겠습니다. 그보다 여기까지는 무슨 일이신지……."

"아."

맥켈리드 백작부인이 '내 정신 좀 봐'라는 표정으로 서둘러 내게 무언가를 내밀었다. 누가 봐도 두툼해 보이는…… 종이 묶음이었다. 내가 당황한 얼굴로 그것을 받아 들었다.

"아…… 이게 뭔가요?"

"영애께서 결혼식 때 입으실 웨딩드레스 디자인 모음집입니다."

"네?"

이게…… 다요? 나는 어마어마한 두께에 순간 말을 잇지 못했다. 종이들의 두께가 어림잡아 성인 여성의 손 한 뼘 정도는 되어 보였다. 나는 더듬거리며 그녀에게 물었다.

"이걸 어떻게…… 다 보고 고르죠?"

"하나만 고르시면 됩니다. 쉽죠?"

"……"

하나도 안 쉬운데요.

'나 선택 장애 있는데…….'

더구나 나처럼 우유부단한 사람에게 이런 걸 결정하라고 하다니.

정말 어려운 일이었다. 나는 난감한 표정을 숨기지 못하고 종이

들을 촤르륵 엄지로 넘겼다. 과연 이걸 다 볼 수는 있을는지. 중간
쯤 가면 처음 봤던 드레스는 완전히 까먹어 버리고 말 것이다.

"원래 이렇게 디자인이…… 많은가요?"

"당연하지요. 다른 것도 아니고 황제와 황후의 결혼식인데요."

맥켈리드 백작부인이 뿌듯함이 느껴지는 목소리로 말을 이었다.

"저희가 수백 개의 드레스 디자인 중 황후 폐하께 어울리면서도
국격을 높일 수 있는 디자인으로 선정한 것들이랍니다."

"……이게 선정을 거친 디자인들이라고요?"

"그렇습니다."

그렇다면 이전에는 훨씬 더 많았다는 소리 아니야……?

나는 경악한 얼굴로 맥켈리드 백작부인의 눈가에 자리한 까만
그늘을 쳐다보았다. ……이해가 된다, 돼.

"천천히 보고 골라주세요. 하지만 다음 주까지는 골라주셔야 합
니다."

……앞말과 뒷말이 완전 모순적인데요. 그래도 최대한 빨리 줘
야 고생하는 사람들이 줄어들 것 같아서 나는 고개를 끄덕였다.

"알겠습니다, 부인. 폐하와 상의해 볼게요."

"네, 영애. 하지만 영애께서 입으실 드레스니까, 영애께서 마음에
드시는 것으로 골라주세요."

아니…… 저 혼자서는 도무지 못 고를 거 같아서요. 나는 어색하
게 웃으며 머리를 긁적였다.

"영애."

그때, 바깥에서 리셸의 목소리가 들려왔다.

"황제 폐하께서 오셨습니다."

레이놀즈가? 내가 눈이 동그래진 채로 바깥을 쳐다보았고, 맥켈리드 백작부인이 낮게 웃으며 내게 말했다.

"두 분께서 가깝게 붙어 계시니 이런 점은 좋군요."

"네?"

"자주 볼 수 있으시니까요."

"아, 네. 하하……."

나는 어쩐지 민망해져서 실없는 웃음만 흘렸다. 그런 내 모습을 흐뭇하게 바라보던 맥켈리드 백작부인이 말했다.

"그럼 또 다른 일이 생기면 다시 찾아뵙겠습니다, 영애."

"네, 맥켈리드 백작부인. 항상 감사합니다."

"뭘요."

나긋하게 대꾸한 백작부인이 내 방 밖으로 나갔고, 그러면서 자연스럽게 문 바깥에 있던 레이놀즈와 마주쳤다. 예상치 못하게 백작부인과 대면한 레이놀즈가 살짝 민망해진 표정을 지었다.

"아, 백작부인."

"분명 바쁘시다고 들은 것 같은데."

백작부인이 장난스럽게 눈살을 구기며 꼬집었다.

"예비 황후 폐하의 방에 들르실 시간은 있으시군요."

"이건 또 별개의 문제라."

"하여튼 말은…… 정말 잘하십니다."

반어였다. 얄밉다는 듯 레이놀즈를 한 번 흘겨본 뒤에야 맥켈리드 백작부인은 내 방에서 완전히 떠났다. 내가 피식 웃으면서 레이놀즈에게 물었다.

"바쁘시다면서 여기 오셔도 돼요?"

"하필 여기 오고 싶던 차에 백작부인이 집무실로 와 버려서."

헐……? 내가 경악한 눈으로 물었다.

"거짓말하신 거예요, 설마?"

"선의의 거짓말은 괜찮아."

딱히 선의가 아닌 거 같은데……? 그냥 거짓말 같은데요? 나는 마음속의 말을 그대로 내뱉고 싶었지만, 그래도 나 생각해서 와 주었으니 그냥 모른 척 넘어가기로 했다.

"그보다 어쩐 일로 오셨어요?"

"이, 이유를 묻는 거야, 지금?"

"아니, 그냥…… 용건이 있어서 오셨나 싶어서요."

"유린이 내 용건이야."

그가 성큼성큼 내게 걸어오더니 갑자기 나를 꼭 안았다. 예상치 못한 전개에 깜짝 놀란 내가 무의식적으로 그의 허리를 꼭 붙잡았다.

"가, 갑자기 뭐예요."

"유린이 용건이라니까."

레이놀즈가 내 어깨 위에 얼굴을 묻고 짙게 숨을 내쉬었다.

"이러고 싶어서 죽는 줄 알았어."

"……"

아, 대낮부터 이러면 곤란한데. 나는 빨개진 얼굴로 더듬거렸다.

"그, 그…… 다음부터는 그래도 그러지 마세요. 백작부인이 서운해하실 거예요."

"알았어. 알았어."

하지만 별로 새겨듣는 투가 아니었다.

"나 없는 사이에 잘 지냈어?"

"우리 아까도 봤잖아요."

"그게 몇 시간 전 이야긴데."

"……2시간이요."

점심 식사를 같이한 게 두 시간 전 정오였다. 고작 2시간 사이에 잘 지냈냐고 묻다니. 진짜 옆에 누가 없어서 다행이었다. 누가 보면 주접도 이런 주접이 없다고 속으로 손가락질했을 거다.

"폐하는 너무 과장이 심하세요."

"나한테는 2시간이 2일 같아."

"그럼 6주 떨어져 있었을 때는 어떻게 버티셨어요?"

"그때 내가 어떻게 지냈는지 다른 사람한테 못 들었어?"

레이놀즈가 생각만 해도 끔찍하다는 듯 눈살을 구기며 말했다.

"잠도 못 자고 식사도 제대로 못 하고, 미친 사람처럼 일에만 매달렸다고."

"으음……."

"그러니까 앞으로는 우리 2시간 이상 떨어져 있지 말자."

"아, 과해요."

"아니야. 안 과해. 그때 일로 트라우마가 생겨 버렸단 말이야."

"……."

"평생 안 나을 거 같아."

……그렇게 말하면 내 마음이 또 약해지잖아.

'하여튼 나를 너무 잘 알아.'

거부할 수 없다는 걸 이미 알고 있는 거야. 내가 어쩔 수 없다는 듯 한숨을 쉬며 레이놀즈의 얼굴을 부드럽게 붙잡았다. 지그시 바라보는 시선은 익숙해질 듯 도무지 익숙해지지 않았다. 나는 살짝 잠긴 목소리로 말했다.

"그거 때문에 온 거예요?"

"응. 그거 때문에."

그가 빙긋 웃으며 내게로 얼굴을 가까이했다.

"키스해줘."

나는 거부하지 않고 그에게 먼저 입 맞췄다. 입술과 입술이 부드럽게 허공에서 하나로 얽혀 들어가고, 점점 질척해졌다. 나는 가빠오는 호흡을 이기지 못하고 길게 한숨 쉬었다.

"하아……."

무디어스 공작이 모든 관직을 사임하고 영지로 내려간 지도 어느덧 2주 정도의 시간이 흘렀다. 그는 내가 황궁으로 돌아온 다음 날 곧바로 관직을 사임했고, 아주 빠르게 수도의 저택을 정리한 뒤 영지로 내려갔다. 나는 레이놀즈가 내 말을 잘 들어 주었음을 깨닫고 몹시 기뻐했다.

그 이후에는 꽤 바쁜 나날을 보냈다. 계속 중앙궁에서 지내며 맥켈리드 백작부인과 함께 결혼 준비에 착수했기 때문이었다. 맥켈리드 백작부인이 절대 도울 필요가 없다고 말하면서 가만히 있으라고 했지만, 어쨌든 내 결혼식이었기에 내 손이 필요한 영역도 분명히 있었다.

"이걸 내일 생일 선물로 할까요?"

그리고 내일은 이 남자의 생일이었다. 내 말을 들은 레이놀즈가 살짝 미간을 좁혔다.

"고작 한 번?"

"몇 번을 해야 만족하실까요, 우리 폐하……."

"내가 원할 때는 언제든, 어디서나."

"아, 거의 백지 각선데요, 이거는."

이 제안을 수락하면 거의 24시간 내내 쪽쪽거려야 하는 건데. 앞날이 빤히 보이는 말에 나는 절레절레 고개를 저었다.

"횟수를 말하세요. 정확하게."

"9999조 9999억 9999번?"

······헐. 유치원 때 이후 들어본 적도 없는 숫자다.

"너무 양심 없는 숫잔데요. 그거 죽기 전에 채울 수 있는 숫자기는 해요?"

"으음······."

내 말을 들은 레이놀즈가 잠시 생각하던 표정을 짓더니 입을 열었다.

"안 되겠다."

"그렇죠?"

"응. 우리가 앞으로 80년을 산다고 가정하면 하루에 342,465,753,425번 해야 해."

"······."

쉬지 않고 키스만 해도 못 채울 횟수였다. 내가 황당해 하는 얼굴로 입을 쩍 벌렸다. 거기에 레이놀즈가 깜빡 잊었다는 듯 덧붙였다.

"반올림해서."

······반올림을 안 해도 그게 그거야, 이 사람아.

"현실적으로 정해요. 현실적으로."

"그래서. 얼마나?"

"음······."

잠깐 고민하던 내가 빠르게 해답을 냈다.

"6번?"

사실 이것도 좀 많긴 한데. 레이놀즈는 아닌 듯했다. 그가 눈살을 구기며 단박에 반대 의견을 냈다.

"너무 적어."

……이게 적다굽쇼?

"적지는 않은데요."

"4시간마다 한 번씩밖에 못 하잖아."

"나 참. 나름 유명한 횟수라고요, 이거."

"유명해? 왜?"

"아니, 왜 이런 노래도 있잖아요."

나는 큼큼 헛기침을 하며 목소리를 가다듬은 다음 '아아' 노래 부를 준비를 했다.

"하루에 네 번 사랑을 말하고."

"……?"

"여덟 번 웃고, 여섯 번의 키스를 해줘."

"그게 뭐야?"

"헐, 이 노래 몰라요?"

나는 당황한 목소리로 그에게 말했다.

"내가 한국에 살 때 자주 틀어줬잖아요."

"……아."

기억을 더듬던 레이놀즈가 어느 순간 고개를 끄덕이며 중얼거렸다.

"그러고 보니 들어본 것 같기도 하고."

"그렇죠?"

"근데 음이 좀 다른데."

"뭐, 뭐라고요?"

지금 나더러 음치라는 거야? 내가 황당하다는 듯 헛숨을 내쉬었다.

"나 이래 봬도 성가대 출신이에요."

"아, 그래? 전혀 몰랐네."

"……앞으로 노래는 안 부를게요."

결국 토라진 내가 눈을 가늘게 뜨며 고개를 홱 돌리자, 레이놀즈가 낮게 웃으며 내게 물어왔다.

"삐졌어?"

"삐지긴. 누가요."

"삐진 것 같은데."

"아, 안 삐졌……."

쪽!

짜증이 난 내가 고개를 다시 홱 돌렸을 때, 레이놀즈가 내 왼쪽 볼에 키스했다. 갑작스러운 입맞춤에 내가 황당해 하는 얼굴로 그를 쳐다보고 있는데, 레이놀즈는 아무렇지 않게 미소 지으며 내게 속삭였다.

"이건 여섯 번에 포함 안 되는 걸로."

"······일곱 번이나 키스해 주게요?"

"아니."

그가 씩 웃으며 고개를 저었고, 나는 '그럼?' 하는 얼굴로 그를 쳐다보았다. 하지만 레이놀즈는 나를 빤히 쳐다보기만 할 뿐 답이 없었다. 내가 눈을 가늘게 뜨고 그로부터 고개를 돌리려던 찰나였다.

"아······!"

그 순간 레이놀즈가 내게 입술을 겹쳐왔다. 갑작스럽게 느껴지는 따스한 온기에 순간적으로 놀라서, 나는 눈만 크게 뜬 채 벙벙하게 있었다. 레이놀즈는 그런 내 반응과는 상관없이 끝까지 정성스럽게 내게 입 맞출 뿐이었다. 그리고 부드럽게 입술을 떼어낸 후에, 레이놀즈는 '아름답다'는 형용사가 어울릴 미소를 지으며 나를 지그시 쳐다보았다. 나 역시 새삼스럽게 얼굴이 빨개진 채로 그를 응시했다. 평소와는 다르게 묘한 기분이 드는 키스였다.

"그냥 내 마음대로 할 거야. 최소 여섯 번 이상."

······그럴 거면 왜 물어봤어. 내가 황당하다는 얼굴로 그를 쳐다보았다. 하여튼 자기 멋대로라니까.

"진짜 이걸로 생일 선물 끝내시게요?"

"왜?"

"아니 너무 소박한 것 같아서······."

"하나도 안 소박해."

쪽! 다시 한번 볼 위에 입술이 닿았다 떨어졌다. ······아, 정말 시도 때도 없네.

"나한테는 엄청 특별한걸."

"……그런 거 같네요. 이렇게 자주 하시는 거면."

나는 황당하다는 듯 헛웃음을 흘렸다.

"이제 키스는 그만하시고, 마침 오셨으니 이거나 함께 봐요."

"이게 뭔데?"

"맥켈리드 백작부인이 주고 가신 거예요. 저 결혼식 때 입을 웨딩 드레스 디자인이래요."

"하루…… 입을 거 말하는 거지?"

"하루도 아니고 몇 시간이죠, 솔직히."

"근데 이렇게 양이 많다고?"

"그렇다네요. 근데 더 놀라운 사실 말씀드릴까요?"

"뭔데?"

"이것도 나름 선별된 거래요."

"……전혀 믿을 수가 없는데. 세상에 이것보다 더 많은 드레스 디자인이 있다고?"

"그렇대요. 저도 처음 알았어요."

"이걸 언제 다 보고 고르고 있어."

"그래도 저희 둘이 힘을 합치면 좀 금방 끝나지 않을까요?"

"……."

레이놀즈는 잠시 생각하는 표정을 짓다가 테이블 위에 놓여 있던 종이 뭉치를 손에 들었다. 그러더니 휘리릭 넘기면서 훑어보기 시작했다. 그런 그의 행동을 물끄러미 바라보고 있는데 잠시 후에 중얼거림이 들렸다.

"······내 눈이 이상한 건가."

"네?"

"어째 그게 그거 같아 보이는데."

그 말에는 사실 나도 전적으로 동의했다. 내가 보기에도 다 거기서 거기처럼 보였으니까. 그래도 나름 차이점이 있으니까 줬겠지······?

"일단은 마음에 드는 것만 추려서 보려고요."

"이거 고르다가 괜히 무리하는 거 아니야?"

"에이, 엄청 머리 쓰는 일도 아닌데요. 괜찮아요."

"나랑 같이하면 금방 끝날 거야."

그는 아무렇지 않게 내 침대 위로 올라가 옆자리를 툭툭 손바닥으로 쳤다. 내가 어리둥절한 얼굴로 그런 그를 바라보자, 그가 미소 지으며 입을 열었다.

"같이 보자고."

"지금요?"

나는 좀 당황스러워졌다. 같이 보자고 하긴 했지만 그게 지금이라는 뜻은 아니었는데······.

"정무 보셔야 하잖아요."

"급한 건 다 끝내고 왔어."

레이놀즈이 태연하게 말을 이었다.

"그리고 유린 관련한 일은 바로 처리하지 않으면 신경 쓰여."

"맙소사."

"어차피 머리도 쉬어줘야 하니까."

그가 빙긋 웃으며 다시 한번 제 옆자리를 툭툭 쳤다.

"이리 와."

나는 하는 수 없다는 듯 어깨를 으쓱인 다음 그의 옆으로 갔다. 자리에 앉자마자 레이놀즈가 내 허리를 부드럽게 감아왔다.

'속셈은 따로 있었구만.'

내가 눈썹을 찡그리며 레이놀즈를 쳐다보았지만 그는 태연하게 미소만 보내올 뿐이었다. 그 태연자약함에 할 말을 잃고 나는 결국 너털웃음만 터뜨렸다.

"어디 보자……."

레이놀즈는 '디자인이 다 거기서 거기 같다'는 아까의 말과는 상반되게, 상당히 꼼꼼한 태도로 디자인을 살펴보는 일에 임하기 시작했다.

"이건 치맛단이 너무 부풀었어. 기각."

"이건 가슴이 너무 파였군. 기각."

"이건 등 뒤 노출이 너무 심해. 기각."

……이건 뭐, 너무 꼼꼼한데? 내가 황당한 얼굴로 그가 마지막에

던져 버렸던 종이를 주워들었다.

"이게 뭐가 등이 파였어요. 이 정도면 괜찮은데."

"어깨선에서 10cm는 파여 보이는걸."

그게…… 보여? 나는 어이가 없어져 아무 말도 하지 못했고, 레이놀즈는 그런 나를 보며 씩 웃더니 다시 다른 디자인을 보기 시작했다. 뭐, 일이 이렇게 진행되면 편하긴 할 거 같은데. 레이놀즈가 다시 자체적으로 선별을 해주고 있으니까. 문제는…….

"폐하."

"응?"

"지금 기각을 안 하신 드레스가 전부 노출이 없는 것 같은데요."

"……."

그가 '들켰다'는 표정으로 눈알을 도로록 굴렸다. 나는 눈을 가늘게 뜨며 레이놀즈를 쳐다보았다. 어쩐지 종이 넘기는 속도가 빠르더라. 저런 기준을 가지고 있으니 선별이 빠를 수밖에.

레이놀즈가 변명하듯 서둘러 대꾸했다.

"그냥 예뻐서 둔 것뿐이야. 예뻐서."

"정말로요?"

"그럼. 그 증거로……."

레이놀즈가 가장 상단에 있던 종이를 집어 들어 내게 보여주었다.

가슴을 감싼 벨 라인의 드레스였다.

"이건 기각이 아니거든."

"……예쁘네요."

나는 인정할 수밖에 없다는 듯 고개를 끄덕였다. 그가 방싯 웃으며 손에 든 종이를 옆에 따로 두었다. 나는 레이놀즈의 왼편에 종이들이 차곡차곡 쌓여가는 모습을 가만히 바라보았다. 아무리 이런저런 기준들로 골라낸다 해도 워낙에 많았던 탓에 다시 선별된 종이량도 많았다. 내가 짧게 한숨을 내쉬며 물었다.

"이거 끝나기는 할까요?"

"당연하지."

레이놀즈는 전혀 어렵지 않다는 듯 대답했다.

"평소에는 지금의 몇 배 정도는 더 일하는걸."

"와…… 그래요?"

"당연하지."

"대단하신데요, 폐하?"

"그렇지?"

그가 씩 웃더니 뒤에 황당한 요구를 했다.

"그럼 키스해줘."

"……아까 했잖아요."

또 해? 이거는 거의 중독인데.

"아까는 아까고, 지금은 지금."

아, 정말. 나는 못 말린다는 듯 그를 흘겨보다가, 어쩔 수 없다는 표정으로 가볍게 볼 위에 키스했다. 이게 무슨 키스냐고, 뽀뽀니까 다시 해달라고 하는 건 아닌지 내심 걱정했는데 다행스럽게도 잇몸에 미소가 만개했다.

'그렇게 좋을까'

그 모습을 지그시 바라보고 있자니 나도 덩달아 웃음이 나왔다.

어쨌든 기분은 좋았다.

❦ ❦ ❦

"그럼 이제 이 5개 중에서 골라야 하는 거네요."

시간이 대략 3시간 정도 흘러서야 우리는 선별 작업을 어느 정도 마무리할 수 있었다.

'세상에, 이렇게 길게 걸릴 줄이야.'

그래도 어찌저찌 끝은 냈다. 참 장하다고 생각하면서 나는 침대 위에 놓인 다섯 장의 종이들을 쳐다보았다. 죄다 다른 모양의 드레스들이라 고르는 게 더 어려웠다. 머메이드 라인, 벨 라인, A라인, 슬렌더 라인, 엠파이어 라인. 아, 드레스 종류 진짜 많다.

"으음. 여기서 뭘로 해야 할까요?"

"유린이 원하는 걸로 해야지. 어떤 드레스를 가장 입고 싶은지 생각해봐. 평생 한 번 입을 웨딩드레스잖아."

"그렇죠……."

그 말을 들으니 기분이 갑자기 몽실몽실해졌다. 그런 내 허리를 부드럽게 뒤에서 안아오며, 레이놀즈가 달콤한 목소리로 말했다.

"너무 어려우면 천천히 생각해도 되고."

"아녜요. 이왕 여기까지 왔는데…… 빨리 결정해야 맥켈리드 백작부인도 좋아하실 거예요."

나는 다섯 장의 드레스를 뚫어질 듯 바라보다가, 한 3분 정도가 지났을 때 손가락을 들었다.

"이걸로 할게요."

"이것도 괜찮지."

내가 고른 것은 벨라인의 웨딩드레스였다. 아무래도 황후의 결혼식이니 최대한 기품이 있고 격식을 갖춘 디자인을 골라야겠다는 생각이 들어서. 너무 몸에 딱 달라붙는 디자인은 부담스러울 것이다. 어깨를 드러내면서도 소매는 팔꿈치까지 내려와서 관능적이면서도 우아한 느낌을 주는 드레스였다.

"사실 나도 이게 제일 마음에 들었는데."

"그러세요?"

"다른 건 너무 파였잖아."

"……."

할 말이 없어지는 이유에 나도 모르게 헛숨을 터뜨렸다. 레이놀즈는 옆에서 뭐가 그렇게 좋은지 연신 미소만 짓고 있었다.

내가 진심으로 궁금하다는 목소리로 물었다.

"뭐가 그렇게 좋으세요?"

"아니, 생각해 보니까."

표정만큼이나 목소리도 구름을 둥둥 떠 있었다.

"우리가 하고 있는 거, 영락없는 결혼 준비 같아서."

"갑자기 그런 생각이 드셨다고요? 새삼스럽게."

"새삼스럽긴 한데."

그가 부드럽게 내 뺨을 감싸 쥐며 읊조렸다.

"나는 이런 날이 올 줄 몰랐어."

"……."

"그래서 되게 기쁘네. 행복하고."

"……마찬가지예요."

나는 엷게 미소 지으며 내 뺨을 감싸는 레이놀즈의 손 위로 내 것을 겹쳤다. 그리고 지그시 그의 눈과 시선을 맞추었다.

"사랑해요."

뜬금없는 사랑고백은 그에게는 전혀 뜬금없지 않은 듯했다. 그 고백이 아주 자연스러운 것처럼 받아들여 주었으니까.

"나도 사랑해."

미소와 함께 똑같이 말해주는 레이놀즈를 바라보면서 나는 화사하게 웃었다.

❧ ❧ ❧

이튿날은 레이놀즈가 태어난 날이었다.

"귀걸이는 너무 화려하지 않은 걸로."

"머리는 단정하게 올려 드릴게요."

"역시 숄을 두르시는 게 나을까요?"

그리고 내가 처음 국빈들 앞에서 스스로를 소개하는 자리이기도 했다. 레이놀즈의 황후가 될 사람으로서 말이다. 때문에 나도 그렇지만 하녀들도 신경이 곤두서 있었다. 아주 중요한 자리였기 때문이었다.

"어휴, 잘할 수 있을지 모르겠어."

귀걸이를 걸어주는 아니스에게 불평조로 말하자, 그녀가 빙긋 웃으며 나를 북돋아 주었다.

"너무 어렵게 생각하지 않으셔도 됩니다, 영애."

"맞아요. 맥켈리드 백작부인께서도 배운 대로만 하라고 하셨잖아요."

그니까 그 배운 대로 잘할 수 있을지 걱정된다고요, 여러분……. 나는 짧게 한숨을 내쉬며 중얼거렸다.

"대형 실수를 한다거나 그런 건 아니겠지."

"계속 의식하시면 정말 하게 되실 거예요. 그러니까 신경 쓰지 마시고 평소처럼 행동하세요, 아가씨."

"맞아요. 자연스러운 모습을 보여주는 게 가장 중요하니까요."

"영애께서는 잘하실 거예요."

모두가 한 마디씩 거들어 주었고, 그제야 나는 조금 마음이 편해지는 것을 느꼈다. 거기에 아름다운 드레스와 액세서리로 화려하게 꾸미니 자신감은 점점 커져만 갔다.

하녀들이 내게 마지막으로 향수를 뿌려주고 있을 때였다.

"영애."

리셸이 속삭이는 목소리로 나를 부르며 방 안으로 들어왔다. 나는 눈을 살짝 크게 뜨고 리셸에게 물었다.

"무슨 일이야?"

"황제 폐하께서 오셨어요."

레이놀즈 등장이었다. 내 입가에 숨길 수 없는 미소가 떠올랐고, 그 모습을 보는 리셸의 얼굴도 흐뭇함으로 가득 찼다.

"유린."

잠시 후 레이놀즈가 방 안으로 모습을 드러냈다. 나는 발랄한 목소리로 그를 불렀다.

"폐하."

"이런."

그의 첫 마디는 난감하다는 기색을 잔뜩 띠고 있었다.

"이렇게 예쁠 줄은 생각도 못 했는데."

……나로서도 이런 첫 마디는 생각지 못 했다. 나는 어색하게 웃으며 아무 말도 못했고, 하녀들은 그제야 정신을 차리고 바깥으로

나가 주었다. 하지만 둘만 남게 된다고 해서 부끄러움이 사라지는
것은 아니다.

"너무 힘준 거 아닌가? 심장에 무리 오려고 하는데."

"그만 하세요, 폐하."

오버하신다, 또. 내가 민망함을 감추지 못하고 결국 손으로 얼굴
을 가렸다. 레이놀즈가 내게 가까이 다가오며 웃었다.

"가리지 마, 예쁜 얼굴."

"으아…… 그만 해요, 정말."

주변에 사람이 없어서 망정이지. 하녀들을 안 물렀으면 어쨌을
뻔했어. 하지만 레이놀즈는 얼굴을 가린 내 손을 굳이 굳이 옆으로
벌린 다음 나를 빤히 쳐다보았다. 미소와 함께 쳐다보는 시선이 이
상하게 부끄럽고 부담스럽다.

"정말 장난기 많으시다니까."

"뭐가 그렇게 부끄러운 건데."

"몰라요……"

그런 걸 어떻게 콕 짚어서 말할 수가 있겠어. 나는 빠르게 화제를
돌렸다.

"그보다 저 잘할 수 있을 거라고 한 마디만 해주세요."

"뭘 잘해?"

"오늘 폐하의 탄신일이라 국빈들도 많이 오신다면서요. 실수하
거나 잘못하는 건 아닌지 걱정스러워요."

"맥켈리드 백작부인 말로는 그대가 황후 수업을 아주 잘 받았다던데."

"그야 백작부인께서는 절 너무 좋게 봐주시니까요."

"지난번에도 말했지만."

그가 싱긋 웃으며 살짝 삐져나온 머리카락을 귀 뒤로 부드럽게 넘겨주었다. 섬세한 손가락이 귀 뒤를 부드럽게 만지는 손길이 기분 좋았다.

"백작부인은 그럴 사람이 아니야. 내가 알아."

"……폐하께서도 절 좋게만 봐주시는 건 마찬가지예요."

"자신감을 좀 키워야겠는데."

그가 '흐음' 하고 중얼거렸다.

"어떻게 해야 할까."

"오늘 옆에 있는 동안에만 손잡고 있어 주세요."

나는 씩 웃으며 그에게 말했다.

"그럼 좀 안 떨 거 같아."

"……진심이야?"

"왜요? 싫어요?"

"그 말은 오늘 하루 종일 곁에서 떨어지지 말라는 거잖아."

"아니, 꼭 그런 건 아니고……."

그냥 같이 있을 때만 손잡아 달라는 이야기였는데……. 묘하게 왜곡되어버린 말에 내가 어리둥절해 하는 사이, 레이놀즈는 걱정

말라는 듯 내 어깨를 부드럽게 툭툭 쳤다.

"아무런 걱정하지 마, 유린. 내가 유린에게 조금이라도 도움이 된다면, 오늘 하루 종일 잡고 있을게."

"아니, 폐하."

"손 잡고 같이 입장할까? 사실 그러려고 온 건데."

"……좋아요."

싫다고 말하기가 멋쩍어서 나는 그러자고 대답했다. 뭐, 휑하니 혼자 가는 것보다는 훨씬 낫겠지. 나는 슬그머니 먼저 레이놀즈의 손을 잡았다. 레이놀즈의 입가에 환한 미소가 떠올랐다.

"갈까요, 그럼?"

※ ※ ※

손잡기의 위력은 꽤 어마어마했다.

"저것 보세요. 폐하께서 사토르디 영애와 손을 잡고 나타나셨어요."

"어머, 정말 금실이 좋으신가 봐요."

"폐하께서 그렇게 사토르디 영애에게 목을 매신다죠?"

대부분은 나와 레이놀즈의 사이에 대해 부러워했고,

"흥. 저래봤자 결혼 전에만 잠깐이에요."

"맞아요. 결혼하고 나면 콩깍지가 금세 벗겨지실걸요?"

물론 시기하는 목소리도 간간이 들려오긴 했다. 대개는 레이놀즈의 황후 후보로 거론되었던 이들일 것이다. 나는 안 좋은 소리는 흘려들은 채 레이놀즈에게 물었다.

"진짜 오늘 하루 종일 이러고 계실 건가요?"

"헛소리하는 사람들에게 확실히 보여주기 위해서라도?"

······아, 들었구나. 나는 괜스레 그의 눈치를 보았다. 눈은 웃고 있는데, 입이 안 웃고 있었다.

"저런 식으로 우릴 모욕할 줄은 몰랐네."

"폐하, 참으셔야 해요. 아셨죠?"

나는 조바심에 빠르게 말했다. 내 말을 들은 레이놀즈가 여전히 웃는 얼굴로 나를 쳐다보았다. 말은 없었지만 '유린은 화나지도 않아?' 하고 물어보는 얼굴이었다. 나는 큼큼 헛기침을 한 다음 그에게 말했다.

"괜한 소리에 반응하실 시간 있으면, 저한테 좀 더 신경 쏟으시라고요. 그게 최고의 복수 아니겠어요?"

"뭐."

그가 일리 있다는 듯 피식 웃었다.

"틀린 말은 아니군."

"그렇죠? 그러니까······."

"오늘 계속 이러고 있어야겠어."

"······네."

차마 거기서 거절의 말을 할 수가 없어서, 나는 그냥 수긍해 버렸다. 에라, 모르겠다.

"근데 저 손에 땀 찰지도 모르는데."

"1시간마다 바꿔 끼면 돼. 괜찮아."

"아."

의외의 해결책에 내가 고개를 주억거리고 있을 때였다.

"폐하."

익숙한 목소리가 우리 두 사람 사이를 끼어들었다. 나와 레이놀즈의 시선이 자연스럽게 목소리의 주인에게로 모였다.

"아, 공작 전하."

목소리의 주인공은 루퍼트였다. 깔끔한 흰색 연미복 차림의 그가 머리를 단정하게 빗어 넘긴 채 우리 앞에 서 있었다. 나는 반가운 표정으로 그에게 인사했다.

"오랜만에 뵙습니다."

"네, 사토르디 영애."

마지막으로 본 것이 내가 황궁으로 귀환한 직후였으니, 한 달이 못 되기는 했지만 말이다.

"탄신을 경하드립니다, 폐하."

"고맙다, 루퍼트."

레이놀즈가 부드럽게 웃으며 동생의 인사를 받았다.

"어쨌든 오늘 이렇게 같이 한자리에 모일 수 있었던 건 다 네 덕분이지."

레이놀즈가 출정 전 루퍼트에게 내 안전을 부탁했다는 이야기는 환궁 후 전해 들었다. 루퍼트가 내가 실종된 일로 아주 심한 자책감에 시달렸다는 것도.

그래서인지 레이놀즈는 지난번에 셋이 만났을 때부터 이런 말을 자주 건네고 있었다. 나 또한 그의 노력에 거들었다.

"맞습니다, 전하. 그때 보내주신 병사들이 아니었다면 지금 전 여기 있지조차 못했을 거예요."

"감사합니다, 영애."

다행히 내가 무사히 살아 돌아왔기에, 루퍼트는 그때의 정신적 상처에서 어느 정도 헤어 나온 듯 보였다. 그가 마지막으로 보았을 때보다 한결 안정된 미소로 내게 말했다.

"지난번보다 표정이 많이 편안해지신 듯해서 다행이군요."

"전하께서도 마찬가지랍니다. 시간이 모든 걸 해결해 주니까요."

"그렇지요."

싱긋 웃은 루퍼트가 잠깐 잊고 있었다는 듯 말을 돌렸다.

"참, 두 분을 뵙고 싶어 하시는 분들이 많습니다."

"네? 그게 무슨……."

"이번에 황제 폐하의 탄신일을 맞아 많은 국빈들이 엘스워드를 방문해주셨거든요."

아, 이미 알고 있던 이야기였다. 나는 고개를 끄덕였다.

"맥켈리드 백작부인께 들었습니다."

"가서 함께 인사 나누시면 좋을 겁니다."

루퍼트가 부드러운 목소리로 내게 말했다.

"머지않아 엘스워드의 황후가 되실 분이니까요."

그 말이 내게 약간의 부담감을 주었다. 이미 모두가 알고 있고, 나로서도 가장 잘 알고 있던 사실이었음에도. 그때, 오른쪽 손에 약간의 악력이 느껴졌다.

'아⋯⋯.'

고개를 위로 올려다보니 레이놀즈가 나를 향해 미소 짓고 있었다.

그 미소가 나보고 너무 걱정하지 말라고 말하는 것 같아서 마음이 안정되었다. 나 또한 자연스럽게 미소 지으며 그의 손을 가만히 매만졌다.

"가시겠습니까?"

루퍼트의 물음에도 여전히 나는 레이놀즈를 바라보면서, 천천히 고개를 끄덕였다.

❦ ❦ ❦

국빈들과의 인사는 생각했던 것보다 무사히 마무리되었다.

실수하면 어쩌나 잘못하면 어쩌나 걱정했던 것과는 달리 나는 떨지 않으며 모두에게 스스로를 소개했다. 다행히 인사를 나눈 국빈들은 전부 나를 나쁘지 않게 보는 듯했다. 물론 내 착각일지도 모르겠지만, 분위기상 그랬다.

"안 피곤하세요?"

인사를 전부 마친 뒤 잠시 우리만의 시간이 났을 때, 나는 넌지시 레이놀즈에게 물었다. 하지만 그의 표정을 보자마자 나는 그가 조금도 피곤해 보이지 않음을 깨달았다. 처음과 다름없는 아주 멀쩡한 얼굴이었던 것이다.

'신기하단 말이지.'

어떻게 저렇게 안 지칠 수가 있을까. 난 지금도 힘들어 죽겠는데. 처음 겪는 자리인지라 심적인 스트레스도 심하고, 자연스럽게 체력 소모도 많이 되었다. 내 질문에 레이놀즈는 예상대로 고개를 저었다.

"난 괜찮은데, 피곤해?"

"조금요."

사실 많이 피곤했지만, 그랬다가는 이만 들어가서 쉬라고 할 것 같아서 거짓말을 했다. 하지만 내가 레이놀즈를 너무 과소평가했나보다.

"그럼 지금 중앙궁으로 돌아가자."

"⋯⋯지금요?"

내가 당황한 목소리로 묻자, 레이놀즈는 당연하다는 듯 고개를 끄덕였다.

"피곤하다면서. 무리하면 안 돼."

"아니, 쪼끔 피곤하다구요, 쪼오끔!"

"아니야, 유린은 지금 쉬어야 해."

그는 여전히 진지한 목소리로 내게 말했다.

"오늘 사람들도 너무 많이 만났잖아."

"그……렇긴 하지만."

"그리고 내가 유린하고만 시간 보내고 싶기도 하고."

아, 역시 그게 본심이었나. 내가 벙벙한 표정으로 그를 쳐다보았다.

"오늘 내 생일이잖아. 내가 좋아하는 사람하고만 있게 해줘."

그렇게 말하면 내가 이길 재간이 없었다.

'뭐, 어차피 나도 줄 게 있으니까.'

이런저런 생각 끝에, 나는 결국 고개를 끄덕였다. 여전히 레이놀즈와 손을 맞잡고 있는 채로.

※ ※ ※

우리는 곧바로 중앙궁으로 되돌아왔다.

시종들은 딱 반으로 나뉘어 중앙궁을 지키거나 탄신연에 참석했기 때문에, 평소보다는 한산한 분위기가 눈에 띄었다.

"저랑 뭐 하려고 여기 오신 거 아니었어요?"

나는 침대 위에 앉은 레이놀즈의 무릎 위에 가만히 누워 있었다. 좋아하는 사람하고만 있게 해달라기에 뭘 하려고 데려왔나 싶었는데, 특별히 하는 것 없이 계속 이렇게 누워만 있었다. 내가 조금 지루하다는 목소리로 말했다.

"계속 이러고 있으실 거면 그냥 파티장으로 돌아갈까요?"

"이러고 있는 거 별로야?"

"너무 지루하잖아요. 원래 이렇게 정적인 분이셨나?"

"지금도 충분히 즐거운데, 나는."

거짓말이 아니라는 걸 그의 짙은 미소가 보여주고 있었다.

"아무것도 안 하고 이렇게 가만히 유린만 쳐다보고 있는 거. 내가 가장 이상적으로 생각하는 삶이야."

"정말요?"

"그래. 모든 일에서 전부 벗어나서, 오직 유린만 바라보는 삶."

그가 부드럽게 웃으며 덧붙였다.

"평소에는 그러기가 쉽지 않잖아. 너무 바쁘니까."

"으음."

이해가 될 듯 말 듯했다. 그래도 본인이 원한다니까 오늘 하루만큼은 이렇게 있어 주기로 했다. 오늘은 레이놀즈의 생일이었으니까.

"그보다, 오늘 괜찮았어?"

"네?"

"탄신연 말이야. 피곤하거나 너무 힘들지는 않았냐고. 국빈 대접이라던가."

"아아."

나는 그제야 레이놀즈가 무슨 말을 하는지 이해하고선 고개를 끄덕였다.

"네. 괜찮았어요."

"아까는 조금 피곤했다며."

"중요한 일을 하는데 어떻게 조금도 안 힘들 수가 있어요."

힘든 건 힘든 거고, 그래도 괜찮은 건 괜찮은 거였다. 내가 조심스럽게 물었다.

"저 오늘 잘했나요? 실수한 거 없어요?"

"실수한 거 없어. 아주 잘했고."

레이놀즈가 씩 웃으며 답했다.

"아주 잘하던 걸. 모르는 사람이 보면 황녀인 줄 알았을 거야."

"왜요?"

"궁중의 예법이 아주 자연스럽게 몸에 배어 있어서."

"칭찬이 과하시네요."

그래도 듣기 싫지는 않아서, 나는 샐쭉 미소를 지었다.

"정말이야. 아까 국빈들 표정 못 봤어?"

"어땠는데요?"

워낙 긴장해서 뭐가 어땠는지 기억이 잘 안 났다. 내 되물음에 레이놀즈가 잘 들으라는 듯 목소리까지 가다듬고 말했다.

"다들 감동한 표정이었잖아. 유린이 너무 예쁘고 우아해서."

"아, 그건 아닌 거 같은데요."

"맞아."

그는 끝까지 민망한 칭찬을 접지 않으며 부드럽게 내 머리카락을 만져주었다.

"역시 걱정 안 하길 잘했다는 생각이 들더라고."

"걱정 안 하셨어요?"

"걱정을 왜 해?"

그가 이해 가지 않는다는 목소리로 반문했다.

"유린을 믿는데, 난."

"그거랑은 다른 문제죠."

"다르지 않아."

레이놀즈가 느릿하게 고개를 저었다.

"지금까지 잘해줬잖아. 부담 주려는 건 아니고, 그래서 이번에도 잘할 거라고 생각했어."

"그런 말은 좀 탄신연 전에 해주시면 좋잖아요. 그럼 제 긴장이 한결 더 풀렸을 텐데."

"아, 그렇네. 이런."

미처 생각하지 못했다는 목소리로 그는 중얼거렸다. 그러다 곧바로 말을 돌렸다.

"어쨌든 시작부터 이렇게 잘하면 앞으로는 더 잘할 것 같은데."

"그래야죠. 오늘 부족했던 부분은 보완해서 앞으로는 더 잘할 게요."

"아주 믿음이 가는데."

그가 만족스럽게 미소 지으며 내 이마 위에 가볍게 키스했다. 그 순간 나는 레이놀즈에게 가장 중요한 말을 해주지 않았다는 사실을 깨닫고 천천히 몸을 일으켰다. 내 갑작스러운 행동에 레이놀즈가 살짝 당황한 표정으로 나를 바라보았다.

"왜 그래?"

"드릴 게 있어서요."

"갑자기?"

"네."

나는 싱긋 웃으며 그에게 물었다.

"잠깐만 여기서 눈 감고 기다리실래요? 금방 올게요."

내 말을 들은 레이놀즈는 상황 파악을 하지 못한 사람처럼 어리 둥절해진 표정을 지었다. 하지만 곧 얌전히 내 말에 따랐다.

어유, 말 잘 듣는다, 우리 폐하. 나는 씩 웃은 다음 빠르게 자리에서 일어나 방 밖으로 나갔다.

내 방이 바로 옆에 있어서 다행이었다. 나는 빠르게 내 방으로 달려간 다음 책상 서랍으로 향했다. 거기서 예쁘게 포장이 되어 있는

작은 상자 하나를 꺼낸 뒤 방 밖으로 나와 다시 레이놀즈의 방을 향해 달려갔다.

그 모든 행동에 대략 3분 정도가 소요되었다. 컵라면에 뜨거운 물을 붓고 익기를 기다리는 시간. 길다면 꽤 긴 시간이라, 내가 들어오는 기척을 느낀 레이놀즈는 몹시 반가워하는 기색을 보였다.

"유린?"

"누구게요?"

"왜 이렇게 늦었어."

그가 낮게 웃으며 내게 물었다. 여전히 눈을 감고 있는 상태라, 나는 흡족한 기분이 들었다. 눈을 감고 있었음에도 혹시 몰라 상자를 등 뒤에 숨긴 내가 살금살금 레이놀즈의 곁으로 다가갔다.

"눈 뜨면 안 돼요."

"안 떠."

그가 살짝 웃음기 띤 목소리로 대꾸했다.

"나간 뒤에도 계속 감고 있었어."

"정말요?"

"그럼. 누구 명이신데."

대답이 아주 마음에 들었다. 나는 만족한 미소와 함께 느릿하게 입을 열었다.

"자아……."

"이제 눈 떠도 돼?"

"잠깐 손 좀 내밀어 보세요."

꽤 시키는 게 많았지만 레이놀즈는 군말 않고 내 지시에 전부 따라주었다. 나는 조심스럽게 상자를 레이놀즈의 손바닥 위에 올려놓았다. 레이놀즈가 조심스럽게 물었다.

"이제 눈 떠도 돼?"

"네."

내 허락을 받은 뒤에야 그는 눈을 떴다. 곧바로 손바닥 위에 올려진 상자를 확인한 그의 입가에 의미심장한 미소가 떠올랐다.

"이게 뭘까?"

"열어보세요."

나는 살짝 수줍은 목소리로 말했다.

"선물이에요."

"어제 키스가 선물 아니었어?"

"그런 걸로 때우긴 좀 그렇죠."

내가 고개를 절레절레 저으며 말했다.

"선물은 물질적인 부분도 중요하다고요."

"흐음."

선물을 열어 보기도 전인데 벌써부터 레이놀즈의 입가에는 만족스러워하는 미소가 떠올랐다. 나는 빙긋 웃으며 열어보라는 듯 고갯짓을 했다. 그가 조심스럽게 상자의 리본을 풀고, 뚜껑을 열었다.

"오……."

그리고 드러난 내용물에 그가 의외라는 표정을 지었다.

"손수건이네?"

"제가 직접 수놓았어요."

다시 한번 고갯짓하자 그의 시선이 손수건 우측 하단으로 향했다. 나와 레이놀즈의 퍼스트 네임이 분홍색 실로 수놓아져 있었다.

Reynolds♥Eurinete.

"이걸 진짜 유린이 수놓았다고?"

"그게 다가 아니에요."

나는 살짝 으스대는 목소리로 그에게 말했다.

"손수건을 펼쳐 보세요."

그 말에 레이놀즈가 손수건을 꺼내 조심스럽게 펼쳐 보았고, 이윽고 웃음을 터뜨렸다.

"이게 뭐야."

손수건 중앙에 아주 커다란 하트 모양이 있었는데, 그 안은 검은 고양이 얼굴로 가득 채워져 있었다. 나는 뿌듯한 목소리로 설명했다.

"검은 고양이에요. 우리 둘을 이어줬으니까."

엄밀히 말하자면 레이놀즈가 검은 고양이 자체였지만. 손수건 전체에 다닥다닥 수놓아진 검은 고양이를 보면서 그가 흐뭇한 미소를 지어 보였다. 싫어하는 눈치는 아니라 나은 속으로 안도의 숨을 흘렸다.

"마음에 드세요?"

"말이라고."

그가 빙긋 미소 지으며 말했다.

"유린이 준 건 다 좋아."

"그렇게 말씀하시면 만족도에 대한 신뢰감이 떨어지는데요."

"예쁜걸."

그가 고개를 저으며 내게 속삭였다.

"잘 쓸게. 고마워, 유린."

"생일 축하드려요, 폐하."

나는 싱긋 웃으며 그에게 한 뼘 더 가까이 다가갔다.

"그리고 이건."

그런 다음 그의 볼 위로 빠르게 입을 맞추었다. 쪽! 새가 한 번 지저귀는 것 같은 귀여운 소리가 귓가에 퍼졌다. 입술을 떼어낸 뒤에, 나는 살짝 부끄러워하는 얼굴로 말을 맺었다.

"추가 선물."

"……."

"마음에 드세요?"

"하……."

레이놀즈가 의미를 알 수 없는 소리를 내며 입꼬리를 끌어 올렸다.

"최고의 선물이야."

그와 동시에 그가 부드러이 내게 입을 맞추어 왔다. 나는 무의식적으로 눈을 빠르게 깜빡였다.

"아……."

"최고의 생일이고."

이런 상황을 예측 못 한 게 아니어서, 나는 작게 웃음소리를 내며 느릿하게 눈을 감았다. 입술에서 느껴지는 달콤함이 몸속 가득 퍼져 나갔다.

❧ ❧ ❧

여전히 손을 꽉 잡은 채로 우리는 침대 위에 누워 있었다.

아무래도 레이놀즈는 이 손을 풀 생각이 없어 보였다. 이제는 익숙해진 오른손의 온기를 매만지면서, 내가 슬슬 졸음을 느낄 즈음이었다.

"내일 시간 되나?"

질문을 듣고 고개를 돌리자, 언제부터였는지는 모르겠지만 나를 계속 바라보고 있었을 레이놀즈의 모습이 눈에 들어왔다. 나는 말없이 고개를 끄덕였다.

"같이 가고 싶은 데가 있어."

"어딘데요?"

"그건 나도 비밀."

레이놀즈가 씩 웃으며 덧붙였다.

"가보면 아는 곳이야."

"제가 가본 곳이라고요?"

"그건 아니고."

"근데 어떻게 알아요?"

"글쎄, 가보면 안다니까."

아리송한 말에 나는 가만히 미간을 좁혔다. 가본 적도 없는데 가면 안다니. 그게 무슨 소리인가 싶었다.

"그래서, 안 갈 거야?"

"이상한 데 아니죠?"

"이상한 데 아니야. 가면 좋아할지도 몰라."

"좋아하면 좋아하는 거지, '좋아할지도 몰라'는 뭐예요?"

"확신이 없어서? 그래도 거길 한 번 꼭 같이 가고 싶었어."

들으면 들을수록 미스터리하다. 도대체 어디길래 저렇게 말하는 거지? 하지만 아무리 머리를 굴려 봐도 딱히 추리해낼 만한 게 없었다.

"같이 가줄 거지?"

거부할 수 있을 리가 없었다. 나는 고개를 끄덕였다.

"좋아요."

♣ ♣ ♣

다음날, 나는 외출 준비를 했다.

"폐하와 밖으로 함께 나가시는 건 이번이 처음이시죠?"

"아니. 두 번째."

나는 기억을 더듬으며 말했다.

"아마 지난 건국제 때가 처음이었을 거야."

"으음. 맞다. 그렇네요."

리셸이 고개를 주억거리며 말했다.

"어쨌든 설레시겠어요. 오늘은 어디 가시는 거예요?"

"유감스럽게도 나도 그걸 몰라."

나는 고개를 절레절레 저으며 답했다. 레이놀즈는 결국 끝까지 오늘의 목적지를 말해주지 않았다. 당최 어딜 가기에 이렇게 꽁꽁 숨기는 건지.

"영애를 놀라게 해주려고 그러시나 봐요. 설마 프러포즈 같은 거 하시려는 건 아닐까요?"

"프러포즈?"

꽤 그럴싸한 가설이었지만 나는 곧바로 고개를 갸웃거렸다.

"그런데 황궁 말고 다른 데서 프러포즈를…… 할 만한 데가 있나?"

여긴 놀이공원이나 그런 것도 없는데. 솔직히 말하자면 황궁 후원처럼 아름다운 장소도 드물었다.

"으음…… 그러게요."

자기가 말해놓고도 자신이 없다는 듯, 리셸이 고민하는 표정을 지었다.

"황궁 후원처럼 예쁜 곳도 없는데."

"내 말이 그 말이야. 프러포즈는 아닌 거 같아."

나도 잠시 고민했다가, 꽤 싱거운 결론을 냈다.

"그냥 데이트 같은 거겠지."

"뭐 아무럼 어때요. 좋은 건 매한가지인걸."

"그렇지."

내가 씩 웃으며 자리에서 몸을 일으켰다. 화장도 예쁘게 잘 됐고, 머리카락도 곱게 말렸다. 리셸이 마지막으로 삐져나온 잔머리를 깔끔하게 뒤로 넘겨주던 때였다.

"영애."

바깥에서 아니스의 목소리가 들려왔다. 나와 리셸의 시선이 자연스럽게 문가로 향했다.

"황제 폐하께서 드셨습니다."

아, 타이밍 한 번 좋다. 마침 준비를 딱 마친 시점에 오다니. 나는 싱긋 웃으며 말했다.

"안으로 모시도록 해, 아니스."

곧바로 문이 열리고 레이놀즈가 모습을 드러냈다. 그는 상당히 깔끔하고 간편한 차림이었고, 그 모습은 사토르디에서 보냈던 시간들을 떠오르게 했다. 문득 비집고 튀어 오른 기억에 자연스럽게 미소가 나왔다. 리셸이 빠르게 방 안에서 나갔고, 동시에 레이놀즈는 내게로 다가왔다. 그가 다정한 목소리로 내 이름을 불렀다.

"유린."

"오셨어요?"

나는 눈웃음과 함께 그를 맞아주었다. 어디로 가든 두 번째 궁 밖 데이트여서 잔뜩 설렐 수밖에 없었다. 그런 내 기분을 알아차리고 레이놀즈가 말했다.

"오늘 좀 들뜬 것 같은데."

"들떴죠. 간만의 궁 밖 외출이잖아요."

나는 굳이 숨기지 않고 고개를 끄덕였다.

"마지막으로 환궁한 뒤로는 폐하께서 절 무슨 갓난아기처럼 보셔서 궁 밖으로는 조금도 못 나가게 하셨고요."

그 시기의 레이놀즈는 정말로 나를 금방이라도 깨질 유리처럼 보았다. 거의 병적으로 내 안전에 집착했으니까. 부정할 수 없는 과거의 행적에 레이놀즈가 큼큼 헛기침을 하며 변명했다.

"그……건 순전히 안전 때문이었지."

"무디어스 공녀가 출국하고 무디어스 공작이 낙향한 뒤에도 그러셨어요. 그 두 사람 아니면 절 해칠 사람이 누가 있다고."

"알았어. 이제부터는 자주 밖으로 나가야겠네."

"폐하께서도 같이 가시겠다는 뜻으로 들리는데요, 그거."

"당연히 나도 함께 가야지."

"저 혼자 나가도 되는데요."

내가 조금 당황한 목소리로 말했다.

"바쁘시잖아요, 폐하는."

"유린에게 쓸 시간은 있어. 언제나."

그 대답이 좀 감동이라, 나는 순간 아무 말도 못하고 멈칫했다. 내 등 뒤를 부드럽게 쓸어 주면서 레이놀즈가 말했다.

"이제 가볼까?"

"그래서, 어딘지는 끝까지 말 안 해주실 거고요?"

"미리 알려주면 재미없잖아."

그가 미소와 함께 내 손을 부드럽게 맞잡았다.

"선물 받는 거라고 생각해."

❧ ❧ ❧

결국 레이놀즈는 마차에 타고나서도 끝까지 목적지를 말해주지 않았다.

'도대체 어디 가는 거지.'

황궁에서 벗어난 지는 꽤 된 것 같은데, 아직도 도착을 안 했다.

나는 조금 긴장이 되기도, 설레기도 했다. 이렇게 멀리까지 나와 본 적은 처음이다. 혼자서는 물론이고, 둘이서도.

"얼마나 더 가야 해요?"

"다 왔어."

"······아까도 똑같은 말씀 하셨는데."

"언제?"

"30분 전에요."

"이제 진짜 진짜 다 왔어, 유린."

레이놀즈가 '진짜 진짜'에 힘을 주며 말했다.

"조금만 더 가면 돼."

그 '조금만'의 범위가 몹시 애매한 것이었다. 나는 레이놀즈의 말을 어디까지 믿어야 하나 심히 고민스러워졌다. 레이놀즈가 슬며시 내 눈치를 보며 물어왔다.

"멀미 나?"

"아뇨, 그건 아닌데."

"조금만 기다리면 돼. 정말이야."

그리고 그의 말마따나, 정확히 10분 후가 되어서 마차는 멈추어 섰다. 레이놀즈는 마차 타는 시간이 더 길어지지 않아 다행이라는 얼굴로 마차 안에서 내렸다. 레이놀즈를 따라 마차에서 내린 내가 어리둥절한 눈으로 오늘의 목적지를 둘러보았다.

"여기가 어디예요?"

일반적인 정원처럼 보이는 곳이었다. 한 마디로 특별한 게 없어 보였다는 이야기다. 내 질문에 레이놀즈가 빙긋 웃으며 되물었다.

"어디일 거 같아?"

"그냥 정원 같은데……."

"정원 맞아."

그는 고개를 끄덕인 뒤 덧붙였다.

"조금 특별한 게 있는 정원이지."

"그게 뭔데요?"

"들어가 보면 금방 알 거야."

레이놀즈는 더 자세한 설명을 해주지 않았다. 나는 고개를 갸웃거리면서도 그의 손을 잡고 일단 정원 안으로 들어갔다. 사람은 그리 많지 않았고, 정원의 꽃들도 그리 특별한 게 없어 보였다. 굳이 여기까지 와서 흔하디흔한 장미를 봐야 할 이유를 모르겠다는 소리였다.

하지만 이왕 여기까지 함께 온 데다, 괜한 불평으로 분위기를 망치고 싶지 않아 그저 말없이 주변을 둘러보고 있던 즈음이었다.

"나옹."

분홍색으로 핀 장미를 바라보고 있는데 발밑에서 갑자기 고양이 소리가 났다. 예상치 못한 소리에 깜짝 놀란 내가 눈을 크게 뜨며 소리가 난 쪽을 바라보았다.

흰색 고양이 한 마리가 나를 빤히 바라보고 있었다. 그 모습을 보

고 괜히 기분이 좋아져서 나는 그 자리에 쭈그려 앉아 고양이를 쓰
다듬었다.

"안녕?"

"냐옹."

"너 여기 사니?"

"냐-"

"아이, 귀여워."

고양이 덕분에 갑자기 기분이 좋아진 나는 고양이의 등 부분을
부드럽게 쓰다듬었다. 기분이 좋아진 고양이가 그르렁거리는 소리
를 내며 내 앞에 엎드리고 있을 즈음이었다.

"냐옹."

"냐옹."

"냐옹."

갑자기 고양이 울음소리가 동시다발적으로 들려왔다. 고개를 들
어 올려 무슨 일인지 살펴보니, 다 세기가 어려울 정도로 수많은 고
양이들이 정원에 있었다! 내가 당황한 눈으로 레이놀즈를 쳐다보
며 물었다.

"이, 이게 다 뭐예요?"

"뭐긴."

그리고 레이놀즈는 나와는 대조적으로 몹시 평온해 보이는 모습
이었다.

"고양이지."

"다 여기 사는 애들이에요?"

"그래."

그가 고개를 끄덕이며 말을 보탰다.

"고양이가 아주 많이 사는 정원이야. 그래서 고양이 정원이라고
불리지."

"사토르디 말고도 고양이 정원이 있다고요?"

"그래. 꽤 유명한 곳이야."

레이놀즈가 엷게 웃은 다음 덧붙였다.

"사토르디로 가면 유린이 눈치챌 것 같아서."

"절 군이 여기로 데려오신 건……."

"사토르디에서 내게 했던 말 기억 나?"

"네?"

갑작스럽게 나온 이야기에 나는 어리둥절한 얼굴로 레이놀즈를
쳐다보았다. 그는 기억 못 할 줄 알았다는 얼굴로 천천히 내 앞에
함께 쭈그려 앉았다. 그러더니 나를 지그시 바라보며 답을 말했다.

"날 잃었던 경험 때문에 고양이를 별로 좋아하지 않게 됐다고 그
랬잖아."

"……아."

기억이 났다. 이곳에서 레이놀즈와 만나고 얼마 지나지 않았을
때 그에게 했던 말이었다. 나는 무의식 중에 고개를 끄덕였고, 그는

부드럽게 내 손을 잡아 쥐었다.

"그래서 언젠가 꼭 한 번 이곳에 와보고 싶었어."

"왜요?"

"나 때문에 더 이상 아픈 기억을 간직하지 않았으면 해서."

레이놀즈가 내 손을 잡고 천천히 나를 일으켰다. 나는 자연스럽게 그의 움직임에 이끌려 자리에서 일어났다. 내가 일어난 뒤에도 그는 계속 내 손을 잡으면서, 부드러운 목소리로 말했다.

"난 살아 있어, 유린."

"……."

"단 한 번도 숨 쉬지 않았던 적 없이."

그러니까, 아팠던 기억은 다 잊고 이제 행복해지자고 그는 내게 말하려는 것 같았다.

순간 왈칵 감정이 치솟아 눈가가 뜨거워졌다. 눈물을 보이고 싶지 않아 눈에 힘을 주면서, 나는 레이놀즈를 똑바로 바라보았다. 그런 나를 지그시 바라보던 레이놀즈가, 어느 순간 품에서 무언가를 꺼냈다. 그것이 무엇인지 깨달았을 때, 나는 결국 참지 못하고 눈물을 흘리고 말았다.

"나와 결혼해 줄래, 유린?"

"아……."

"아픈 일 없이, 슬픈 일 없이."

그가 조곤조곤, 속삭이는 목소리로 내게 말했다.

"항상 행복할 수 있도록, 곁에서 최선을 다하고 싶어."

"……."

"그런 기회를 줬으면 좋겠어."

마지막은 미소였다. 그 미소를 보자 더 머뭇거릴 수가 없어졌다. 나는 크게 고개를 끄덕였고, 그의 입가에 걸린 미소는 더욱 환해졌다. 그가 부드럽게 내 왼손 약지 사이로 빛나는 보석 반지를 끼워주었다. 그러더니 부드럽게 내 볼을 감싸 쥐며 엄지로 눈물 자국을 닦아주었다.

"사랑해, 유린. 아주 아주 많이."

그가 부드럽게 내게 입 맞춰왔고, 나는 미소와 함께 그를 끌어안았다.

주변에서 고양이들이 야옹- 야옹- 우는 소리가 들려왔지만, 그 순간 내가 감각할 수 있는 건 오직 나를 감싸는 입술의 달콤함과, 나를 안아 주는 너른 품의 따스함, 그리고 내가 느끼는 것보다 훨씬 더 클 그의 사랑뿐이었다.

"나도 사랑해요."

어쩌면 처음 만난 순간 그를 알아보았던 것은, 결국 모든 일이 이렇게 되리라는 전조였을지도 모른다.

어쨌든 우리는 처음부터 서로에게 특별했고, 항상 서로를 그리워했으며, 그리하여 결국은 늘 함께였다.

"아주 아주 많이."

우리는 변함없이 사랑할 것이다. 이미 서로가 서로에게 구속되어 헤어 나올 수 없는 마음을 간직했기에.

〈본편 완결〉

외전 1

The Wedding Day

❋

"여기 결혼해본 사람 있어?"

내 질문에 모두 어리둥절한 표정으로 나를 쳐다보았다. 있을 리가 없었다. 에이미도 미혼, 아니스도 미혼, 리셸도 미혼, 패티는 당연히 미혼. 그러니까 도움을 청할 상대가 없었다.

참고로 맥켈리드 백작부인도 미혼이었다. 나는 미치겠다는 표정으로 얼굴을 감쌌다. 그 모습을 본 하녀들이 경악하며 나를 말렸다.

"아가씨, 화장 다 지워져요."

"얼굴 만지지 마세요, 영애!"

"황후 폐하라고 불러야죠, 이젠."

"아, 맞다. 죄송해요. 아직 익숙지가 않아서⋯⋯."

나도 안 익숙해, 나도⋯⋯.

나는 떨리는 표정으로 아니스를 바라보며 물었다.

"결혼식 시작 전까지 얼마나 남았지?"

"30분입니다, 폐하."

"고작 그것밖에 안 남았어?"

내가 경악한 얼굴로 묻자, 아니스가 태연한 표정으로 답했다.

"1시간 전까지만 해도 도대체 언제까지 기다려야 하느냐고 물어보셨어요."

……그랬던 것도 같다. 하지만 막상 결혼할 시간이 다가오자 미친 듯이 떨리는 것이었다. 내가 뭐 마려운 강아지처럼 안절부절못하고 서 있자, 그런 내 모습을 본 패티가 너무 걱정 말라는 듯한 목소리로 나를 진정시켜 주었다.

"너무 걱정 마세요, 폐하. 잠깐만 서 계시면 금방 끝날 거예요."

"난 그것보다 내가 곧 유부녀가 된다는 사실이 믿기지 않아."

나는 한숨을 푹 쉰 다음 중얼거렸다.

"너무 걱정이 돼……. 내가 잘할 수 있을까."

"시녀 일도 처음에는 그러셨어요."

내 걱정을 듣고 있던 에이미가 조용히 말해주었다.

"그래도 결국은 잘해내셨죠. 맥켈리드 백작부인도 극찬해주셨잖아요."

"맞아요, 폐하. 분명 황후 역할도 잘해내실 거예요."

"정말 너희들뿐이야."

……라고 말한 뒤에, 나는 슬며시 물었다.

"지금이라도 미루자고 하면 안 되겠지."

"안 돼요."

"저희도 어서 시녀 직함을 달고 싶다고요!"

하녀들, 아니 이제는 시녀들이 된 네 사람이 격렬하게 반대했다.

네 사람은 내가 황후로 봉해짐에 따라 시녀로 승격될 예정이었다.

내가 시녀였던 시절부터 나를 모셨다는 공로였다.

"너무 떠실 필요 없으세요, 폐하. 어쨌든 오늘은 기쁜 날이잖아요?"

분명 그랬다. 사랑하는 남자와 결혼으로 한 가정 안에 묶이는 날이었으니까. 그 상대가 이 드넓은 엘스워드를 다스리는 남자라는 게 조금 부담스럽긴 했지만.

"나는 사실 다른 것도 걱정돼."

내 말에 네 사람이 눈을 동그랗게 뜨고 나를 쳐다보았다. 그 부담스러운 시선에 나는 잠깐 말을 잇지 못하고 더듬거렸다.

"그, 그러니까……."

"그러니까……?"

"초야 말이야."

"……아."

"아아……."

다들 한 박자씩 늦은 반응을 보였다. 빠르게 얼굴이 붉어진 상태였다. 내가 조심스럽게 물었다.

"혹시 여기서 경험 있는 사람……."

"없어요, 폐하."

"폐하께서 전부 다 처음이세요."

……너희 다 도움이 안 되는구나.

"황제 폐하께서 드셨습니다."

그때 대기실 바깥에서 전혀 예상치 못했던 말이 들려왔다. 결혼식 시작까지 이제 채 30분도 채 남지 않았기 때문이었다. 내가 당황한 얼굴로 입을 열었다.

"어서 안으로 모셔."

곧바로 문이 열리고 레이놀즈가 모습을 드러냈다. 참고로 나는 오늘 그와 처음 보는 것이었다.

'와…….'

그리고 레이놀즈를 처음 보는 순간, 나도 모르게 마른 침이 넘어갔다. 나는 그에게 인사하는 것도 잊고 레이놀즈를 빤히 바라보기만 했다. 대기실 안으로 들어서면서, 레이놀즈는 그런 나를 보고 피식 웃었다.

"내가 그렇게 잘생겼나?"

"두말하면 입 아프네요."

내 광대가 하늘 위로 승천했다. 그만큼 오늘의 레이놀즈는 정말 환상적으로 잘생겼다.

"오늘 너무 멋지신데요, 폐하. 이상하네. 평소랑 특별히 달라진 게 없는 것 같은데."

"남자들 준비가 단순한 것 같아 보여도, 나름 열심히 꾸민 거야."

그가 으스대는 목소리로 덧붙였다.

"물론 본판이 훌륭하다는 게 가장 큰 이유겠지만."

두말하면 입 아픈 소리였다. 나는 씩 웃다가 물었다.

"여기까진 어쩐 일이세요?"

"왠지 긴장하고 있을 것 같아서."

그때 갑자기 레이놀즈가 내 두 손을 덥석 잡았다. 갑작스러운 스킨십에 나는 움찔 놀라며 레이놀즈를 쳐다보았다. 그가 은은한 미소와 함께 나를 바라보고 있었다. 내가 영문 모를 얼굴로 그를 쳐다보고 있는데, 부드러운 목소리가 들려왔다.

"했구나."

"……."

"긴장."

"했죠."

나는 얼떨떨한 목소리로 답했다.

"어떻게 안 하겠어요."

"뭐가 그렇게 걱정이 돼?"

그가 내 엄지 위를 가만히 매만지며 물었다. 매끈한 장갑의 질감이 피부를 스치는 질감이 기묘하다. 나는 큰 고민 없이 대답했다.

"그냥 잘할 수 있을지 걱정이 돼서요."

"뭘?"

"결혼식이든, 결혼생활이든."

"잘할 거야."

그 대답은 큰 고민 없이 내뱉어진 것처럼 들려서, 나는 미간을 좁히며 지적했다.

"너무 성의 없는 격려라고 생각하지 않으세요?"

"하지만 사실인걸."

그가 빙긋 웃으며 말했다.

"어차피 나와 함께할 거니까."

"……"

"힘들면 말해. 언제든."

"별로 위안이 안 돼요."

"앞으로 우리의 인생은."

나직한 목소리로 그가 말했다.

"서로가 서로에게 의지하며 걸어가는 길이야. 마차의 네 바퀴처럼. 네 개 중 하나만 고장 나도 제대로 굴러갈 수 없지."

"……"

"그러니까 고장 나기 전에 꼭 말해야 할 거야."

"무슨 말인지 알았어요."

꽤 찰떡같은 비유라고 생각하면서, 나는 레이놀즈를 흘긋 바라보며 물었다.

"그럼 폐하께서도 힘든 일이 생기시면 제게 말해 주실 건가요?"

"당연하지."

레이놀즈가 결연한 얼굴로 고개를 끄덕였다.

"아내와 남편 사이에는 그 어떤 비밀도 없어야 해."

"이러고 비밀 만드는 건 아닌가 몰라."

"절대 그럴 일 없으니 안심해."

그가 피식 웃으며 내게 말했다.

"이제 그만 좀 말하라고 날 말릴 수도 있어."

설마 그러겠느냐고 말하려다가, 나는 빠르게 생각을 고쳐먹었다. ……어쩌면 레이놀즈라면 정말 그럴 수도 있겠다 싶어서.

"좋아요."

어찌 되었건, 나는 싫지 않다는 얼굴로 고개를 끄덕였다.

"와주셔서 감사해요. 시간 촉박할 텐데……. 이렇게 이야기 나누니까 한결 마음이 편해지네요."

"역시 나뿐이지, 유린?"

"네."

나는 싱긋 웃으며 발끝을 들어 올렸다. 그리고 조심스럽게 그의 이마 위에 키스했다. 부드러운 입술이 짧게 이마 위에 붙었다 떨어졌다.

"결혼하기 전 마지막 키스네요."

"······그렇네."

더 하고 싶어 하는 게 눈에 선했다. 하지만 한 번 더 하면 가볍게 끝나지 않을 거라는 걸 나는 알았다. 그렇게 되면 화장도 다시 해야 할 것이고, 결국 결혼식에도 늦을 거라는 것도. 그의 본심이 그대로 읽혀 자연히 웃음소리가 나왔다.

"좋은 아내가 될게요, 폐하."

나는 그에게 본심을 담아 말했다. 뜻밖의 고백이라고 생각했는지 레이놀즈는 약간 당황해 보였다. 하지만 그것도 잠시.

"좋은 남편이 될게, 유린."

그가 고개를 숙여 내 이마에 키스하면서, 조용하고 달콤하게 속삭여 왔다. 결혼식이 시작되기 전, 우리는 둘만의 언약식을 가진 셈이었다. 그렇게 서로가 서로를 바라보며 달콤한 시선을 공유하고 있을 때였다.

"이만 나가셔야 합니다, 폐하."

바깥에서 애슐리 경의 목소리가 들려왔다. 이제는 정말 헤어질 시간. 머지않아 다시 만날 테지만 아쉬운 건 어쩔 수 없었다. 나는 그와 눈짓으로만 인사했고, 마침내 레이놀즈가 대기실에서 나갔다.

"휴우······."

혼자 남겨진 내가 아까보다 가벼워진 얼굴로 숨을 길게 내쉬었다.

마침내 결혼식이 시작되려 하고 있었다.

❧ ❧ ❧

"네가 결혼을 한다니 믿기지 않는구나."

사토르디 자작의 말에 나는 고개를 옆으로 돌렸다. 그 말에는 나도 절절히 동감하는 바였다.

"저도 사실 지금까지 믿기지 않아요."

레이놀즈를 만나고, 사토르디에서 보낸 시간이 엊그제 이야기 같은데. 황궁에서 그의 시녀로 있었던 시간은 말할 것도 없고. 나는 그 모든 시간을 빠르게 회상하면서 천천히 눈을 감았다. 파노라마처럼 지난 시간들이 눈앞에 그려졌다.

"잘 살아야 한다, 유린."

아버지의 다정한 걱정이 마음을 울렸다. 나는 눈을 뜨고 물론이라는 듯 고개를 끄덕였다.

"전 지금 행복해요, 아버지. 걱정 마세요."

나는 미소와 함께 덧붙였다.

"그리고 앞으로 더, 더 행복해질 거예요."

이런 말처럼 아버지를 안심시키는 말도 없겠지. 내 기대가 헛되지 않은 듯 사토르디 자작은 인자하게 미소 지었다. 결혼을 앞둔 딸의 입에서 그런 말이 나오는 것처럼 기쁜 일도 없으리라. 나는 사토르디 자작과 눈을 맞추며 정말 행복한 사람 같은 미소를 지었다.

"사토르디 영애, 입장하십니다."

마침내 입장할 시간이었다. 문이 양쪽으로 열리고, 내 모습에 온 시선을 집중한 하객들의 모습이 보였다. 나는 떨리는 감정을 애써 숨기며 버진 로드를 천천히 걸어 나갔다. 이 순간, 주변은 살짝 시끄러웠지만 내게는 아무 소리도 들리지 않는 것처럼 느껴졌다.

저 멀리로 레이놀즈의 모습이 보였다. 그가 나를 기다리는 마음이 절절하게 내게 닿았다. 이상하리만치 그에게로 가는 길이 멀게 느껴졌다.

'분명 결혼식 전에 와서 확인했을 때는 짧은 거리였던 것 같은데.'

이상하게 오늘은 더없이 멀어 보였다.

"폐하."

"유린."

하지만 어쨌든 우리는 그 먼 거리를 좁혀 만나게 되었다. 사토르디 자작이 내 손을 레이놀즈에게로 넘겨주었다. 그 마지막 순간에 자작이 복잡해 보이는 눈빛으로 레이놀즈를 바라보는 모습이 보였다. 그는 한마디도 하지 않았지만, 눈빛으로 '우리 딸을 잘 부탁합니다'라고 말하는 것 같았다. 그리고 레이놀즈는 아마 걱정할 필요 없다고 똑같이 눈으로 말하고 있겠지.

"……즉, 결혼은 서로 다른 두 사람이 하나가 되는 과정으로, 이

과정은 결코 순탄치만은 않을 것……."

잠시 후 주례사가 시작되었다. 하지만 내 귀에는 이상하게 아무 것도 제대로 들려오지 않는 것 같았다. 그저 웅웅거리는 소음만 들려올 뿐이었다. 아마 긴장의 여파겠지. 이 주례사가 끝나고 신랑 신부 맹세를 마치면 우리는 정말로 부부가 되는 것이었으니까.

그 위대하고 장엄한 순간을 잘 버텨낼 수 있을까. 벌써부터 걱정과 기대가 동시에 쏟아졌다.

'아…….'

그 순간, 미지근한 손가락이 차가워진 손가락을 감쌌다. 레이놀즈의 손이었다. 그는 장갑을 끼고 있었던 탓에 평소보다 손이 덜 찼지만, 나는 긴장감으로 손이 많이 차가워진 상태였다. 그의 손은 결코 따뜻하다고는 말할 수 없었지만, 마음은 그 어떤 때보다도 따뜻하게 느껴졌다.

나는 미소 지으며 고개를 티 나지 않을 만큼 돌렸다. 레이놀즈 역시 똑같이 고개를 돌려 나를 바라보고 있는 게 느껴졌다.

"……하지만 결국 사랑은 모든 것을 가능하게 만드는 기적이 돼 줄 것입니다."

마침내 주례사가 똑바로 들려왔고, 그것은 곧이어 결혼식의 끝을 고했다.

"신랑은 그 어떤 고난과 역경이 닥쳐도 아내만을 사랑하고, 평생 곁을 지키며 함께할 것을 맹세합니까?"

"맹세합니다."

"신부 역시 그 어떤 고난과 역경이 닥친다 해도, 남편만을 사랑하고 영원토록 함께할 것을 맹세합니까?"

그 질문에, 나는 생각했던 것보다 망설임 없이 대답할 수 있었다.

"맹세합니다."

물론, 나는 무슨 일이 있어도 그의 곁에서 영원히 함께할 생각이었으니까.

꽃 꽃 꽃

결혼식 다음에는 곧바로 피로연이었다.

"결혼 축하드립니다, 황후 폐하."

"분명 행복하게 잘 사실 거예요."

"감사합니다."

다행스럽게도 분위기는 결혼 전 레이놀즈의 탄신 연회 때와 크게 다르지 않았다. 아마 그때 연회가 내가 황후로 내정된 후 열렸기 때문인 듯했다. 덕분에 나는 생각했던 것보다 편안한 분위기에서 귀족들과 이야기를 나누며 시간을 보낼 수 있었다. 레이놀즈 역시 많은 귀족들의 축하를 받으며 피로연장에서의 시간을 보냈다.

그래서 내가 깜빡하고 있던 게 있었는데…….

"분명 많은 황자, 황녀님을 낳고 잘 사실 거예요."

"얼른 황자 전하를 낳으셔야 할 텐데요. 아시다시피 폐하께서 나이가 좀 있으시잖아요?"

"어머, 부담 드리지 마세요, 부인! 이제 막 결혼하신 분께."

"절대로 그런 의도는 아니었습니다, 황후 폐하."

바로 피로연 이후에 초야를 치러야 한다는 점이었다.

❧ ❧ ❧

피로연이 끝난 건 저녁 무렵이었고, 나는 황후궁에 발을 들였다.

"황후 폐하를 뵙습니다."

"황후 폐하를 뵙습니다."

황후궁에 오는 건 처음이었다. 리그레트의 생모인 선대 황후가 죽은 후에는 계속 비어 있는 궁전이라고 했다.

물론 그 사실과는 별개로 관리는 몹시 잘 되어 있었지만.

"황후궁에 오신 것을 환영합니다, 폐하."

그리고 나를 맞아주는 또 다른 한 사람이 있었다. 내가 활짝 미소 지으며 입을 열었다.

"맥켈리드 부인."

"오늘부터 황후궁의 시녀장을 맡게 되었습니다. 잘 부탁드립니다."

본디 중앙궁의 시녀장이었던 맥켈리드 백작부인은 원래의 자리를 다른 사람에게 일임하고 내게로 와주었다. 오늘부터는 황후궁의 시녀장이었다. 나로서도 생판 모르는 사람보다는 면식이 있는 맥켈리드 백작부인이 훨씬 나았다. 다만 그녀의 휘하에 있다가 이제는 부리는 처지가 되었다는 사실이 조금 적응 안 되기는 했다.

"피곤하실 텐데 이만 목욕부터 하시지요. 식사를 준비해 놓겠습니다."

"고마워요, 부인."

"하대를 하시지요, 폐하. 이제는 황후시니까요."

"아, 네."

나는 머쓱한 표정으로 고개를 끄덕였다.

다른 사람들에게는 하대가 쉽게 되었지만, 맥켈리드 백작부인에게는 아직 어려웠다. 아마 시간이 해결해줄 것이라고 생각하면서, 나는 시녀들의 도움을 받아 무겁고 치렁치렁한 피로연 드레스를 벗었다.

"휴……."

목욕물은 따뜻했고, 아침부터 느꼈던 피로가 전부 풀리는 기분이었다. 나는 천천히 눈을 감고 하녀들의 손길에 몸을 맡겼다.

목욕은 1시간이 넘게 지속되었고, 마치고 나오자마자 패티가 발랄한 표정으로 내게 달려왔다. 그녀는 맥켈리드 백작부인을 도와 저녁 식사 준비를 감독하고 있었다.

"영…… 아니, 폐하!"

아직까지는 바뀐 호칭이 입에 안 붙는 모양이었다. 뭐, 그건 나도 마찬가지니까.

"안녕, 패티. 황후궁에서 보니 색다르네."

"저도 그래요. 저녁 식사 준비가 다 되었답니다."

그 말과 함께 패티는 엄청난 비밀이라도 되는 것처럼 속삭였다.

"그리고 다들 하나같이 맛있어 보여요! 역시 황후 폐하의 식탁이라 다른가 봐요."

"그래, 패티. 드레스 입고, 머리카락 다 말린 다음에 먹으러 갈게."

"네. 그럼 저는 다시 맥켈리드 백작부인께 가 볼게요!"

상큼한 한마디를 남기고 패티는 다시 사라졌다. 그 모습을 보던 리셸이 키득키득 웃으며 말했다.

"어지간히 신났네요, 패티가."

"모든 게 다 처음일 테니까."

나는 어깨를 으쓱이며 대답했다.

"나도 모든 게 처음인 건 매한가지 입장인데, 왜 이렇게 떨리는지 모르겠다."

"시녀와 황후가 같은가요. 폐하께서는 떨리시는 게 당연해요."

"후…… 그렇겠지?"

나는 여전히 긴장한 목소리로 중얼거렸다.

"잘해야 할 텐데."

ᔅ ᔅ ᔅ

드레스를 입고 머리카락을 말리는 데는 한 시간 정도가 또 소요
되었다. 그래서 처음 황후궁으로 들어왔을 때와 비교하면 꽤 많은
시간이 지나 있었지만, 피로연에서 워낙 먹고 마신 게 많았기에 배
가 고프다는 생각이 들지 않았다.

"와……."

하지만 만찬실로 들어서자마자, 나는 식탁 위에 놓인 어마어마
한 가짓수의 요리들을 보고 깜짝 놀랄 수밖에 없었다. 가끔씩 레이
놀즈의 식탁을 엿보거나 함께 식사한 적은 있었지만, 그때도 이 정
도로 화려하지는 않았던 듯했다. 아무래도 내가 오늘 황후궁에서
의 첫 식사인 데다, 결혼식이기에 특별히 신경을 쓴 모양이었다.

나는 자리에 앉은 다음 맥켈리드 백작부인에게 물었다.

"저 혼자 이 많은 걸 다 맛봐야 하나요?"

"황후 폐하의 음식 취향을 파악하기 위해서, 첫 식사는 으레 많은
가짓수의 요리를 준비하게 된답니다. 남기셔도 요리들이 버려질
일은 없으니 안심하고 드세요."

"그건 알고 있지만……."

나는 잠시 생각하는 표정을 짓다 물었다.

"황제 폐하와 같이 식사하는 건 안 되나요?"

"법도 상 초야를 치르시기 전까지는 두 분이서 만나실 수 없……."

"황제 폐하께서 드십니다."

"없는데……."

맥켈리드 백작부인이 미간을 좁히며 뒤를 돌아보았다. 만찬실의 문이 열리고 아까보다 한결 편안한 차림이 된 레이놀즈가 모습을 드러냈다. 백작부인은 좁혀진 미간을 넓힐 생각을 하지 못하고 레이놀즈에게 인사했다.

"제국의 태양, 황제 폐하를 뵙습니다."

"안색이 안 좋군, 맥켈리드 백작부인."

"황제 폐하께서 궁중의 지엄한 법도를 어기시니."

맥켈리드 백작부인은 숨김없이 대답했다.

"기분이 썩 좋지만은 않군요."

"그래? 그렇다면 큰일인데."

하지만 목소리에서는 별로 그런 투가 느껴지지 않았다. 외려 느긋하게 들리는 목소리였다.

"이만 나가봐도 좋아."

"폐하, 시중을……."

"왠지 백작부인이 여기 있으면 계속 기분 좋지 않을 일이 생길 것만 같아서 말이야."

레이놀즈가 썩 웃으며 맥켈리드 백작부인에게 말했다.

"내가 계속 궁중의 법도에 어긋나는 일을 할 생각이거든."

"……그렇다면 모두 물리는 게 낫겠군요."

맥켈리드 백작부인은 더 말릴 기운도 없다는 듯 이맛살을 찌푸린 채 말했다.

"이만 물러가겠습니다, 폐하. 필요한 게 있으시면 불러주십시오."

"그래."

그렇게 해서 정말로 맥켈리드 백작부인은 만찬실에서 물러났고, 그건 다른 시녀들도 마찬가지였다. 나는 조금 황당해 하는 얼굴로 레이놀즈에게 물었다.

"이래도 돼요?"

"안 될 게 뭐가 있어. 내가 황제인데."

"……."

이 폭군 좀 보소.

"여긴 어쩐 일이세요?"

내 질문에 그가 당연하다는 듯 대답했다.

"보고 싶어서 왔지."

"제가요?"

"그럼?"

"헤어진 지 세 시간 정도밖에 안 지난 것 같은데."

"우리 신혼이잖아."

레이놀즈가 능청스럽게 대답했다.

"나한테는 세 시간이 삼 일 같아."

그 대답을 듣고 나는 이 남자가 만약 나와 삼 일을 떨어져 있게 되면 어떤 기분을 느낄지 궁금해졌다. 그때는 삼 일이 석 달 같았다고 말하려나.

"어쨌든 잘 오셨어요. 이 많은 걸 다 어떻게 먹나 했는데."

"다 먹지 않아도 된다고 맥켈리드 백작부인이 말해주지 않았어?"

"그렇긴 한데."

나는 살짝 머뭇거리다 배시시 웃으며 대답했다.

"사실은 폐하랑 같이 먹고 싶었어요."

그 말에 레이놀즈가 함박웃음을 지었다.

"영광이네. 그런 생각도 해주고."

"원래 콩 한 쪽도 사랑하는 사이에서는 나눠 먹고 싶은 마음이 들잖아요."

물론 지금 눈앞에 있는 요리들은 절대로 '콩 한 쪽'에 비유될 만큼 작지 않았지만 말이다.

"어쨌든 얼른 식사하세요. 배고프실 텐데."

"많이 먹어, 유린."

아까의 말 때문인지, 그가 흐뭇한 미소를 지으며 포크를 들어 올렸다.

.

.

식사를 마친 뒤에 레이놀즈는 중앙궁으로 돌아갔지만, 그게 별 의미가 없을 거라는 걸 나는 알고 있었다. 왜냐하면⋯⋯.

"초야가 몇 시부터일까?"

"그야 폐하께서 오시기에 따라 달랐죠."

가장 최종 보스가 남아 있었기 때문이었다. 나는 심란한 얼굴로 펼쳐 놓은 책의 귀퉁이만 구깃거렸다. 아무것도 집중이 되지 않았다.

'소화 불량 걸릴 거 같아.'

무슨 거대한 의식을 앞둔 사람처럼 긴장감이 몰려왔다. 아, 당연한 건가. 결혼식도 초야도 나는 전부 처음이잖아. 나는 떨리는 표정으로 손톱만 물어뜯었다. 그런 내 모습을 본 아니스가 물어왔다.

"캐모마일 티라도 드릴까요?"

심신 안정에 좋은 차였다. 나는 고개를 끄덕였다. 지금은 솔직히 청심환이라도 먹고 싶었는데 여기 그런 게 있을 리가 없으니.

"여기요. 천천히 드세요."

잠시 후 아니스가 가져온 캐모마일 티를 내가 조심스럽게 들이켰다. 찻물이 따뜻해서인지, 캐모마일이 정말로 심신 안정에 효과가 있는 건지, 그도 아니면 플라세보 효과인지는 모르겠지만, 어쨌든 효과는 있는 듯했다. 나는 애써 진정하자고 생각하면서 심호흡을 했다.

"황제 폐하 드십니다."

그리고 캐모마일 찻잔을 다 비운 직후, 딱 맞추어 레이놀즈가 도
착했다. 놀랄 만한 타이밍이었다. 나는 잔뜩 긴장한 얼굴로 찻잔을
치우고 책상을 정리하는 리셸에게 물었다.

"피할 수 없겠지?"

"피할 수 없어요."

리셸이 단호하게 말하면서, 끝은 부드럽게 마무리 지었다.

"건투를 빌게요, 폐하."

……무슨 싸우러 가는 것도 아니고.

나는 황당한 얼굴로 시녀들이 전부 물러가는 모습을 지켜보았
다. 잠시 후 문이 열리고 레이놀즈가 모습을 드러냈다.

"유린."

다정하게 나를 부르며 다가오는 레이놀즈는 침의 차림이었다.
그리고 아무래도 시작은…….

'저걸 벗기는 거겠지.'

나도 모르게 마른침이 꿀꺽 넘어갔다. 아, 신이시여. 제가 잘할
수 있게 해주세요!

"안녕하세요, 폐하."

나는 어색하게 웃으며 자리에서 일어났다. 그리고 삐거덕거리는
마리오네트처럼 레이놀즈에게로 걸어가 인사했다.

"제국의 태양, 황제 폐하를 뵙습니다."

"그런 인사는 둘뿐일 땐 생략해."

……아니, 이거라도 해야 시간을 좀 벌 것 같아서. 나는 차마 본심을 입 밖으로 내뱉지 못하고 부자연스러운 미소만 지었다. 내 본심을 알면 약간 상처받을 수도 있을 것 같아서였다. 물론 내가 앞으로 닥칠 일을 두려워하는 것과 그를 사랑하는 것 사이에는 어떠한 연관도 없었지만.

"음…… 저, 그럼……."

"응?"

"……할까요?"

"뭘?"

레이놀즈가 영문을 모르겠다는 표정으로 물었고, 나는 그가 정말로 몰라서 저렇게 묻는 건지 아니면 일부러 이러는 건지 궁금해졌다. 나는 입을 꾹 다문 채 잔뜩 긴장한 얼굴로 레이놀즈를 향해 걸어갔다. 그런 내 태세가 어째 비장하게 보였는지 레이놀즈가 당황한 얼굴로 뒷걸음질 쳤다. 나는 그를 침대가 있는 쪽으로 몰았고, 자연스럽게 분위기는 야릇해졌다.

"아……."

어느 순간 레이놀즈의 다리가 침대에 뒤를 부딪쳤고, 그는 자연스럽게 뒤로 넘어갔다. 나는 침대에 걸쳐 누운 그에게로 천천히 올라가, 잔뜩 긴장한 얼굴로 그가 입고 있던 잠옷의 단추를 풀기 시작했다.

마치 그런 임무를 받기라도 한 사람처럼 하나씩 하나씩. 천천히 손을 움직였다가, 어느 순간에는 너무 느린가 싶어서 손끝에 힘을 주며 단추를 풀었다. 그런 내 행동에 레이놀즈가 당황한 표정으로 나를 불렀다.

"유린, 잠깐만……."

"금방 풀어요."

"아니, 유린."

그는 답지 않게 당황하면서 나를 계속 불렀다. 하지만 나는 아무 것도 들리지 않는 사람처럼 계속 그의 단추를 푸는 데만 열중했다.

머지않아 레이놀즈가 입은 잠옷 상의의 모든 단추가 다 풀어졌고, 나는 무슨 임무 완수를 한 사람처럼 안도의 한숨을 내쉬었다. 고개를 들어 올려 그런 내 모습을 본 레이놀즈가 황당해하며 물었다.

"내 잠옷 단추가 그렇게 풀고 싶었어?"

"……그런 거 아닌 거 알잖아요."

나도 똑같이 황당한 목소리로 말했다.

"그…… 황후와 황제의 첫날밤이니까, 해야 한다고 생각했어요."

"뭘?"

굳이 굳이 목적어를 요구하다니. 참 짓궂다고 해야 돼, 뭐라고 해야 돼? 나는 미간을 좁히며 그에게 말했다.

"부부관계요."

교과서에나 나올 법한 말에, 레이놀즈가 갑자기 웃음을 터뜨렸다. 남은 진지한데 반응이 불손해서 나는 눈매를 좁히며 물었다.

"왜 웃으세요?"

"아니, 난 또 갑자기 왜 그러나 싶어서."

레이놀즈가 고개를 들어 올린 다음 지긋한 눈빛으로 나를 가만히 올려다보았다. 그 말을 끝으로 침묵한 채 나만 가만히 바라보는 그의 모습에서 덜컥 이상한 기분이 들었다. 내가 조금 당황한 눈빛으로 그를 똑같이 바라보던 순간이었다.

"꺅……!"

갑자기 레이놀즈가 몸을 들어 올린 다음 빠르게 나를 침대 위에 눕혔다. 그로 인해 아까 전까지만 해도 내가 그를 덮치는 형상이었다면, 지금은 그가 내 위에 있는 상태였다.

나는 갑작스럽게 뒤바뀐 위치에 당황해하며 위를 올려다보았다. 레이놀즈가 입가에 묘한 미소를 띤 채로 나를 내려다보고 있었다.

빛을 등지고 있어서인지 그의 하얀 얼굴에 그림자가 졌는데, 그 모습이 묘한 분위기를 만들어 냈다. 거기다 하필이면 내가 그의 잠옷 단추를 전부 풀어 내린 뒤라, 흰 가슴팍이 너무나도 잘 보였고…… 나는 당황한 얼굴로 눈만 깜빡깜빡거렸다.

레이놀즈는 나를 침대 위에 눕힌 후에도 가만히 눈만 맞춰올 뿐 이렇다 할 행동을 하지 않았는데, 그런 상황이 나를 더욱 긴장하게 만들었다. 나는 파르르 눈썹을 떨며 그를 올려다보았다. 온몸에 자연스럽게 힘이 들어가고 있었다.

"괜찮아?"

그가 낮게 물어왔고, 나는 그가 무슨 소리를 하는 건지 알 수가 없었다. 아직 아무 짓도 안 했는데 왜 이런 질문을 하는 건지 이해가 안 됐다. 나는 솔직하게 물었다.

"뭐가요?"

"내가 유린을 안는 거 말이야."

그가 지독하리만치 낮은 목소리로 대답했다. 소름이 끼칠 정도로 낮은 목소리가 묘한 기분을 불러일으켰다.

"……"

그리고 나는 대답하지 않았다. 여기서 싫다고 하는 것도 좀 웃기긴 했다. 왜냐하면 그 행위 자체가 싫은 건 아니었기 때문이다. 나는 그저 단 한 번도 겪어보지 못했던 미지의 세계에 대한 두려움이 있을 뿐이었다.

"나는 처음이라 무서워요."

그래서 나는 솔직하게 말했다.

"내가 머뭇거린다면, 그 이유뿐이에요."

"나도 처음이야."

그러니 우리는 동류라고, 그는 말하는 것 같았다.

"그러니까 걱정하지 마."

그가 내 이마 위에 키스하며 말했다.

"아프지 않게 할게."

❦ ❦ ❦

결론적으로 말하자면 그가 했던 말은 전부 거짓부렁이었다. 아무리 노력해도 그건 어느 정도의 고통을 동반했다. 어떻게 저떻게 해도 처음이기 때문이었다.

하지만 어느 순간부터는 고통에 적응이 되기 시작했고, 결국 우리는 처음치고는 꽤 길게 사랑을 나눈 다음 침대 위에 쓰러졌다. 나는 거의 녹초가 되었지만, 레이놀즈는 아닌 듯했다. 하여튼 체력 하나는 끝장나게 좋아……. 내가 황당한 목소리로 물었다.

"지금 저만 지치나요?"

"유린이 너무 약해서 그래."

"아니, 약한 걸 떠나서 횟수가…… 폐하, 정말 처음 맞아요?"

"왜? 처음 해보는 게 아닌 것 같아?"

그가 이기죽거리며 물었고, 나는 헛웃음을 터뜨렸다.

'이런 농담을 할 여유가 있다니.'

부럽다고 해야 하나 대단하다고 해야 하나.

"하…… 어쨌든 오늘 가장 중요한 미션 하나 해결했네요."

"뭐야. 설마 의무감 때문에 나랑 한 거였어?"

아니, 꼭 그렇게만 말할 수는 없겠지만…….

"의무감이 아예 없었다면 거짓말이겠죠."

"너무하네."

그가 입을 비죽거리며 서운해하자, 나는 피식 웃으며 말했다.

"뭐가 너무해요. 우린 한 제국의 황제와 황후라고요."

내 입에서 나간 말치고는 꽤 낯부끄러웠다. 내가 황후가 될 줄이야. 세상에, 하느님. 결혼한 지 하루가 지나고 초야까지 치렀는데도 여전히 안 믿어졌다.

"다들 제 배 속에 하루빨리 황자가 자리 잡기를 바라고 있을 걸요."

"누가 그래?"

"그냥…… 전부 다요."

"그런 거 신경 쓸 필요 없어."

레이놀즈가 이맛살을 구기며 말했다.

"듣는 족족 무시해. 부탁이니까, 제발."

"어떻게 그래요."

"내 말 들어."

그의 표정은 여전히 펴질 줄을 몰랐다.

"압박감이 생기면 생길 애도 안 생겨. 그리고 이제 결혼했는데 바로 아이를 갖는 건 내게 너무 잔인하다고 생각하지 않아?"

"무슨 소리예요?"

"나는 신혼을 오래오래 즐기다가, 최대한 늦게 아이를 낳고 싶거든."

여기서 짚고 넘어가자면 엘스워드 제국에서 지금 레이놀즈의 나이는 애 둘을 봐도 충분히 봐야 할 나이였다. 나는 미간을 좁히며 투덜거렸다.

"그럼 좀 일찍 결혼을 하셨어야죠."

"그때는 유린이 내 인생에 없었으니까."

그가 빙긋 웃으며 이마 위에 키스했다.

"아무나하고 억지로 결혼 안 하길 얼마나 다행인지."

"그랬다면 많은 게 달라졌겠죠."

나는 천천히 눈을 감으며 반복했다.

"많은 게 달라졌을 거예요."

"그런 가정은 전부 의미 없어."

그가 고개를 절레절레 저으며 말했다.

"중요한 건 유린이 지금 내 옆에 있다는 거지."

그 말과 함께, 그가 뒤에서 나를 부드럽게 안아왔다.

"이렇게, 내 품 안에."

"좋으세요?"

"말이라고."

그가 그 무슨 당연한 소리를 하냐는 듯, 단언하는 목소리로 말했다.

"28년 인생 통틀어서 요즘이 제일 행복해. 그걸 알아야 할 텐데."

"다행이네요."

"왜?"

그가 살짝 불안해하는 목소리로 물었다.

"유린은 안 그런가?"

"아뇨. 저도 그렇거든요."

나는 빙긋 웃으며 부드럽게 레이놀즈의 양 뺨을 감싸 쥐었다.

부드러운 뺨이 양손 가득 느껴진다.

"그러니까, 우리 둘 다 행복했으면 했어요. 그래야 좋은 거니까."

내가 5만큼 행복하다면, 당신도 5만큼. 내가 10만큼 행복하다면, 당신도 10만큼.

"앞으로도 우리 둘 다 같이 행복해요. 어느 한 사람 뒤처지는 법 없이, 먼저 앞서나가는 법 없이. 알겠죠?"

그렇게, 똑같이.

"나는 유린보다 뒤처져도 상관없는데."

"나는 손잡고 같이 걸어가는 게 좋아요."

내가 빙긋 웃으며 그의 입술 위에 가볍게 입을 맞추었다.

"그러니까 영원히 내 손 잡고 함께 가겠다고 약속해줘요."

"약속할게."

그는 하나도 안 어려운 약속이라는 것처럼 말하며 내 입술에 입을 맞추었다.

"영원히."

입술과 입술이 엉키고 다급한 숨과 숨이 오갔다. 나는 그의 어깨를 단단하게 붙잡으며 그와 달콤함을 나누는 데에만 집중했다. 어느 순간 그는 다시 내 위로 올라오고 있었다. 아직 아침이 되려면 멀었고, 우리는 좀 더 사랑할 예정이었다.

❧ ❧ ❧

"좋은 아침."

그다음 날 눈을 뜬 것은 시계를 보지 않아도 해가 하늘 위로 뜬 지 오래일 시간이었다.

나는 커튼 사이로 부서지듯 들어오는 햇빛에 눈을 찡그리며 이불 속으로 숨어 들어갔다.

이만 일어나야 할 것 같긴 한데, 정말 일어나고 싶지 않았다.

온몸이 두들겨 맞은 듯 쑤시는 기분이랄까.

"좋지도 않고 아침도 아닌 것 같아요."

"지금 시간이 점심이기는 하지."

"그런데 여기 계속 있으셔도 돼요?"

"지금 황제의 가장 급한 책무가 황손 생산이라."

레이놀즈가 태연하게 말했다.

"너무 걱정하지 않아도 돼. 다들 충분히 이해해줄 테니까."

"그렇게 말씀하시면 제가 좀 부담스러운데요."

"내가 노력해야지. 유린이 아니라."

그가 무슨 소리냐는 듯 어깨를 으쓱이며 말했다. 확실히 아까 전에 일찌감치 잠에 깬 듯한 목소리다. 아무래도 잠든 나를 계속 바라보고 있었던 게 확실했다.

"나만 부담받을 거니까, 유린은 잊어버려."

"폐하 좋을 대로만 해석하시고……."

"그렇게 살아야 걱정 없이 오래 살 수 있는 거야."

그가 태연자약하게 합리화한 다음 내게 물었다.

"좀 더 잘 거야?"

"가능하다면요……."

나는 기어들어 가는 목소리로 말했다.

"너무 피곤해요."

"좋아. 원하는 만큼 계속 자도 돼."

"저는 이렇게 자도 돼요?"

"어제가 결혼식이었잖아. 다들 이해할 거야."

그가 너무 걱정 말라는 목소리로 내게 말했다.

"내가 잘 둘러댈게. 내가 너무 황후를 사랑해서, 어젯밤에 조금도 놓아주지 않았다고."

"……그 비슷한 말씀 조금이라도 꺼내시면 저 짐 싸서 사토르디로 가 버릴 거예요."

잠이 확 깨는 듯한 말이었다. 나는 그 비몽사몽한 간에도 또렷한 발음으로 그에게 주의를 주었다. 그가 안타깝다는 듯한 목소리로 말했다.

"이게 제일 효과가 좋기는 한데. 그럼 주어를 바꿔 볼까?"

"뭐라고요?"

내가 황당하다는 목소리로 물었다. 아, 정말 티격태격하는 사이에 잠이 다 깨버린 것 같았다.

"저 깨우시려고 일부러 그런 거죠?"

"그럴 리가."

그가 묘한 미소를 지으며 고개를 절레절레 저었다.

"자고 싶으면 더 자. 혼자 자기 싫으면 나도 옆에서 같이 잘게."

"그럼 너무 길게만 말고."

내가 그를 내 쪽으로 끌어당겼고, 그는 내가 이럴 줄 알고 있었던 것인지 힘없이 끌려왔다. 품 안에 그를 안은 채로, 나는 미소와 함께 속삭였다.

"딱 10분만 이러고 있어요. 10분만."

"……좋아."

그가 낮부터 건강한 신체를 애써 진정시켜야 했다는 건 비밀. 그리고 마음먹었던 10분이 결국은 100분이 되었다는 사실도 비밀이었다.

외전 2

Birthday

황후가 된 이후의 생활은 시녀로 지낼 때와 크게 변함이 없었다.

"이게 과연 인간이 할 수 있는 일인가……."

일이 양이 완전히 달라졌다는 점만 빼면 말이다. 황후가 되어 배당받은 일거리들은 마치, '네가 시녀일 적 맡았던 것들은 순전히 애들 놀잇감 같은 거였어'라고 내게 말하고 있는 듯했다.

사실 이 경우에는 조롱하는 거에 더 가까웠지만.

"아, 미치겠다. 이걸 언제 다하지……."

일이 많아지면서 나는 몹시 예민해졌다. 물론 스스로만 삭히고 티를 내지 않기 위해 애썼지만, 내가 그렇게 완벽한 사람은 아니었기 때문에 모두 자연스럽게 눈치를 보게 되었다.

나는 그런 상황에 미안함을 느끼면서 더욱 타인에게 친절하게 굴기 위해 노력했다. 물론 영 쉽지는 않았지만…….

'난 지쳐 있어.'

황후가 되고 과중한 업무에 시달린 것도 벌써 반년째. 번 아웃이 온 것도 무리는 아니었다. 문제는 도통 쉴 시간이 없다는 것이었다.

하지만 레이놀즈에게 힘듦을 토로하기도 민망했던 게, 그는 내가 알기로 내가 하는 일보다 2배는 더 많은 일을 하고 있었다. 그러면서도 내게 늘 다정하게, 부드럽게, 달콤하게 굴어 주었기에, 나는 어느 순간부터 그와 나를 무의식적으로 비교하고 있었다. 물론 그의 체력이 나보다 훨씬 좋으니 그걸 감안해야겠지만 말이다.

"황후 폐하."

바깥에서 들려오는 목소리는 아니스의 것이었다. 차분하면서 우아한 목소리가 그나마 나를 기분 좋게 해주었다. 나는 지친 게 분명해 보이는 목소리로 입을 열었다.

"들어와."

잠시 후 아니스가 들어왔고, 그녀는 손에 달콤한 쿠키와 차가 담긴 접시를 들고 있었다. 아니스는 힘들어하는 나를 위해 이렇게 주기적으로 다과를 가져다주었다.

내가 조금 나아진 표정으로 아니스에게 말했다.

"고마워, 아니스. 늘 신경 써줘서."

"아닙니다, 폐하. 저보다 폐하께서 더 고생이신걸요."

그녀는 나의 얼굴을 자세히 살피더니 곧 걱정스러운 목소리로 입을 열었다.

"확실히……"

"응?"

"결혼하시기 전보다 많이 얼굴이 까칠해지셨어요."

수면시간이 줄어들었기 때문이었다. 원래 8시간은 거뜬히 자야
버티는 내가 4시간만 자게 된 것도 벌써 3개월째. 아무리 피부에
좋은 것을 바른다고 해도 최고의 피부 관리는 역시 수면이었다. 문
제는 그 간단한 걸 제일 실천 못하고 있다는 점이었지만.

"그럴 수밖에 없지."

나는 놀랍지도 않다는 듯 담담하게 말했다.

"생활이 그때보다 더 빡빡해졌는걸. 심적인 부담이 커진 것도 있
을 거야."

"폐하와 여행이라도 짧게 다녀오시는 건 어떠세요?"

"두 사람 스케줄 조율을 동시에 하는 게 생각보다 어렵더라고."

나는 난색을 표하며 대답했다. 내가 그나마 여유로울 때는 레이
놀즈가 너무 바빴고, 레이놀즈가 상대적으로 시간이 날 때는 내가
미친 듯이 바빴다. 세상에, 부부가 이렇게 타이밍이 안 맞다니. 도
대체 무슨 시련인가 싶었다.

"그래도 언젠가는 시간이 나겠지 생각하고 있어."

"……뭐든 필요한 게 있으시면 말씀 주세요."

아니스가 걱정하는 목소리로 말했다.

"폐하의 건강이 가장 우선이니까요."

사실 가장 좋은 방법은 일을 줄이는 것이었다. 나는 역대 황후들이 이 많은 일을 전부 해냈다는 사실이 영 믿기지 않았다. 황후가 된 이튿날부터 지금까지도 말이다. 그나마 그 사실이 나도 해낼 수 있다는 자신감을 주기는 했지만.

"고마워, 아니스. 지금도 충분해."

더 싫은 소리를 하고 싶지 않아서 나는 여기에서 대화를 끊었다. 아니스가 그런 내 뜻을 알아차렸는지 조용히 집무실에서 물러났다.

"후……."

나는 길게 숨을 내쉰 다음 아니스가 가져온 쿠키로 손가락을 옮겼다. 거대한 초콜릿 칩이 잔뜩 박혀 있는 쿠키였다. 혀가 아릴 만큼의 달콤함이 그나마 휴식처럼 느껴졌다.

ꕤ ꕤ ꕤ

"……그래서."

서류를 훑어보던 레이놀즈가 물었다.

"요즘 황후는 어떻게 지내고 있지?"

"격무에 시달리고 계십니다."

애슐리는 간단하게 대답했다.

이 이상 더 그녀의 근황을 전할 말이 없다는 것처럼. 애슐리의 보고에 레이놀즈가 서류에서 눈을 떼고 그를 올려다보았다. 그가 미간을 좁히며 지적했다.

"……지난주에도 같은 답을 들었던 것 같은데."

"정확히 말씀드리자면."

애슐리가 재빨리 레이놀즈의 말을 정정했다.

"석 달 전부터 같은 말씀을 드리고 있습니다."

"엄밀히 따지자면."

레이놀즈가 고개를 저으며 다시 정정했다.

"결혼식이 있고 1주일 후부터 같은 보고를 듣고 있어. 하지만 황후는 한 번도 내게 내색을 안 하더군."

"워낙 폐하께 걱정 끼치는 걸 싫어하시는 분이니까요."

애슐리는 크게 이상할 건 없다는 목소리로 말했다.

"책임감이 강하시고 남에게 폐를 끼치는 걸 좋아하지 않으시지요. 저는 이해할 수 있습니다."

"내가 남편으로서 못 미더운 걸까, 경?"

"누가 황후 폐하의 배우자시든 그분은 힘든 점을 말씀하지 않으실 겁니다."

"그러면서 나더러 힘든 일이 있으면 꼭 말하라고 한단 말이야."

"그러면서도 타인의 괴로움은 보듬어 주고 싶어 하시는 분이시니까요."

애슐리가 씁쓸하게 웃었다.

"제국의 황후에 여러모로 적격이신 분이시지만, 근래 많이 힘들어 보이기는 하십니다."

"나는 유린을 고생시키려고 그녀를 황후로 맞아들인 게 아니야."

레이놀즈가 인상을 찌푸리며 고개를 저었다.

"이런 현상은 좋지 않아. 대책을 마련해야겠군."

"유감스럽지만 폐하, 대책은 없습니다."

애슐리는 단호하게 그의 희망을 산산조각냈다.

"역대 황후들께서 수명이 길지 않으셨던 이유를 생각해 보십시오."

사실 그건 역대 황제들 역시 마찬가지이기는 했다. 어쨌든 과로는 수명 단축의 큰 요인 중 하나였으니까.

"황후 폐하께서 자잘한 일을 맡으셔서 일이 많으신 게 아닙니다. 그저 내궁의 모든 일을 최종적으로 관할하시니 자연스럽게 생기는 문제이지요. 이걸 해결하는 것은 자칫 황후의 권위를 훼손할 수 있습니다."

일리 있는 우려에 레이놀즈의 한숨이 깊어졌다. 그라고 그런 사실을 모르지는 않는다. 다만 이런 상태로 계속 가는 건 정말 싫었으니까.

"역대 황후들께서도 1년 정도가 지나면 슬슬 적응하신 걸로 알고 있습니다. 황후 폐하께서 적응하실 때까지만 기다려 보시지요, 폐하."

"반년을 더 기다리라는 소리군."

"지금으로서는 그게 최선이니까요."

애슐리가 어쩔 수 없다는 듯 말했다.

"그리고 폐하께 좀 더 세심히 신경 쓰시는 방법밖에는 없을 겁니다."

"그래."

그가 하는 수 없다는 듯 이맛살을 구기며 한숨을 내쉬었다.

"현실과 타협하고 싶지는 않지만, 그래도 최선의 해결책을 찾아야겠지."

마침 머지않아 유리네트의 탄신일이었다. 레이놀즈는 결혼 후 맞는 생일에 조금 특별한 선물을 해주어야겠다고 마음먹었다.

❧ ❧ ❧

엘스워드에서 유리네트 조셋 엘 사토르디, 아니 이제는 유리네트 조셋 라 엘스워드의 생일은 내가 태어난 진짜 날짜는 아니었다. 그래도 어쨌든 이제는 유리네트로 살게 되었기 때문에, 나는 내 생일 정도는 잘 기억해 두기 위해 노력하는 편이었다.

"아."

달력을 보다가, 나는 깜빡 잊고 있던 사실 하나를 발견해 냈다.

"곧 내 생일이구나."

엘스워드에 오고 두 번째로 맞는 생일일 것이다. 나는 묘한 기분을 느끼며 생일 위로 그려진 커다란 하트를 물끄러미 바라보았다.

"폐하."

그때 바깥에서 맥켈리드 백작부인의 목소리가 들려왔다.

"들어가도 되겠습니까."

"들어와."

처음 입궁할 때까지만 해도 나는 맥켈리드 백작부인에게 하대하는 것이 몹시 어려웠다. 하지만 반년 정도 연습을 하다 보니 이제는 꽤 자연스럽게 그녀를 대할 수 있게 되었다. 분명히 나는 결혼 전과 지금을 비교했을 때 꽤 많이 달라진 듯싶었다.

"무슨 일이야?"

"홈멜 후작부인께서 폐하의 탄신일을 앞두고 선물을 보내오셨답니다."

"아, 선물……."

나는 조금 떨떠름한 표정을 지었다. 황족의 탄신일을 앞두고 귀족들이 앞다투어 선물을 보내는 것은 제국 안에서 몹시 익숙한 일이었다. 황족은 권력과 직결되는 핏줄을 타고난 사람들, 혹은 그들의 배우자였고, 그렇기에 잘 보이는 것이 앞으로의 출세를 위해 매우 중요히 여겨졌으니까. 일종의 뇌물이었다.

하지만 나는 선물로 누군가를 차별하는 걸 별로 좋아하지 않았다. 너무 배금주의적이랄까.

"돌려보내는 건 무례한 일일까?"

"보내온 성의가 있으니까요."

그리고 맥켈리드 백작부인도 이런 내 마음을 잘 헤아려주는 사람이었다. 그녀는 단정한 미소와 함께 내게 해결책을 제시했다.

"뇌물 같아서 싫으시다면, 빈민 구제에 사용하시는 것도 나쁘지 않을 겁니다. 폐하께서는 좋은 일을 하셔서 좋고, 선물을 드린 분은 폐하께 그런 즐거움을 드리니 좋고."

백작부인이 씩 웃으며 의견을 구했다.

"그럼 모두가 행복한 일 아니겠어요?"

"좋은 생각이야."

나는 나쁘지 않은 방법이라고 생각하며 고개를 끄덕였다. 사실 성의를 거절하는 것 또한 내게 그리 쉬운 일은 아니었다. 의도가 어쨌든 거절이라는 건 어쩔 수 없이 미안한 마음이 든달까.

"수도의 고아원 중 가장 가난한 곳을 골라서 보내도록 하게, 맥켈리드 백작부인. 그 방법이 제일 나을 것 같아."

"네, 폐하. 분부하신 대로 따르겠습니다."

"앞으로도 선물이 많이 들어올 것 같은데, 이후에도 같은 방식으로 처리하고."

"알겠습니다."

맥켈리드 백작부인은 빠르게 대답을 마친 다음 집무실에서 물러났다. 나는 다시 서류를 보려다가, 어쩌다 보니 달력에게로 다시 시선이 가게 되었다.

"⋯⋯흠."

선물 이야기를 하니 떠오른 생각이었지만, 나는 사실 받고 싶은 선물이 하나 있기는 했다. 그걸 선물이라고 표현해도 되는지는 모르겠지만⋯⋯.

"아무래도 어렵겠지."

내가 씁쓸한 표정으로 고개를 저었다. 그런 다음 달력을 덮고 다시 일에 몰두하기 시작했다.

᭰ ᭰ ᭰

"황제 폐하 드십니다."

지친 하루의 끝에서 저 말이 들려올 때가 가장 기뻤다. 이제껏 피곤한 표정이었음에도 나는 그 순간 밝게 웃지 않을 수 없었다.

잠시 후 문이 열리고, 아마도 나처럼 똑같이 오늘 피곤했을 레이놀즈의 모습이 보였다. 나는 빠르게 자리에서 일어나 그에게 종종걸음으로 다가갔다.

"폐하."

"유린."

우리는 약속한 것처럼 서로를 꼭 끌어안았다. 익숙한 체취는 어느새 내게 안정제가 되어 버린 지 오래였다. 나는 그의 품에 코를 묻으며 깊게 숨을 들이마셨다 내쉬었다.

"아, 오늘 정말 너무 피곤했어요."

"그래 보이네."

그가 낮게 웃으며 내 뒷머리를 부드럽게 쓰다듬었다. 그 손길에서 있는 채였는데도 잠기운이 솔솔 몰려왔다. 곧이어 그가 다정한 목소리로 물어왔다.

"받고 싶은 선물은? 없어?"

"선물이요?"

"곧 유린 생일이잖아."

아, 그렇지. 나는 잠깐 잊고 있었다는 듯 고개를 끄덕인 뒤 답했다.

"없어요."

"그런 대답은 별로인데."

"지금 나 안아주고 있네."

나는 천천히 고개를 들어 올려 나를 사랑스럽게 바라보는 남자와 눈을 마주했다.

"내가 받고 싶은 선물."

"그런 건 너무 식상해."

"나한테 안 식상하면 그만이에요."

나는 다시 그의 품에 얼굴을 묻은 다음 속삭였다.

"알잖아요. 나한테 금은보화나 재물은 이제 별로 의미 없는 거."

왜냐하면 레이놀즈가 내게 요구하기도 전에 선물해 주었기 때문이었다. 아무리 좋은 거라도 계속 받다보면 질리기 마련인데, 레이놀즈는 내가 질린 뒤에도 끊임없이 그런 선물을 안겨다 주었다.

"그러니까 만약 제게 선물이 하고 싶으시면, 직접 찾아보세요. 정성이 가득 담긴 걸로."

"생각할 거리가 하나 늘었군."

"절대 강요는 아니에요."

나는 배시시 웃으며 그에게 속삭였다.

"가장 좋은 선물은 바로 눈앞에 있으니까."

그 말과 동시에, 나는 발끝을 들어 올려 그에게 입을 맞추었다. 부드럽게 맞물리는 입술과 입술이 짜릿한 쾌감으로 다가왔다. 나는 어느새 그의 목에 팔을 두르고 몸과 몸을 밀착시켰다.

레이놀즈가 능숙하게 내 허리와 등을 끌어안으며 발걸음을 옮겼다. 침대 쪽이었다.

"하."

나도 모르는 사이 등이 침대에 닿았고, 그 순간 내게 섬광처럼 좋은 생각이 스쳐 지나갔다. 여전히 그와 입을 맞추면서, 나는 느릿하게 속삭였다.

"받고 싶은 선물이 생각났어요."

"뭔데?"

"나 오늘 너무 힘들었거든요."

물론 평소에도 힘들었지만, 오늘은 이상하게 더 체력적으로 소모되는 기분이었달까. 나는 그에게만 들릴 법한 목소리로 말을 이었다.

"그거 다 잊을 만큼 즐거운 밤을 선물해 주세요."

그 말을 들은 레이놀즈의 입꼬리가 기묘하게 올라갔다.

"나만 믿어."

그리고 역시 내가 알아차리지 못하는 사이, 그의 희고 가는 손가락이 내가 입은 드레스를 아래로 벗기기 시작했다.

❧ ❧ ❧

시간은 빠르게 흘러, 내가 눈치채지 못하는 사이 내 생일이 찾아왔다. 황궁에서 맞는 첫 생일이었기에, 나는 아닌 척해도 내심 흥분한 상태였다.

"오늘은 폐하가 그 어떤 때보다도 주인공이셔야 해요."

"드레스는 눈에 띄게 붉은색이 좋겠어요. 강렬하게!"

"그럼 액세서리도 화려하게 붉은색으로 가죠."

시녀들은 오늘만큼은 내가 가장 돋보여야 한다고 강력하게 말하면서, 전방 100m 앞에서도 나를 확인할 수 있을 만큼 화려한 모습으로 꾸며주었다.

붉은 벨벳 원단에 금실로 수를 놓은 화려한 드레스와 레드 다이 아몬드가 정교하게 세공된 액세서리들. 머리카락이 은발이었던 탓에 나는 그 누구도 무시할 수 없을 만큼 눈부시게 변했다. 풍성한 드레스를 입고 거울 앞에 선 내가 너무 힘을 준 것 같다며 웃음을 흘렸다.

"너무 과하다고 욕하지는 않을까?"

"과하시다뇨. 제국의 황후신데요!"

"사실 원래는 이것보다 더 화려하게 꾸며 드렸어야 해요."

"맞아요. 폐하께서 워낙 검소하신 탓에 저희가 절제한 거랍니다."

내 기준으로 지금 내 모습은 절대로 절제한 것처럼 보이지는 않았지만, 그냥 여기서 끝낸 것에 만족하기로 했다.

내가 못 말린다는 듯 웃으며 고개를 끄덕였다.

"알겠어, 알겠어. 연회에는 몇 시까지 가야 하지?"

"지금 출발하시면 딱 알맞을 듯합니다, 폐하."

"좋아."

나는 마지막으로 검은색의 스틸레토 힐을 신은 다음 방을 나섰다. 문이 열리고 복도로 나서자 시녀들이 전부 양쪽에 서서 내게 허리를 굽혔다. 이런 광경은 황후가 된 지 몇 개월이 지났음에도 영 낯설지 않게 보기가 어려웠다. 나는 균형을 잘 유지하며 탄신연이 열리는 에르제 홀까지 당도했다.

"황후 폐하께서 드십니다."

양옆으로 문이 열리고 거대한 연회장의 내부가 드러났다. 모두

저마다의 이야기를 하던 중에도 내 등장 소식을 듣고는 빠르게 시선을 돌렸다. 연회장 안에 있던 사람들이 내게 묵례를 했고, 나는 익숙하게 미소 지으며 연회장 안으로 들어섰다. 가까이에 있던 귀부인과 영애들이 내게 다가와 빠르게 말을 걸어 주었다.

"존귀하신 제국의 달, 황후 폐하를 뵙습니다."

"탄신을 경하 드립니다, 황후 폐하."

"오늘 너무 아름다우십니다."

"다들 고마워요."

자연스럽게 대화가 시작되었고, 나는 조금의 어색함도 없이 능숙하게 말을 받으며 대화를 주도해 나갔다.

"그러고 보니 이번에 브라운 영식께서 결혼을 하신다지요? 축하합니다."

"아, 네. 맞습니다. 기억해 주시다니 영광입니다, 황후 폐하."

메리언이 사교계에서 자취를 감춘 뒤 내게 반항하거나 적대감을 드러내는 이는 거의 없었고, 있다 해도 대개는 속으로 그 마음을 삭일 뿐이었다.

레이놀즈가 다른 여자에게 한 눈 파는 일 없이 오직 내게만 충실했고, 나 역시 나쁘지 않게 내궁 관리를 해 나가고 있기에 이루어진 결과였다. 그나마 사교계에서 나를 불편하게 만드는 사람이 없다는 사실이 신경 쓸 게 많은 궁중 생활의 적지 않은 위안이 되어 주었다.

그렇게 몇 시간 동안 쉬지 않고 다른 사람들과 이야기를 나누고 있던 때였다. 나는 어느 순간 레이놀즈가 아직 연회장에 한 번도 모습을 비추지 않았음을 깨닫고 의아함을 느꼈다.

'아직 안 온 건가?'

만약 왔다면 시녀들이 내게 그가 왔다고 일러주었을 것이다. 하지만 그러지 않는 것을 보니 아직 오지 않은 듯했다. 나는 약간 서운함을 느꼈다. 일이 바쁜 걸 이해 못하는 건 아니지만……

'그래도 내 생일인데 아직까지 코빼기도 안 비추고.'

그러다가도 그가 이런 적이 단 한 번도 없었다는 걸 생각해보면 이상하다는 생각도 들었다. 그렇다고 그를 찾으러 나가기에는 또 걸리는 게 있었다. 연회장을 비우는 건 별 문제가 되지 않았지만, 내 주변으로 모여든 수많은 귀족들을 전부 뿌리치고 자리를 뜨는 것이 몹시 힘들었기 때문이었다.

"황후 폐하."

그런 생각을 하고 있을 때, 아니스가 나를 불렀다. 여전히 다른 귀부인과 이야기를 나누고 있던 나는 아니스의 부름에 고개를 살짝 돌렸다. 아니스가 내 귓가로 입술을 옮겨 속삭였다.

"황제 폐하께서 찾으십니다."

"……폐하께서?"

연회 도중 그가 시녀를 시켜 나를 찾는 일은 이번이 처음이었다. 나는 의아함을 느끼며 아니스에게 물었다.

"무슨 일로?"

"잘 모르겠습니다. 그것까지는 설명을 안 해주셔서……."

아니스는 곤란하다는 목소리로 뒤에 덧붙였다.

"다만 황후궁으로 오시라고 전해 달라 하셨습니다."

더구나 부르는 장소가 중앙궁이 아닌 황후궁이었다. 나는 의아함을 느끼면서도 일단은 알았다는 듯 고개를 끄덕였다. 그리고 주변에 있던 이들에게 양해를 구한 다음 연회장을 빠져 나왔다.

'무슨 일일까.'

걱정 반, 설렘 반의 감정과 함께 나는 황후궁으로 걸음을 옮겼다.

.

.

.

황후궁에 당도했을 때, 나는 곁에서 따라오던 아니스에게 물었다.

"폐하께서 혹시 어디 아프신 건 아니고?"

"그런 건 아닌 것 같아 보였습니다. 걱정하지 마세요."

"그럼 도대체 무슨 일로 부르시는 걸까……."

"혹시 선물을 준비하신 건 아닐까요?"

"선물?"

나는 그럴 수도 있겠다는 생각에 눈을 동그랗게 떴다.

아니스가 고개를 끄덕였다.

"네. 방문을 열고 들어가니 온 방안에 선물이 가득 차 있는 것이죠."

"오…… 일리가 있네."

그 말을 듣자 갑자기 가슴 속에서 기대감이 솟아올랐다. 나는 입꼬리를 살짝 끌어올린 채 방으로 가는 발걸음을 빨리했다.

그리고 마침내 방 앞까지 도착했을 때, 나는 잔뜩 기대한 얼굴로 문을 열고 안으로 들어갔다.

"……뭐야."

하지만 방 안에는 선물은커녕 레이놀즈도 없었다. 텅 비어 버린 방을 보자 갑자기 실망감이 훅 밀려왔다.

'물론 선물을 기대한 건 맞지만…….'

그런 게 아니라 레이놀즈만 있었더라도 충분히 기뻤을 텐데. 나는 살짝 가라앉은 목소리로 아니스에게 물었다.

"폐하께서 정말로 내 방에 오라고 하신 게 맞아?"

"아, 네. 저는 분명 그렇게 전해 들었는데……."

아니스가 눈에 띄게 난처해하는 얼굴로 고개를 끄덕였다.

"제가 다시 한번 알아보고 올게요."

아니스는 그 말만 남긴 채 방을 떠났고, 나는 방 안에 혼자 남겨졌다. 텅 빈 방을 보자 약간의 쓸쓸함이 들었다. 나는 조금 쉬어야겠다고 생각하며 침대 위에 살짝 걸터앉았다.

"거기 서!"

그때, 안쪽에서 갑자기 소리가 들려왔다. 아무도 없는 방 안에서 들려오는 소리에 나는 흠칫 놀랐지만, 곧 그것이 레이놀즈의 목소리였음을 깨닫고 안심했다.

그것도 잠시.

"냐옹."

고양이 한 마리가 내가 있는 쪽으로 달려오더니 내 앞에 얌전히 섰다. 갈색 털이 예쁜 샴 고양이였다. 나는 당황한 눈으로 고양이를 쳐다보았다. 이런 곳에 왜 고양이가 있지?

"넌 어디서 왔니?"

나는 눈을 동그랗게 뜨고 자리에서 일어났다. 고양이는 여전히 그 자리에서 서서 나를 가만히 바라보고 있었다. 내가 고양이 앞에 쪼그려 앉아 털을 부드럽게 쓰다듬으려던 때였다.

"유린."

목소리와 함께 드리워진 그림자에, 나는 천천히 고개를 들어 올렸다. 레이놀즈가 어쩐지 지쳐 보이는 행색으로 서 있었다.

나는 당황한 목소리로 그를 불렀다.

"폐하?"

"이런. 여기 있었군."

그가 내 앞에 선 고양이를 보더니 재빨리 품에 안아 들어 올렸다.

도망가고 있었던 게 분명한 고양이는 의외로 레이놀즈의 품 안에서 얌전히 있었다. 레이놀즈가 황당한 표정으로 웃으며 내게 말했다.

"아까는 그렇게 도망가더니. 유린이 앞에 있으니까 얌전해지는 건가."

"갑자기 웬 고양이예요?"

"선물이야."

그가 고양이를 안은 자세를 살짝 고친 다음 내게 다가와 조심스럽게 고양이를 내밀었다.

"선물이요?"

나는 얼떨떨한 표정으로 고양이를 받아들었다. 작고 예쁜 고양이가 커다란 눈망울을 한 채로 나를 빤히 바라보고 있었다.

"그래. 생일 선물."

레이놀즈가 고개를 끄덕이며 덧붙였다.

"요즘 좀 우울해 하는 것 같아서."

"아……."

"고양이가 심리 안정에 도움이 된다고 하더라고."

그가 빙긋 미소 짓는 얼굴로 내게 다가와 물었다.

"혹시나 해서 데려와 봤는데, 어때? 마음에 들어?"

"네. 너무 귀여워요."

나는 배시시 웃으며 품에 안긴 따뜻한 고양이를 바라보았다. 고양이는 내 품이 편안한지 졸음이 오는 듯 하품까지 했다. 아, 귀여워…….

내가 어쩔 줄 몰라 하는 눈으로 좋아하자, 레이놀즈가 옆에서 뿌듯하다는 표정을 지어 보였다. 그럴 때만큼은 레이놀즈가 세상 그 무엇보다도 귀엽기는 했지만.

"정말 감사해요. 안 그래도 애완동물 한 마리 키우고 싶었는데."

"그랬어?"

"네. 요즘 살짝 지쳐서. 애완동물이라도 한 마리 키우면 좀 나아질 것 같았어요."

나는 사랑스럽다는 듯 고양이를 쓰다듬으며 덧붙였다.

"고양이를 데려오실 줄은 몰랐지만."

네로를 그렇게 보낸 이후 다시는 고양이를 키우지 않겠다고 다짐했지만, 막상 다시 고양이를 보니 너무 예쁘다는 생각부터 들었다. 검은 고양이가 아니라 그런지는 몰라도 거부감도 적었다.

레이놀즈가 조금 안쓰럽다는 목소리로 말했다.

"키우고 싶으면 말하지 그랬어."

"음…… 아무래도 황궁 안에서 애완동물은 좀."

나는 머쓱한 표정으로 고개를 저었다.

"안 될 거 같아서요. 법도에도 안 맞을 거 같고."

"그런 게 어디 있어."

그가 말도 안 된다는 듯 고개를 저었다.

"유린이 키우고 싶으면 키우는 거야. 그게 내 법도고."

"너무 폭군 같은 말씀이신데요, 그건."

"상관없어."

그가 나를 부드럽게 감싸 안으며 이마 위에 키스했다.

"나한테는 유린이 가장 소중하니까. 유린이 내 법이고 진리야."

"그런 말씀 참 듣기 좋네요."

내가 태어났다는 날 듣기에 정말 선물 같은 말이었다. 나는 기쁜 표정을 숨기지 못하고 품에 안은 고양이의 머리 위에 입을 맞추었다. 그 모습을 본 레이놀즈가 황당하다는 목소리로 물었다.

"예쁜 말 한 건 난데, 왜 고양이한테 뽀뽀를 해?"

"아……."

생각해 보니 그렇네. 나는 머쓱하게 웃어 버렸다.

"그렇네요. 미안해요."

"말로만?"

그가 여전히 토라진 목소리로 내게 물었고, 나는 낮게 웃었다. 하여간 그냥 넘어가지를 않아. 나는 가만히 그를 바라보다가, 이내 한 발자국 레이놀즈에게로 걸어갔다. 그가 나를 지그시 바라보고 있는 모습이 눈에 들어왔다.

"고마워요."

그게 오늘 내가 이 남자에게 가장 하고 싶은 말이었다. 그가 새삼스럽다는 듯 물었다.

"갑자기?"

"갑자기는 아니고, 늘 말해주고 싶었어요. 늘 나한테 잘해주는 거 알고, 나만 생각해 주는 것도 아니까."

"난 지금도 부족하다고 생각하는데."

"그런 생각 해주는 것까지도 전부 고마워요."

나는 씩 웃으며 천천히 무릎을 굽혔다. 고양이는 재빨리 내 품에서 내려가더니 침대 밑으로 기어 들어갔다. 레이놀즈가 고양이를 보내주는 내 행동을 이상하게 여기고 물었다.

"고양이는 왜……."

그리고 그의 말이 다 끝나기도 전에, 나는 발꿈치를 들어 올려 그의 입술에 키스했다. 레이놀즈는 잠깐 당황한 듯하다가, 이내 아무렇지 않게 나를 꼭 끌어안아 주었다. 이래서 고양이를 내려 보냈냐는 듯한 미소를 지으면서, 그가 부드럽게 내 등을 어루만져 주었다.

살살 쓰다듬는 감각이 부드러우면서도 아슬아슬하게 다가온다. 나는 그의 어깨에 손을 얹은 다음 천천히 침대 쪽으로 발을 옮겼다. 고양이는 위태롭게 움직이는 두 사람을 피해 일찌감치 다른 곳으로 가 버린 지 오래였다.

"하…… 오늘 한 번도 연회장에 안 가셨으면서."

여기 계속 있어도 되느냐는 물음이었다. 레이놀즈는 아무렴 어떠냐는 듯 고개를 끄덕이며 입술과 턱 끝, 목 옆에 자잘하게 입을 맞추었다. 간지럽고 짜릿한 감각이 전신을 휘감으며 나를 쓰러뜨렸다. 나는 마침내 침대 위로 몸을 떨어뜨렸고, 여전히 우리는 계속 붙어 있었다.

레이놀즈가 천천히 내가 입고 있던 드레스를 벗기기 시작했다. 하지만 워낙 풍성한 드레스라 벗기기가 쉽지 않았다. 결국 보다 못한 내가 직접 손을 움직였다. 그러기를 몇 번, 그제야 벗기는 법을 터득한 레이놀즈도 손을 거들었다.

"하……!"

마침내 그 치렁치렁한 드레스가 내 가슴께에서 아슬아슬하게 남았을 때, 나는 이제 어려운 일은 다 끝났다는 마음으로 그를 끌어안고 다시 입 맞추기 시작했다. 레이놀즈 역시 서두를 것 없다는 듯 내 움직임에 호응했다. 우리는 꽤 오랫동안 본 게임으로 들어가지 않은 채 서로의 입술만 물고 또 물었다.

❧ ❧ ❧

"고양이가 우리를 이상하게 봤으면 어쩌지?"

새벽녘이 되었을 때 레이놀즈가 진지하게 물어왔다. 파하, 내 입에서 헛웃음이 터져 나왔다.

"이제 와서 그런 게 걱정이 되는 거예요?"

"아니. 지금 갑자기 그런 생각이 들어서."

"별걸 다 걱정해."

나는 쓸데없는 걱정이라는 듯 고개를 절레절레 저었다.

"어쨌든 이미 늦었어요. 봤어도 하는 수 없어."

"맞아. 우린 신혼이니까 이해해 줄 거야."

"폐하께 '신혼'의 기준은 언제까지인데요?"

"음⋯⋯."

레이놀즈는 잠시 고민하다 입을 열었다.

"신혼이라는 게 두 사람이 결혼하고부터 얼마 동안 달콤함을 유지하는 건지를 의미한다면, 난 그냥 '평생'이라고 답할래."

"그 말은 평생 나한테 잘 할 거라는 것처럼 들려요."

"그렇게 할 건데?"

레이놀즈가 당연하다는 목소리로 말했다.

"결혼했잖아. 나는 유린에게 평생 동안 잘해주려고 결혼한 거야."

"진짜요?"

"그래. 결혼 서약한 거 잊었어?"

그는 이제 기억조차 가물가물한 결혼 서약 내용을 꺼내 읊기 시작했다.

"신랑은 그 어떤 고난과 역경이 닥쳐도 아내만을 사랑하고, 평생 지키며 함께할 것을 맹세하겠습니다."

"⋯⋯."

"그러니까 평생 동안 지켜봐줘. 내가 서약을 잘 지키는지, 안 지키는지."

"일단 지금까지는 합격이에요."

내가 만족스럽게 웃으며 그의 가슴 위에 자잘하게 키스했다.

"그리고 내가 보기에 폐하는 앞으로도 계속 합격일 것 같애."

"그렇게 되도록 노력해야지. 초심 잃지 않고."

그가 씩 웃으며 내 왼쪽 볼 위에 키스했다.

"그보다 저 고양이, 이름을 어떻게 지을까?"

"이름이요?"

"계속 '야옹아, 야옹아' 할 수는 없잖아."

그건 그랬다. 나는 고민하다가 레이놀즈에게 물었다.

"특별히 생각해 둔 이름 같은 거 없어요?"

"그런 거 없이 그냥 데려왔는데."

레이놀즈가 고개를 저으며 부연했다.

"우리 결혼한 날에 태어난 아이로 가져다 달라고 했거든."

"결혼기념일에 맞춰서 고양이 생일 파티라도 해주시게요?"

"뭐 그런 것도 있고."

레이놀즈가 고개를 끄덕이며 덧붙였다.

"좀 뜻 깊을 것 같기도 했고. 괜찮지 않아?"

"의미는 좋네요."

나는 미소와 함께 고개를 끄덕였다.

"그런데 좀 의외였어요. 전 만약 고양이를 데려온다면, 검은색 고양이를 데려오실 줄 알았거든요."

왜냐하면 검은 고양이는 레이놀즈의 분신 같은 느낌이었으니까. 무엇보다 내가 이전 세계에 있을 때부터 그를 소중하게 여기도록 만들어 준 존재였기 때문이었다.

"검은 고양이는 여기, 나 하나로도 충분해. 아닌가?"

맙소사. 나는 안 믿긴다는 목소리로 물었다.

"정말 그런 이유 때문이었어요?"

"왜? 검은 고양이가 더 좋은가?"

"아뇨."

나는 배시시 웃으며 레이놀즈를 품 안 가득 끌어안고 속삭였다.

"생각해 보니 여기 하나 있어서, 더는 필요 없을 것 같아요."

그리고 그 순간, 나는 문득 어디선가 들었던 이야기를 떠올렸다.

"아, 참. 어디서 들었는데요."

"응?"

"동물한테는 음식 이름을 붙여줘야 잘 산다고 하더라고요."

"그래?"

내 말을 들은 레이놀즈의 미간이 좁혀졌다. 생각을 하는 듯했다.

"음식이라……. 쟤가 무슨 음식을 닮았을까?"

"음…… 털색이 브라운 계통이니까."

나는 계속 머리를 굴리다 꽤 괜찮은 것 같은 이름 하나를 떠올려 냈다.

"라떼 어때요, 라떼?"

"라떼?"

"네. 멀리서 보면 색 때문에 커피처럼 보이지 않아요? 털도 라떼처럼 보드라우니까 어울릴 것 같은데."

"난 자세히는 모르겠지만, 그럼 그걸로 하지."

"폐하께서도 의견 내 주세요."

"내 의견이 곧 유린 의견이고."

그가 두 말 하면 입 아프다는 듯 조곤조곤 말했다.

"유린 의견이 세상에서 제일 중요해."

"맙소사."

"그리고 정말 예쁜 이름인걸. 라떼. 그걸로 해."

"좋아요."

그렇게 해서 고양이의 이름은 라떼가 되었다.

꙽ꙻ꙽

그리고 몇 달 후, 깊은 밤.

"아……!"

나는 깜짝 놀라는 소리를 내며 자리에서 벌떡 일어났다. 얼마나
놀랐는지 동공은 잔뜩 확장되어 있었고, 입 속에서는 거친 숨소리
가 새어 나왔다.

"유린, 왜 그래?"

내가 지르른 소리를 들은 레이놀즈가 벌떡 자리에서 일어났다.
나는 차분히 숨을 고르며 가슴 위에 손을 얹었다.

그러고 얼마간 얌전히 있자 놀란 기분이 좀 가신 듯했다. 레이놀즈가 걱정스러운 얼굴로 옆에서 내게 물어왔다.

"유린, 괜찮아? 궁의를 부를까?"

"아, 아뇨. 괜찮아요."

나는 고개를 저으며 레이놀즈에게 말했다.

"궁의를 부를 필요는 없어요."

"정말 괜찮은 거야?"

"그럼요. 꿈을 좀 생생하게 꿔서 놀란 것뿐이에요."

"도대체 무슨 꿈이었는데?"

레이놀즈는 끝까지 걱정하는 기색을 내려놓지 않고 물었다. 나는 차분하게 내가 꾸었던 꿈 이야기를 하기 시작했다.

"산 속에서 아주 어린 새끼 고양이를 주웠어요. 어미를 잃어버린 것 같아서 불쌍해서 바구니에 넣어서 황궁까지 데리고 왔는데……."

"왔는데?"

"글쎄 바구니를 들춰 보니 개가 거대한 호랑이가 되어 있지 뭐예요? 엄청 놀랐죠. 분명 안에 넣을 때까지만 해도 아주 작은 아기 고양이였거든요."

"호랑이라니, 맙소사. 유린이 요즘 너무 일을 많이 해서 그래."

레이놀즈가 심각한 표정으로 내가 꾼 꿈을 진단 내렸다.

"그래서 그런 꿈을 꾸는 거야. 심란해서. 개꿈일 테니 잊어 버려."

"그래야겠어요."

"그리고 이번 주말에는 같이 가까운 온천에 가자."

"온천은 갑자기 왜요?"

"그냥. 요즘 유린이 너무 무리하는 것 같아서."

그가 나를 품에 꼭 안은 채로 낮게 속삭였다.

"보고 있으면 마음이 안 좋아. 내가 유린을 고생시키려고 여기까지 데려온 건 아니거든."

"고생이라고 생각해본 적은 없어요."

"하지만 지금 하고 있는 건 빼도 박도 못하게 고생이야."

레이놀즈가 안쓰러워하는 목소리로 중얼거리며 내 등에 얼굴을 깊게 묻었다.

"주말에 다 잊고 가서 편히 쉬다 오자. 알았지?"

"주말에 귀부인들과 차 모임이 있는데……."

"다음으로 미뤄. 유린의 건강이 우선이니까. 백작부인에게는 내가 말해두지."

"알겠어요."

우리는 그 대화를 끝으로 다시 잠에 빠져들었다.

그리고 그 주의 주말에, 우리는 온천에 가지 못했다.

내가 임신했다는 사실을 알게 되었기 때문이었다.

외전 3

Hello, My Baby

❋

"……어떡하지."

레이놀즈는 지금 두 시간 째 산실 앞에서 서성이고 있었다.

"어떡하지."

"……."

"어떡……."

"폐하, 일단 앉으셔서 진정을……."

"어떻게 진정할 수 있단 말이냐."

레이놀즈가 초조함이 잔뜩 묻어나는 목소리로 애슐리에게 성질을 부렸다.

"지금 두 시간째 진통만 하고 애가 안 나오는데!"

"하지만 폐하, 원래 출산이란 그런 것……."

"이러다 유린이 잘못되기라도 하면, 경이 책임질 텐가?"

극단적인 레이놀즈의 가정에 애슐리는 아연실색한 표정으로 그를 진정시켰다.

"폐하, 일단은 좀 차분해지실 필요가 있습니다."

"차분해질 수가 없어. 지금 산모가 저렇게 고통스러워하는데!"

"그렇다면 신께 기도라도 올리시지요."

애슐리는 시종일관 침착한 태도로 레이놀즈에게 말했다.

"모후께서도 폐하를 출산하실 때 5시간의 진통을 겪으셨다 들었습니다. 아직 진통을 시작하신 지 두 시간밖에 되지 않았으니, 조금만 더 기다려 보시지요."

"……."

"아직 위험하다고 말할 수 있는 상태는 아닙니다, 폐하."

"……하아."

결국 레이놀즈가 긴 숨을 뱉어냈다.

"걱정돼 미치겠군."

"황후 폐하께서는 더더욱 그러시겠지요."

"그러니 내가 안으로 들어가야지!"

"황실의 법도에 어긋납니다, 폐하."

"그놈의 법도, 법도……!"

레이놀즈가 지긋지긋하다는 듯 이를 갈았다. 사실 애슐리도 레이놀즈가 산실에 들어가는 것까지는 막고 싶지 않았으나, 맥켈리드 백작부인이 그것만큼은 안 된다면서 필사적으로 반대했다.

어쨌든 법도는 법도였기 때문에 레이놀즈도 더 이상 고집을 부리기가 어려웠다.

"맥켈리드 백작부인이 나를 말려 죽이려는 게 틀림없어."

만일 백작부인의 의도가 그것이었다면, 그녀의 계획은 완벽히 맞아떨어지고 있었다. 레이놀즈는 정말로 '말라 죽어 가고' 있었기 때문이었다. 문자 그대로 말이다.

1분 1초가 무섭게 그의 초조함은 심각해지고 있었다. 만약 여기서 1시간의 진통 시간이 더 초과된다면 애슐리는 레이놀즈를 말릴 자신이 없어질 거라고 생각했다.

"궁의를 더 불러야 하는 것 아닌가? 지금 안에 있는 궁의들은 너무 적은 것 같은데."

참고로 지금 산실로 불려간 궁의들의 수가 총 다섯이었다. 그리고 사실 아이를 낳을 때 실질적으로 도움을 주는 이들은 산파이지 궁의가 아니었다. 궁의는 말 그대로 산모에게 무슨 의학적인 문제가 터졌을 때를 대비해 대기하고 있는 것이었다.

어쨌든 다섯 명이라면 설령 궁의가 애를 받는대도 충분한 숫자였다. 이 사실을 말해주고 싶었지만, 애슐리는 그냥 참기로 했다. 말해준대도 별로 믿을 것 같지 않아서였다. 차라리 지금은 조용히 입을 다물고 레이놀즈의 걱정과 난리법석을 얌전히 견디는 것이 최선의 방책 같았다.

"아악!"

"유린!"

그때 유리네트의 비명소리가 들려왔고, 레이놀즈는 아연실색한 얼굴로 산모보다 더 크게 소리를 질렀다. 마치 자신이 아이를 낳는 것처럼, 레이놀즈는 심장을 부여잡고 당장에라도 산실 안으로 들어갈 것 같은 자세를 취했다.

"들어가야 해. 들어가야 해!"

"폐하, 진정하십시오!"

"하지만 유린이, 유린이……!"

"폐하!"

그때 안에서 맥켈리드 백작부인이 나왔다. 레이놀즈는 언제 괴로워했냐는 듯 빠르게 정신을 차리고 맥켈리드 백작부인에게로 달려갔다.

"부인, 황후는? 황후는 무사한가?"

하지만 이어지는 대답은 그가 원했던 것과는 거리가 멀었다.

"좀 조용히 해 주십시오!"

"뭐……?"

"너무 시끄러워서 출산에 방해가 되지 않습니까!"

"방해……."

"이래서야 원, 출입을 막은 보람이 전혀 없으니!"

맥켈리드 백작부인은 쌀쌀맞게 대답하고서는 곧바로 다시 산실 안으로 들어가 버렸다. 덩그러니 남겨진 레이놀즈는 멍하니 서 있다가, 이내 정신을 차리고 다시 소리를 질렀다.

"맥켈리드 부인, 그래서 황후는 무사한가? 무사하느냔 말이다!"

"폐하, 진정하십시오!"

"이러다 맥켈리드 백작부인께서 또 나오시겠습니다!"

"황후가 무사하느냐고!"

"다들 뭐 하시는 겁니까. 폐하의 입을 막지 않고!"

애슐리가 시종들에게 소리쳤다.

"어찌 감히 폐하의 입을 막는단 말입니까!"

"그럼 어쩝니까! 이러다 맥켈리드 부인께서 정말로 화내십니다!"

결국 시종들의 목소리까지 더해져 산실 앞은 아수라장이 되었다.

"아아악!"

그 소리를 고스란히 들으면서, 유리네트는 소리를 질렀다.

"저, 저 밖에 좀 조용히 좀 시켜요, 아악! 힘주는 데 집중이 전혀 안 되잖아!!"

"죄송합니다, 폐하. 황제 폐하께서 워낙 황후 폐하의 안위에 민감하신 탓에……."

"내 안위가 그렇게 중요하면 조용히 하라고 해요! 아악!"

유리네트는 목청껏 소리를 지르면서 아랫배에 힘을 주었다. 아, 출산이 이렇게 힘든 건지 누가 알았겠어. 유리네트는 생살이 찢어지는 고통에 신음하며 계속 소리를 질렀다.

"아아악!"

과연 애가 나오기는 하는 건지. 아래쪽에서는 '조금만 더!', '조금만 더!'라는 소리가 나올 뿐, '나왔다!'는 이야기는 전혀 들리지 않았다.

아, 신이시여! 유리네트는 새삼스럽지만 모든 어머니들에게 경의를 표하면서, 아이가 제발 빨리 나오기만을 기도했다. 정말 이대로 한 시간 이상 버틸 수가 없을 것 같았다.

"좀 나와라, 좀! 아악!"

유리네트는 정말로 젖 먹던 힘까지 짜내 힘을 주었다. 그러기를 얼마나 지났을까.

"폐하, 나옵니다! 나옵니다!"

"아아아악!"

"머리가 보입니다! 조금만 더……!"

"꺄으아아아악!"

"으아아아아앙!"

산모의 마지막 비명과 함께 아이가 나왔다. 유리네트는 아래에서 무언가가 쑥 빠져나가는 느낌에 그제야 거친 숨을 몰아쉬며 몸에서 완전히 힘을 뺐다. 탈진이라는 게 이런 거구나 실감하면서, 유리네트는 금방이라도 쓰러질 것 같은 얼굴로 간신히 숨만 쉬었다.

새 생명의 탄생과 함께 제 육신은 완전히 파괴된 것 같았다.

"폐하, 건강한 황녀 전하십니다."

힘들어 숨만 내쉬고 있는데 옆에서 에이미가 황홀한 목소리로 말해왔다. 그 말을 듣고 유리네트는 그제야 안심할 수 있었다. 건강히 태어나 주었다니. 그것처럼 기쁜 게 또 있을까.

"폐하, 황제 폐하를 모셔 와도 되겠습니까."

그때 옆에서 맥켈리드 백작부인이 달갑지 않은 목소리로 물어왔다.

"들리실지 모르겠지만, 여전히 밖에서 안절부절 못하고 계십니다."

말할 힘도 없어서, 유리네트는 고개만 까딱거렸다.

잠시 후 레이놀즈가 두 눈에 눈물이 그렁그렁 맺힌 채로 산실 안까지 들어왔다.

"유린!"

차마 대답할 힘도 없어 유리네트는 축 늘어진 채로 황제를 맞아들였다. 그 모습을 보고 레이놀즈는 세상이 떠나갈 듯 난리를 피웠다.

"황후께서는 무사하신 건가? 어디 아픈 곳은 없으시고?"

"방금 아기를 출산하셨는데 당연히 아프시겠지요."

맥켈리드 백작부인이 못마땅하다는 얼굴로 레이놀즈를 째려보았다.

"폐하께서 밖에서 요동을 피우신 탓에 시간이 지연된 것도 있습니다."

유리네트가 느끼기에 그 정도는 아니었지만 – 그러기에는 자신이 내지른 소리가 훨씬 더 컸다 – 레이놀즈는 당연히 그것을 진담으로 받아들이고 자책하기 시작했다.

"나 때문에, 나 때문에 황후가⋯⋯!"

"좀 조용히 하세요, 폐하."

결국 더 들을 수 없었던 유리네트가 빠르게 입을 열었다.

"저 방금 애 낳았습니다. 조용한 분위기에서 쉬고 싶어요."

"그, 그래. 알았어, 유린."

유리네트의 말에 레이놀즈는 정말 벙어리라도 된 것처럼 조용해졌다. 맥켈리드 백작부인은 그 모습을 보고 황당해하면서, 레이놀즈에게 물었다.

"탯줄은 폐하께서 자르시겠습니까?"

"내가, 내가 말인가?"

레이놀즈가 말도 안 된다는 표정으로 맥켈리드 백작부인에게 물었다.

"그래도 되는 건가? 좀 더 전문적인 사람이, 궁의가⋯⋯."

"이 정도는 괜찮습니다. 그리 어렵지 않아요."

탯줄을 자르는 가위를 내밀면서, 맥켈리드 백작부인이 말했다.

"그래도 첫 따님이시니, 직접 잘라 보시지요."

"⋯⋯."

그 말에, 레이놀즈는 그 어느 때보다도 신중한 표정이 되어 가위를 잡았다. 그는 아주 조심스럽게 가위를 탯줄 가까이 가져다 댄 다음, 큰 결심이라도 한 사람처럼 심호흡을 크게 하고서야 탯줄을 자르기 시작했다.

탯줄을 자르면서 나는 소리에 그가 살이 베이기라도 한 사람처럼 아픈 표정을 지었다. 그리고 마침내 탯줄이 다 잘렸을 때, 레이놀즈는 십 년은 늙은 것 같은 모습이 되었다. 그 모습을 본 유리네트가 낮게 웃으며 말했다.

"출산한 건 전데, 폐하께서 더 늙으신 것 같네요."

"밖에서 같이 죽는 줄 알았어."

"들리는 소리로는 그런 것 같더군요."

유리네트가 안 봐도 뻔하다는 듯 고개를 저었다.

"안으로 안 들여보내기를 잘했어요. 제가 아파하는 모습을 실시간으로 보셨다면, 산실이 아주 시끄러워졌을 겁니다. 저와 폐하의 비명 때문에요."

"지금 생각해보면 맥켈리드 백작부인의 판단이 옳았던 것 같기도 해."

레이놀즈가 수긍 간다는 표정으로 고개를 끄덕였고, 유리네트는 다시 한번 피식 웃었다.

"자, 황후 폐하."

그때 맥켈리드 백작부인이 황녀를 조심스럽게 안고 유리네트를 향해 다가왔다. 레이놀즈가 재빨리 옆을 비켜주었다.

"한번 안아 보시지요. 황녀 전하십니다."

"하아……."

유리네트가 감동적인 표정이 되어 조심스럽게 백작부인에게서 딸을 건네받았다. 갓 태어난 아기답게 얼굴은 물론 온몸이 쭈글쭈글했다. 그래도 너무 귀엽고 사랑스러웠다.

이 아기가 자신과 레이놀즈의 피를 반씩 담은 생명체라는 게 믿기지 않으면서 감격스러웠다. 유리네트가 금방이라도 울 것 같은 얼굴로 레이놀즈를 불렀다.

"폐하……."

"그래, 유린. 나 여기 있어."

"이 애가 우리 애기래요."

유리네트가 눈을 찡그리며 울 것 같은 표정을 짓자, 레이놀즈는 눈에 띄게 당황하는 모습을 보였다.

"왜 울려고 해, 유린……."

"너무 좋아서……."

유리네트가 아기를 꼭 끌어안고 속삭였다.

"내가 네 엄마야, 아가……."

"황제 폐하께서도 안아 보시겠습니까."

"나는 나중에. 엄마가 먼저지."

레이놀즈도 지금 당장 딸을 품에 안고 싶은 마음이 간절했지만, 열 달 동안 배 속에 품고 낳아주기까지 한 사람이 먼저여야만 했다.

어차피 지금만 기회인 것도 아니었으니까.

"아이 이름은 뭘로 할까요?"

유리네트가 아이에게서 눈을 떼지 않으며 묻자, 레이놀즈가 좋은 질문이라는 듯 대답했다.

"안 그래도 내가 기다리면서 생각해둔 이름이 있어."

그 난리를 피우면서 애 이름을 지었다니. 새삼 대단하다고 생각하면서 유리네트가 물었다.

"뭔데요?"

"레인로즈."

레이놀즈가 빙긋 웃으며 답했다.

"지금 밖에 비가 내리거든."

이슬비가 내리고 있었다.

"그리고 장미철에 태어났으니까. 레인로즈 황녀. 어때?"

"좋아요."

예쁜 이름이었다. 유리네트가 환하게 웃으며 딸의 이름을 불러주었다.

"레인로즈, 엄마아빠에게 온 걸 환영해."

레인로즈 아델린 라 엘스워드.

엘스워드에 선물처럼 와준 첫 황녀의 이름이었다.

외전 4

Rain and Shine

✳

　결혼 1년 만에 첫 딸 레인로즈를 안았지만, 유리네트와 레이놀즈 부부는 그다음 아이를 꽤 오랫동안 기다려 얻어야만 했다.

　"응애! 응애!"

　"흑…… 수고했어, 유린."

　레이놀즈가 눈물을 뚝뚝 떨어뜨리며 유리네트의 이마 위에 키스했다. 레이놀즈는 두 번째 출산 역시 첫 번째 때와 마찬가지로 침착하지 못한 모습을 보였다.

　그리고 유리네트는 온몸에 힘이 다 빠져 남편이 입을 맞추는지 새가 입을 맞추는지도 모를 지경이었다. 그녀는 완전히 탈진해 숨만 겨우 쉬고 있었다.

　'누가 두 번째 애부터는 쉽다 그랬어.'

　쉽기는 개뿔. 처음이나 두 번째나 힘들기는 매한가지였던 것이다. 생살이 찢어지는 아픔은 여전했고, 오히려 나이가 드니 더 힘들었다. 무려 6년 만의 출산이라 첫 출산 때는 어떻게 했는지 기억조차 나지 않았다.

"경하드립니다, 폐하. 아름다운 황녀 전하십니다."

맥켈리드 백작부인이 기뻐하는 목소리로 유리네트에게 어린 아기를 안겨 주었다. 유리네트는 힘이 다 빠진 와중에도 미소를 지으며 어린 딸을 품에 안았다. 출산의 고통과 마찬가지로 기쁨 역시 처음과 마찬가지였다.

"예뻐라……."

첫째 딸인 레인로즈가 아버지인 레이놀즈를 많이 닮았다면, 둘째 딸은 자신을 좀 더 닮은 듯했다. 물론 지금은 워낙 쭈글쭈글해서 정확히 보이지는 않았지만.

"유린을 많이 닮은 것 같아."

"나도 그렇게 생각해요. 특히 눈매가."

사람 눈은 다 거기서 거긴가 보다.

유리네트가 빙긋 웃으며 둘째 딸의 볼을 손가락 등으로 부드럽게 쓰다듬었다.

"우리 둘째 이름은 뭘로 할까요?"

"음……."

"이번에도 밖에서 생각해 보셨어요?"

유리네트가 작게 웃음소리를 내며 묻자, 레이놀즈가 당연하다는 듯 고개를 끄덕였다.

"샤인로즈 어때?"

"……폐하. 아기 이름 짓기 귀찮으시죠."

"하지만 잘 어울리지 않아?"

레이놀즈는 나름대로 이유가 있다는 투로 항변했다.

"오늘은 햇빛이 정말 쨍쨍하고, 또 지금은 장미가 한창 피는 계절이니까."

……그렇기는 했다. 하지만 레인로즈와 샤인로즈 자매라니. 아이 이름을 대충 지었다는 오명을 들어도 할 말 없는 이름 아닌가. 물론 뜻은 나름 좋지만…….

"그래요, 뭐……. 듣다 보니 괜찮은 거 같기도 하고."

샤인로즈. 샤인로즈…….

입안에서 계속 아기 이름을 곱씹던 유리네트가 결국 고개를 끄덕였다.

"괜찮네요. 샤인로즈 엘스워드 황녀."

"레인로즈도 동생을 보고 싶어 할 텐데."

"안 그래도 지금 방에서 새 황녀 전하를 보고 싶으시다고 난리세요."

에이미가 조심스럽게 물었다.

"황녀 전하를 모셔 와도 될까요?"

"나중에. 지금은 황후 폐하도, 새 황녀 전하도 안정을 찾으셔야 한다."

맥켈리드 백작부인이 엄한 목소리로 에이미를 막았다.

"일단은 몸조리에 힘쓰시지요, 폐하. 황녀 전하는 저희가 잘 돌보 겠습니다."

"나야 백작부인을 믿지. 잘 부탁하네."

"물론입니다. 이제 황제 폐하께서도 이만 나오시지요."

"부인, 조금만 더⋯⋯."

"안 됩니다. 황후 폐하의 건강이 우선입니다."

맥켈리드 백작부인이 엄하게 고개를 가로젓자, 레이놀즈가 어쩔 수 없다는 표정을 지었다. 그는 마지막으로 유리네트에게 키스한 다음에야 아쉬운 발걸음을 뗄 수 있었다. 레이놀즈와 눈짓으로 인 사를 나눈 유리네트가 피곤하다는 목소리로 중얼거렸다.

"정말, 세 번째 때는 이거보다 좀 덜 힘들까."

"똑같이 힘드시지 않을까요. 뭐, 익숙해지기는 하실지 몰라도."

리셀이 어깨를 으쓱이며 대답했다.

"생명을 낳는다는 건 언제나 힘들고 고된 행위잖아요. 전 그래서 폐하가 너무 자랑스러워요."

참고로 리셀은 아직 미혼이었다. 물론 패티도 그렇기는 하지만. 아니스는 3년 전 황후궁의 기사와 결혼을 했고, 에이미 역시 2년 전 중앙궁의 하급 시종과 눈이 맞아 결혼했다.

"그보다 우리 레인이 동생을 좋아할까?"

유리네트가 걱정스러워 하는 목소리로 중얼거렸다.

"보통 동생이 생기면 질투심도 많아지고 그런다던데……."

"폐하께서 두 분 전하께 동등하게 사랑을 주신다면 괜찮을 거예요."

"맞아요. 저도 책에서 봤는데, 두 분 모두에게 동등한 사랑을 보여주신다면 괜찮다고 했던 것 같아요."

"그래. 폐하와 함께 노력해 봐야지."

유리네트가 희미하게 미소 지으며 혼잣말했다.

"우리 딸은 지금 뭐 하고 있으려나."

❧ ❧ ❧

"그래서."

레인로즈가 입을 뚱하게 내민 채 물었다.

"나는 언제 동생을 보러 가?"

아니스가 나긋나긋한 목소리로 어린 황녀를 달랬다.

"방금 황후 폐하께서 출산을 마치셨다고 합니다. 그러니 좀 더 기다리셔야 해요."

"하지만 난 지금 당장 보고 싶은걸."

올해로 여섯 살이 된 레인로즈는 아버지의 검은 머리카락과 어머니의 자줏빛 눈동자를 물려받은 귀엽고 사랑스러운 소녀였다.

그녀는 며칠 전부터 새로 나올 동생을 보는 것을 몹시 고대하고 있었다.

"지금은 황후 폐하께서도 휴식을 취하셔야 한답니다. 물론 새로운 황녀 전하께서도요."

"여동생이래?"

"그렇다네요."

"다행이다!"

레인로즈가 활짝 웃었다.

"여동생이어야만 했어. 남동생이면 같이 놀기가 어렵잖아."

"그래요?"

"여동생이면 함께 인형 놀이도 할 수 있고, 또 같은 방을 쓸 수도 있으니까."

"아무리 성별이 같다고 해도 두 분 전하께서 같은 방을 쓰실 수는 없어요."

"알아. 그게 법도니까."

어린 레인로즈가 풀 죽은 표정으로 입술을 비죽였다.

"어쨌든 동생이 태어나서 기뻐. 좋은 언니가 되어줄 거야!"

레인로즈는 그렇게 다짐했다. 하지만 그 다짐에는 얼마 가지 않아 균열이 생기고 말았다,

♧ ♧ ♧

"황녀 전하 드십니다."

"레인!"

산모실로 들어서는 레인로즈를 유리네트가 밝은 미소로 맞아주었다. 씩씩하게 안으로 들어간 레인로즈가 유리네트에게 달려가 폭 안겼다.

"어마마마!"

"어유, 우리 레인 황녀님. 못 본 새 많이 자란 것 같네?"

"어마마마 못 본 사이에 3cm나 컸어요!"

말도 안 되는 소리였지만 유리네트는 그저 웃어 넘겼다. 그녀가 첫째 딸을 사랑스럽다는 눈으로 바라보며 엉덩이를 토닥여주었다.

"아직 동생을 보지 못했지? 얼굴이 궁금하겠네."

"어마마마를 더 많이 닮았어요, 아바마마를 더 많이 닮았어요?"

"처음에는 좀 긴가민가했는데, 날 좀 더 닮은 거 같아."

"레인이는 아바마마를 더 많이 닮았는데."

"맞아. 그래서 엄마는 레인도 샤인도 둘 다 사랑해."

유리네트가 레인로즈의 이마 위로 가볍게 키스했고, 그러는 사이 패티가 샤인로즈를 데려왔다. 유리네트가 빙긋 웃으며 패티에게서 샤인로즈를 받아 들었다.

"고마워, 패티. 자, 레인. 네 동생이란다. 인사하렴."

"와아……."

레인로즈가 신기하다는 눈으로 어머니의 품에 안긴 샤인로즈를 쳐다보았다. 쭈글쭈글한 모습이 그녀가 생각했던 것과는 조금 달랐다.

"쪼글쪼글해요."

"태어난 지 얼마 안 돼서."

유리네트가 작게 웃었다.

"곧 레인이 아는 아기의 모습처럼 변할 거야. 이젠 너도 언니니까, 동생을 잘 돌봐줘야 한다. 알았지?"

"그럴게요, 어마마마. 그러면 이제 레인이랑 놀……."

"으아아앙!"

그때, 유리네트의 품에 안겨 있던 샤인로즈가 돌연 울음을 터뜨렸다. 샤인로즈의 울음에 당황한 유리네트가 주변의 시녀들에게 물었다.

"황녀가 갑자기 왜 이러지? 배가 고픈 건가?"

"그러신 것 같습니다. 마지막으로 젖을 드신 지 꽤 돼서……."

"이런. 어서 맘마를 줘야겠네."

유리네트가 다정한 목소리로 레인로즈에게 말했다.

"레인, 이만 가보렴. 나중에 다시 보자."

"네? 하지만……."

레인로즈가 이해할 수 없다는 목소리로 물었다.

"어마마마께서 직접 젖을 물리시는 거예요? 유모도 있는데."

"너도 태어나고 3개월 동안은 내가 직접 젖을 물렸단다. 그래야 산모에게도 태어난 아기에게도 좋거든."

유리네트가 빙긋 웃으며 레인로즈에게 말했다.

"엄마랑은 다음에 같이 있자, 레인. 착하지? 대신 오늘은 아바마마와 함께 시간을 보내렴."

"네에……."

레인로즈는 아버지보다는 오랜만에 보는 어머니와 함께 시간을 보내고 싶은 마음이 간절했지만, 이번에만 참아 보기로 했다. 어머니가 아기를 낳은 지 얼마 되지 않았으니까. 그리고 착한 언니가 되기로 했으니까, 이 정도는 동생에게 양보할 수 있었다.

레인로즈가 씩씩하게 고개를 끄덕였다.

※ ※ ※

하지만 그 이후에도 레인로즈는 어머니와 시간을 보내기가 쉽지 않아졌다.

"황녀 전하, 지금 황후 폐하께서 샤인로즈 황녀 전하와 함께 계십니다."

"샤인로즈 황녀 전하께서 황후 폐하의 품이 아니면 쉽게 잠들지를 않으셔서……."

"샤인로즈 황녀 전하께서 황후 폐하의 품 안에서만 울지를 않으십니다."

생각보다 어미의 품을 많이 갈구하는 샤인로즈 때문에 레인로즈가 유리네트를 볼 수 있는 시간은 극히 제한되었다. 그마저도 유리네트가 샤인로즈에게 진을 다 빼앗기는 바람에 레인로즈와 시간을 보낼 때는 극도로 무기력해진 상태였다. 사람이 쏟을 수 있는 힘과 정성에는 한계가 있었고, 자연스럽게 유리네트는 레인로즈에게 소홀해졌다.

"레인, 아버지랑 놀지 않을래?"

"레인은 어마마마랑도 함께 놀고 싶은걸요."

레이놀즈가 유리네트 대신 레인로즈와 많은 시간을 함께하며 그런 상황을 무마하기 위해 노력했지만, 레인로즈는 갓 태어난 여동생이 어머니를 독차지하는 것을 점점 견디기가 어려워졌다. 늘 부모님과 함께였다가, 아버지하고만 시간을 보내야 하는 처지가 마음에 들지 않아진 것이다.

'설마 어마마마는 나보다 샤인이 더 좋으신 걸까? 그래서 샤인하고만 시간을 보내시는 걸까?'

심지어는 이런 생각까지 하게 되었다. 아직 어린아이로서는 지극히 자연스러운 흐름이었다.

"아무래도 어마마마는 더 이상 레인을 사랑하지 않으시나 봐요."

"절대 그런 게 아니야, 레인. 아빠가 장담할 수 있단다. 엄마는 그저, 샤인이 너무 어리니까……."

"아니에요. 어마마마는 이제 레인에게 관심이 없는 것 같아요."

레인로즈가 결연한 얼굴로 선언했다.

"레인이는 가출할 거예요."

처음에 레이놀즈는 그 말을 들었을 때 대수롭지 않게 여겼다. 아무럼 주변에 수많은 눈이 황녀를 지키고 있는데 그게 가능하겠냐는 게 첫 번째 이유였고, 황녀가 그냥 홧김에 하는 말일 거라는 게 두 번째 이유였다.

하지만 레이놀즈는 얼마지 않아 자신이 안일했음을 깨닫고 말았다.

❧ ❧ ❧

"폐하!"

애슐리의 다급한 목소리가 레이놀즈의 집무실에 퍼진 것은, 햇살이 좋던 어느 오후 3시의 일이었다. 레이놀즈는 애슐리의 답지 않은 야단법석에 미간을 좁히며 물었다.

"무슨 일인가, 애슐리 경."

"큰일 났습니다."

애슐리가 사색이 된 얼굴로 레이놀즈에게 보고했다.

"황녀 전하께서 사라지셨다고 합니다."

"황녀가 사라졌다니, 그게 무슨 소린가."

"레인로즈 황녀님께서……."

"뭐?"

"실종되셨습니다."

"황녀를 지키는 눈이 몇인데 사라져!"

레이놀즈가 대노한 목소리로 호통을 쳤고, 애슐리는 그런 레이놀즈의 분노 앞에 몸을 잔뜩 움츠렸다. 그가 면목이 없다는 목소리로 사정을 설명했다.

"황녀 전하께서 낮잠 시간을 노리신 듯합니다."

"황녀가 고의로 가출이라도 했다는 건가?"

"지금 상황에서는 그렇다고밖에는……."

"그게 말이 되나? 도대체 왜 황녀가 고의로 가출을 한단 말이야!"

그때, 격노하던 레이놀즈의 머릿속으로 얼마 전 나누었던 대화 한 자락이 스쳐 지나갔다.

"아무래도 어마마마는 더 이상 레인을 사랑하지 않으시나 봐요."

"절대 그런 게 아니야, 레인. 아빠가 장담할 수 있단다. 엄마는 그저, 샤인이 너무 어리니까……."

"아니에요. 어마마마는 이제 레인에게 관심이 없는 것 같아요."

"레인로즈……."

"레인이는 가출할 거예요."

'설마…… 그때 그 말이 진담이었던 건가?'

레이놀즈의 표정이 급격히 어두워졌다. 그 모습을 본 애슐리가 당황한 목소리로 물었다.

"폐하?"

"당장…… 당장 황녀를 찾아야 한다."

본인의 의지였다면 일이 더 심각해진다. 레이놀즈가 다급한 목소리로 명령을 내렸다.

"궁문을 전부 폐쇄하고 황녀를 찾아! 황녀를 찾기 전까지는 지금 이 순간부터 그 누구도 궁 밖을 나가지 못한다!"

※ ※ ※

"레인!"

"황후 폐하, 진정하세요!"

"레인, 레인!"

유리네트가 사색이 된 얼굴로 레인로즈의 방 안까지 들어왔다.

하지만 방 안에는 오직 유모와 시녀들만 가득할 뿐, 방의 주인은 없었다. 정말로 레인로즈가 실종되었다는 사실을 두 눈으로 확인하자, 순간적으로 극심한 충격이 유리네트를 강타했다.

그녀는 눈앞이 아찔해지는 기분에 몸을 비틀거렸다.

"아……."

"황후 폐하!"

"어서 폐하를 모셔라!"

옆에 있던 시녀들이 깜짝 놀라 유리네트를 부축했다.

그녀는 핏기 하나 없는 얼굴로 중얼거렸다.

"도대체 이게 어떻게 된 일이야……."

"낮잠 시간에 저희 눈을 피해 몰래 나가신 것 같습니다."

"황녀가 그럴 이유가 없잖아."

유리네트가 설마 하는 목소리로 물었다.

"가출이라도 했다는 건가?"

"아직 섣부르게 판단할 일은……."

"다 내 잘못이야."

유리네트가 금방이라도 울음을 쏟을 것 같은 얼굴로 자책했다.

"다 내 잘못이야. 황녀에게 요즘 좀 소홀해서……."

"아닙니다, 폐하. 그런 말씀은……."

"아니야. 내가 황녀에게 조금만 더 신경을 썼어도 이런 일은 없었
을 텐데…… 흑."

유리네트가 결국 눈물을 방울방울 떨어뜨리기 시작했고, 그 모
습을 지켜보는 시녀들은 가시방석에 앉은 듯했다. 사정이 어찌 되
었든 황녀를 제대로 보필하지 못한 것은 자신들의 책임이었기 때
문이었다.

차라리 일을 이 지경까지 만든 자신들을 책망했다면 마음이 덜

불편할 텐데, 그런 것 없이 자책부터 하는 유리네트의 모습을 보자 시녀들은 정말 입이 열 개라도 할 말이 없어지는 기분이었다. 그들은 모두 어쩔 줄 몰라 하는 얼굴로 유리네트에게 용서를 빌었다.

"송구합니다, 황후 폐하. 다 저희들의 불찰입니다."

"그렇습니다. 저희들을 책망하시고, 부디 자책은 하지 마세요."

"저희들이 죽을죄를 지었습니다, 폐하. 저희들을 벌해주세요!"

"일단 황녀를 찾는 것이 우선이야."

유리네트가 파르르 떨리는 목소리로 물었다.

"황녀가 가볼 만한 곳은 없나? 이미 궁 밖을 빠져나간 것은 아니겠지?"

"감히 황녀 전하를 혼자 궁 밖으로 내보낼 간 큰 병사는 없을 겁니다."

그때 뒤쪽에서 들려오는 목소리에 유리네트가 뒤를 돌았다. 맥켈리드 백작부인이 잔뜩 굳은 표정으로 레인로즈의 방 안에 들어서고 있었다. 그녀는 빠르게 유리네트의 앞까지 와 그녀의 손을 붙잡고 일으켰다.

"너무 걱정 마십시오. 이미 황제 폐하께서 병사들을 풀어 황녀 전하의 행방을 찾고 계십니다."

"이미 궁밖으로 나선 거면 어쩌지? 황녀는 한 번도 궁 밖으로 나가본 적이 없는데…… 아아."

"설령 그런 일이 생긴다 해도 온 수도를, 온 엘스워드를 다 뒤져 내 황녀 전하를 찾아낼 겁니다."

맥켈리드 백작부인이 결연한 얼굴로 유리네트를 부축했다.

"그러니 일단은 몸을 추스르시지요, 폐하."

"알겠네."

그제야 유리네트도 조금 이성을 차린 듯 보였다.

그때, 누군가가 또 방 안으로 들어왔다.

"유린!"

"폐하."

레이놀즈였다.

그는 유리네트가 걱정되어 곧바로 그녀부터 찾아왔던 것이었다.

레이놀즈가 걱정이 담뿍 묻은 표정으로 유리네트에게 다가왔다.

"괜찮아?"

"전 괜찮은데 레인이…… 흑."

"괜찮아, 유린. 아무 일도 없을 거야."

레이놀즈가 유리네트를 품에 안고 부드럽게 토닥여 주었다.

"모든 인원을 동원해 레인을 찾고 있어. 그러니 너무 걱정하지마. 알겠지?"

"네, 폐하."

"많이 놀랐겠다."

"당연하죠."

유리네트가 울먹이는 목소리로 대꾸했다.

"얼마나 놀랐는데요. 심장이 사라지는 줄 알았어요."

"나도 그랬어."

레이놀즈가 유리네트를 안은 팔에 힘을 준 다음 낮고 부드럽게 속삭였다.

"하지만 분명 멀쩡한 모습으로 우리 앞에 다시 나타날 거니까, 조금도 걱정하지 않아도 돼. 금방 찾아낼 수 있을 거야."

"……네."

"일단은 황후궁에 가 있어. 출산한 지 1달이 막 지났는데, 무리하면 위험해."

"알겠어요."

유리네트는 고개를 끄덕인 다음 레이놀즈의 말대로 하기로 했다. 어차피 지금 자신이 여기 있어봐야 레인로즈를 찾는 데는 별 도움이 되지 않을 것이다.

무엇보다 그녀는 방금까지도 샤인로즈와 함께 시간을 보내고 있던 탓에 기력이 많이 쇠해진 상태였다.

"혹시 무슨 일이 생기면 꼭 내게 말해줘야 해요. 나 걱정한다고 말 안 해주면 안 돼요, 폐하. 아셨죠?"

"그럼. 당연하지, 유린."

레이놀즈가 유리네트의 이마 위에 부드럽게 입을 맞추며 그녀를 안심시켰다.

"너무 걱정하지 말고 샤인과 함께 쉬고 있어. 안 그래도 요즘 무리하고 있잖아."

유리네트가 말없이 고개를 끄덕였고, 레이놀즈는 그녀가 황후궁으로 돌아간 다음에야 안도의 한숨을 내쉬었다. 레인로즈가 사라졌다는 소식을 들었을 때 그가 가장 걱정한 사람은 유리네트였다. 출산 후 몸이 약해진 그녀가 혹시라도 이 소식을 듣고 혼절하기라도 할까 봐 얼마나 마음을 졸였던지!

"황후에게는 일체의 부정적인 말도 하지 말아야 할 것이다. 알겠나?"

"네, 폐하. 알겠습니다."

"그리고 최대한 빨리 레인로즈를 찾아."

레이놀즈가 이를 부득 간 다음 낮게 읊조렸다.

"오늘 일에 대한 책임은 그 이후에 물을 것이다."

그 무시무시한 말에도 시녀들은 수긍했다. 어쨌든 오늘의 일은 백 번 그녀들의 잘못이었다.

❧ ❧ ❧

"폐하!"

애슐리의 다급한 목소리가 다시 울려 퍼진 것은 그로부터 2시간이 지난 뒤였다. 황제 부부와 레인궁의 시녀들은 그 2시간을 오롯이 심장이 타들어가는 기분으로 보냈다.

레이놀즈가 빠르게 애슐리에게 물었다.

"찾았나?"

"찾았습니다."

얼마나 전속력으로 달린 것인지 애슐리의 얼굴은 시뻘게진 상태였다. 그는 예의에 어긋나지 않도록 최대한 빨리 호흡을 정돈하려 했지만, 워낙 빨리 달려온 탓에 쉽지 않았다.

"어디에 있었지?"

"황후궁 후원 구석에서 주무시고 계신 것을 시녀 하나가 발견했다고 합니다."

"……하."

레이놀즈는 그제야 부여잡고 있던 심장에서 손을 놓았다. 그런 뒤 아직 물어볼 게 남았다는 듯 서둘러 다시 입을 열었다.

"황녀는 무사한가?"

"털끝 하나 다치신 곳이 없으십니다."

"다행이군."

그제야 그는 완전히 안도한 모습이었다. 애슐리 역시 아까와는 대조적으로 밝아진 모습으로 부연했다.

"지금은 레인궁에서 주무시고 계신다고 합니다."

"이 녀석. 엄마를 그렇게 걱정시켜 놓고……."

레이놀즈가 못 말린다는 표정으로 이마에 손을 짚었다. 그래도 빨리 발견해서 정말 다행이었다. 조금만 더 늦게 발견했다면 궁 안의 모두가 걱정과 긴장감에 쓰러졌을지도 모를 테니까. 특히 자신과 유리네트가 말이다.

"황후는?"

"레인궁으로 가고 계시다고 합니다."

"나도 그곳으로 가야겠군."

그는 재빨리 집무실을 나선 다음 레인로즈의 레인궁으로 향했다. 잠시 후 그가 레인궁에 당도했을 때, 황녀의 방에서 커다란 울음소리가 들려왔다.

"레인, 너 이 엄마가 얼마나 걱정했는지 아니? 흐윽……."

유리네트의 울음 소리였다. 그 소리를 듣자 레이놀즈는 온몸의 피가 싸하게 가라앉는 것을 느꼈다. 그가 살짝 굳어진 표정으로 황녀의 방문을 열라고 지시했다.

"황제 폐하께서 드십니다."

잠시 후 문이 열리자, 침대 위에 앉아 있는 레인로즈와, 그런 그녀를 감싸 안고 있는 유리네트의 모습이 보였다. 그 주위로 레인로즈의 유모들과 시녀들이 안절부절 못하는 모습도.

"폐하."

유리네트가 눈물범벅이 된 얼굴로 뒤를 돌았다. 그 모습을 보자 레이놀즈의 기분은 더더욱 가라앉았다. 하지만 그 옆에 있는 레인로즈를 보았을 때, 레이놀즈의 전신을 가장 먼저 휘감는 감정은 안도감이었다.

"……."

그가 말없이 레인로즈에게로 다가갔다. 레인로즈는 살짝 레이놀즈의 눈치를 보고 있었다. 자신이 잘못했다는 사실을 알고 있었기 때문이었다.

그녀는 본능적으로 혼날 거라고 생각할 거라고 생각했는지 몸을 움츠린 채 레이놀즈의 입이 열리기를 기다리고 있었다.

"레인로즈."

아버지의 호명에 레인로즈는 슬며시 고개를 들어 올렸다. 풀이 죽은 얼굴로 입술을 앙다물고 있는 모습이 안쓰럽게 보였다.

레이놀즈는 그런 딸을 가만히 바라보다가, 이내 무릎을 꿇었다.

"아……."

그리고 말없이 딸을 안아주었다. 갑작스러운 포옹에 레인로즈는 영문을 모를 표정을 짓더니 어느 순간 울음을 터뜨렸다.

"우아아앙!"

혼날 줄 알았는데, 오히려 따뜻하게 안아주는 아버지의 모습에 갑자기 안심이 된 듯했다. 레이놀즈는 한참 동안 말없이 토닥여주며 서럽게 우는 레인로즈를 달래주었다.

"내가 없어지면 어마마마마가…… 날 좀 더 생각해줄 줄 알았어요."

레인로즈는 멋대로 레인궁을 벗어난 이유를 그렇게 말했다.

아이의 마음을 듣게 된 유리네트는 충격을 받았다.

"그게 무슨 소리니, 레인."

"어마마마는 요즘 샤인하고만 시간을 보내니까요."

레인로즈가 홀쩍이면서 말을 이었다.

"레인이 없어지면 어마마마가 레인을 찾아다닐 것 아니에요."

"……레인."

레인로즈의 고백에 유리네트는 충격을 이기지 못하고 딸을 꼭 끌어안았다. 그간 레인로즈가 동생이 태어난 후 어떤 마음으로 지내왔을지가 절절히 이해되었다. 이런 생각까지 하고 있었을 줄이야!

"미안해요, 어마마마. 레인이 잘못했어요…… 흐엉."

"아니야. 엄마가 미안해. 샤인로즈를 낳고 네게 많이 신경을 못 썼어."

유리네트가 눈물을 주르륵 흘리며 딸의 등을 토닥여 주었다. 일이 이렇게 된 것이 다 자신의 잘못 때문인 것 같았다.

"샤인을 낳고 네가 소외감을 느끼지 않도록 노력해야겠다고 다짐했는데……. 결국 엄마는 그렇게 하지 못했구나."

"어마마마가 이제 나 말고 샤인을 더 사랑할 거라고 생각했어요. 샤인은 나보다 훨씬 더 작고 귀여우니까요……."

"무슨 소리야, 레인."

유리네트는 가슴이 찢어지는 것을 느끼며 파르르 떨리는 목소리로 속삭였다.

"엄마한테는 레인도 샤인도 둘 다 똑같이 소중한 딸들인걸."

"정말요?"

"당연하지."

"그런데 왜 엄마는 요즘 샤인하고만 시간을 보내요?"

레인로즈가 이해할 수 없다는 듯 고개를 저었다.

"나도 소중하다면서요. 그럼 나하고도 시간을 보내야죠."

"음……."

유리네트가 난감한 표정으로 입술을 달싹였다.

"엄마가 요즘 샤인하고만 시간을 보냈던 건……."

그녀는 어떻게 해야 작금의 상황을 가장 이해하기 쉽게 설명할 수 있는지를 고민하다 대답했다.

"샤인이 얼마나 무섭겠어."

"네?"

"계속 엄마 배 속에서만 갇혀 있다가 처음으로 낯선 세상에 나온 거야. 원래 있던 곳이 아니라 아주 새로운 세상에 떨어진 거지. 거기에 주변에는 낯선 사람들이 한가득이야. 그럼 무서울까, 안 무서울까?"

"무서울 거 같아요."

"맞아. 그래서 샤인은 엄마만 찾는 거야. 배 속에서 가장 많이 목소리를 들었던 사람이 엄마일 테니까."

"그래서 엄마가 샤인하고만 시간을 보내는 거예요?"

"샤인에게 시간이 필요해, 레인. 엄마 외의 다른 사람들도 샤인에게 좋은 사람들이라는 사실을 알게 해줄 시간 말이야."

유리네트가 레인로즈의 등을 부드럽게 쓰다듬어주며 속삭였다.

"너도 아기일 때는 그랬단다. 그렇지만 넌 아주 똑똑해서 금방 적응했어. 그래서 엄마가 아주 수월했단다."

"그러면 샤인이는 언제쯤 우리 세상에 적응할 수 있을까요?"

"엄마도 물어보고 싶은데."

유리네트가 난감하다는 목소리로 답했다.

"너도 알겠지만 샤인은 아직 말을 못해."

"얼른 말을 했으면 좋겠어요."

그 말을 듣고 유리네트는 저도 모르게 웃음소리를 냈다. 말을 배우기를 기대하기 전에 어미 품이 아닌 곳에서 울음을 멈추는 것부터 기대하는 게 먼저 아닐까.

"엄마도 그래."

유리네트가 부드러운 미소와 함께 딸의 뒷머리를 다시 쓰다듬었다.

"그래야 우리 레인하고 예전처럼 놀 수 있을 텐데 말이야."

"그럼 엄마는 나를 싫어하는 게 아니에요?"

"그렇다니까, 레인. 몇 번을 말해야 믿겠니."

유리네트는 다시 한번 딸을 꼭 끌어안으며 속삭였다.

"넌 내 인생의 별 같은 존재야. 내가 널 어떻게 사랑하지 않을 수 있겠어?"

"……"

"레인은 요즘 못 놀아줬다고 엄마가 싫어졌니?"

"아니에요."

레인로즈가 고개를 도리도리 저으며 부정했다.

"그럴 리가 없잖아요……"

"엄마도 마찬가지야."

유리네트가 레인로즈의 부드러운 오른쪽 볼에 입맞춤하며 속삭였다.

"그러니까 그런 생각은 하지 마, 레인. 레인이 그런 생각을 하고 있다면 엄만 정말 슬플 거야."

"알았어요, 엄마."

레인로즈가 코를 훌쩍이며 고개를 끄덕였다.

"앞으로 그런 생각 안 할게요."

"그리고 이렇게 엄마아빠를 놀래키는 것도."

유리네트의 목소리가 살짝 엄해졌다.

"엄마아빠는 물론이고 황궁의 모두가 다 겁에 질렸단다. 혹여라도 네가 잘못되었을까 봐 말이야."

"……그런 것까지는 생각하지 못했어요."

"알아. 너는 그런 걸 생각하기에는 아직 많이 어리지."

유리네트가 설핏 미소 지으며 이번에는 딸의 왼쪽 뺨에 입을 맞추었다.

"그렇지만 이제는 알았으니까, 그러지 말렴. 응? 서운한 게 있으면 엄마아빠한테 말을 해야 하는 거야. 알았지?"

"그럴게요."

"착하다, 우리 딸."

유리네트가 다정한 목소리로 딸을 칭찬한 다음 뒤돌아 고개를 올렸다. 그리고 여전히 미소를 띤 얼굴로 레이놀즈에게 말했다.

"저녁에는 우리 다 같이 시간을 보내요. 오랜만에."

"당신은 좀 자야 해."

레이놀즈가 걱정스러운 얼굴로 우려를 표했다.

"요 며칠 계속 잠을 깊게 못 잤잖아."

"그건 폐하도 마찬가지시잖아요."

"애도 안 낳은 나랑 비교하면 안 되지."

"괜찮아요, 폐하. 저도 요즘 우리 가족끼리 다 같이 보내는 시간이 없어서 많이 슬펐거든요."

유리네트는 그런 다음 희망적인 소식 하나를 전했다.

"다행히 며칠 전부터는 샤인도 유모의 품에서 어느 정도 적응한 눈치예요."

"그렇다면 다행이지만……."

레이놀즈가 짧게 한숨을 쉰 다음 유리네트에게 말했다.

"조금이라도 피곤하면 말해야 해."

"물론이죠."

미소와 함께 대답한 유리네트가 곧바로 레인로즈를 돌아보며 물었다.

"우리 같이 간식 먹으러 갈까, 레인?"

❧ ❧ ❧

뜻하지 않은 가출 소동으로, 유리네트와 두 부녀는 간만에 함께 시간을 보냈다.

유리네트는 레인로즈가 부모님과 함께 대화하고 놀이를 진행하는 과정을 통해 아까 전보다 정서적으로 한층 안정되었다는 사실을 눈치채고 안심했다. 아까는 애써 감정을 억눌렀지만, 레인로즈가 설마 자신을 사랑하지 않을 거라고까지 생각할 줄은 몰랐기에 꽤 많이 놀란 상태였다. 세 사람은 저녁 식사를 마치고 초저녁까지 함께 시간을 보냈다.

"저, 폐하."

아니스의 목소리가 들려온 것은 9시 즈음이 되어서였다. 유리네트가 고개를 돌려 그녀를 바라보았다.

"실례지만 황녀 전하께서는 이만 주무셔야 할 시간입니다."

"아, 참. 그렇지."

유리네트가 잊고 있었다는 듯 레인로즈를 돌아보았다.

"이만 자야 할 시간이랍니다, 황녀."

"어마마마랑 더 놀면 안 되나요?"

레인로즈가 눈을 글썽이며 유리네트에게 물었다. 그 모습을 보자니 유리네트는 마음이 약해졌다.

"안 돼."

하지만 옆에 있던 레이놀즈가 단호한 대답을 뱉어냈다. 레인로즈가 미간을 좁히며 레이놀즈에게 물었다.

"정말 안 돼요?"

"정말 안 돼요."

레이놀즈가 고개를 저으며 레인로즈에게 말했다.

"어린이는 일찍 자야 키가 크는 법이란다."

"레인이는 이미 커요, 아바마마."

"더 커야지. 이대로 멈추면 어쩌려고."

물론 절대 그럴 일은 없겠지만, 레이놀즈는 짐짓 심각한 척 말했다. 그 말을 듣고 레인로즈도 덩달아 심각해졌다.

"멈출 수도 있어요?"

"당연하지."

"헉, 그러면 안 되는데."

"그러니 얼른 가서 자려무나, 사랑하는 딸아."

"알겠어요."

레인로즈가 벌떡 자리에서 일어서더니 비장한 얼굴로 유리네트에게 굿나잇 인사를 했다.

"어마마마, 내일 또 봬요."

"그래, 레인."

유리네트가 가볍게 딸을 끌어안은 후 양쪽 볼에 차례로 키스했다.

레인로즈는 레이놀즈에게도 그렇게 해준 다음에야 유리네트의 방에서 떠났다.

"휴우."

어쩐지 과업 하나를 완수한 기분이다. 유리네트는 딸이 완전히 자취를 감춘 후에 깊게 숨을 내쉬었다. 레이놀즈가 그런 유리네트를 꼭 안아주었다.

"수고했어, 유린."

"……많이 놀라셨죠, 폐하."

"나보다 유린이 더 놀랐겠지."

그가 조금 가라앉은 목소리로 말했다.

"혹시라도 놀라서 몸에 무리가 간 건 아닌지 걱정이야."

"……저 그렇게까지 약골 아니거든요."

"원래 출산 후에는 모든 걸 다 조심해야 한다고 그랬어."

"나 참. 이젠 괜찮아요. 샤인을 낳은 게 엊그제 일도 아닌걸요."

"그래도, 1년간은 푹 쉬어야 해."

"과해요."

"하나도 안 과해. 첫애도 아니고 두 번째잖아. 푹 쉬어야지."

"걱정해줘서 고마워요."

유리네트가 레이놀즈의 가슴 위에 머리를 기대며 속삭였다.

"오늘은 진짜 10년은 늙은 기분이었어요."

"나도 그래."

레이놀즈가 고개를 절레절레 저으며 중얼거렸다.

"어쨌든 무사히 해결되어 다행이지."

"앞으로 레인에게 더 신경을 써야겠어요. 나름대로 출산 후에 외로워지지 않게 하겠다고 다짐까지 했는데……."

유리네트가 자책하는 목소리로 중얼거렸다.

"난 부족한 엄마인가 봐요. 결국 레인이 그런 생각을 하게 만들었어요. 어쩜…… 내가 자기를 사랑하지 않는다고 생각할 줄이야."

"그런 소리 하지 마."

레이놀즈가 절대 아니라는 듯 미간을 좁혔다. 레이놀즈가 보기에 유리네트는 훌륭한 어머니였다. 그녀가 자신의 어머니의 모습을 보았더라면 저런 말은 못 했을 텐데.

"그런 생각을 했다는 것만으로도 대단한 거야, 유린은."

"……나 위로하려고 그런 소리 해주는 거죠?"

"내가 더 잘할게."

레이놀즈가 유리네트의 어깨 위에 부드럽게 키스했다.

"레인에게도, 당신에게도."

"……지금도 잘하는데."

"부족해. 훨씬 더 잘해야지."

그렇게 말하면서, 레이놀즈는 부드럽게 유리네트를 받쳐 안았다. 갑작스러운 행동에 유리네트가 놀라 커진 눈을 한 채 레이놀즈의 어깨를 꽉 잡았다.

"아……! 갑자기 왜 그래요?"

"일단 오늘은 당신도 좀 푹 자야 하거든."

레이놀즈가 다정한 목소리로 속삭였다.

"많이 놀랐잖아. 요즘 고생하기도 했고."

"그렇다고 여기서 침대까지 날 옮겨주겠다는 건 아니죠?"

참고로 지금 두 사람이 있는 곳에서 침대까지는 꽤 거리가 있었다. 유리네트가 눈썹을 살짝 찡그리며 고개를 갸웃거렸다.

"가능하려나."

그 말이 레이놀즈의 가슴에 불을 지폈다.

"……나 아직 그렇게 안 늙었어, 유린."

"알아요. 그런데 내가 출산 후에 몸이 좀 불었잖아……."

"깃털처럼 가벼운데 무슨 소리야."

제 말의 신빙성을 입증하기 위해, 레이놀즈가 조금의 머뭇거림도 없는 움직임으로 침대까지 다가갔다. 생각보다 가뿐하게 저를 안고 걷는 레이놀즈의 모습에, 유리네트는 꽤 놀란 눈으로 그를 쳐다보았다. 마침내 레이놀즈가 유리네트의 침대 위에 그녀를 내려놓았을 때, 유리네트는 얼떨떨한 얼굴로 레이놀즈를 쳐다보았다.

"대단하시네요, 폐하."

"말했잖아. 깃털처럼 가볍다고."

"그냥 폐하께서 체력이 좋으신 걸 수도 있어요."

"그건 당연히 좋아야지."

그가 입꼬리를 끌어 올리며 말했다.

"그래야 우리 가족들을 앞으로도 든든하게 지켜줄 수 있을 테니까."

"지금도 충분히 든든한걸요."

"앞으로 더 든든한 남편이 될게."

그 다짐과 함께, 레이놀즈가 천천히 몸을 숙여 유리네트의 이마에 키스했다. 유리네트는 빙긋 웃으며 레이놀즈의 손을 천천히 맞잡았다.

"나도, 앞으로 더 멋진 아내가 될게요."

그 가족의 이야기는 앞으로도 아름다운 동화가 될 예정이었다.

〈끝〉

작가 후기

안녕하세요, 무소입니다.

벌써 4번째 종이책의 작가 후기를 쓰게 되었네요. 먼저 이 책이 나오기까지 힘써주신, 독자님들을 포함하여 모든 관계자분들께 깊은 감사 말씀드립니다.《집사님은 폭군 사육 중?!》은 3년 전 여름에 처음 구상을 시작한 글입니다. 저의 실화에서 모티브를 얻었는데요. 저도 유린처럼 비가 많이 내리던 날, 버려진 아기 고양이를 만나게 되어 지금까지 잘 기르고 있는 중입니다. (유린과는 다르게 제 고양이는 암컷이지만요.)

어디선가 들었던, 주인보다 먼저 세상을 뜬 반려동물이 주인이 죽었을 때 천국의 입구에서 마중을 나온다는 이야기와 만나 지금의 '집사중'이 탄생하게 되었습니다.

쓰면서 정말 즐거웠던 글이었습니다. 두 주인공이 꽁냥거리며 달콤한 관계를 이어나가는 모습에 많이 흐뭇해했고요.

무엇보다 발랄한 분위기가 작품 전반에 깔려 있어서 정신적으로 큰 괴로움 없이 잘 마무리 지을 수 있었던 것 같습니다. 원래는 훨씬 무거운 분위기였었는데 수정하길 잘했다는 생각이 드네요.

올해로 글을 쓴 지도 3년 차에 접어들었습니다. 처음 이 일을 시작했을 때 저에게 글은 연애 초기처럼 뜨겁게 불타오르는 사랑이었지만, 지금은 오랜 애인과 같이 익숙하고 안정된 사랑처럼 느껴집니다.

이제까지 그랬듯 앞으로도 글을 쓰면서 힘든 일도, 지치는 일도 있겠지만, 지금까지처럼 열심히, 뚝심 있게 제 글을 쓰겠습니다. 제 글을 읽어주시는 모든 분들께 진심으로 깊이 감사드립니다.

항상 행복하셨으면 좋겠습니다.
다시 인사드릴 때까지 건강하세요.

2020년의 봄,

무소 드림

집사님은 폭군 사육 중?! **3**

초판 1쇄 인쇄 2020년 5월 6일 초판 1쇄 발행 2020년 5월 13일

지은이 무소
펴낸이 연준혁

웹소설본부 본부장 이진영
책임편집 오가진
디자인 하은혜

펴낸곳 (주)위즈덤하우스 출판등록 2000년 5월 23일 제13-1071호
주소 (10402) 경기도 고양시 일산동구 정발산로 43-20 센트럴프라자 6층
전화 031) 936-4000 팩스 031) 903-3891
홈페이지 www.wisdomhouse.co.kr

값 14,000원
ISBN 979-11-90786-30-0 04810
     979-11-90786-27-0 세트

* 인쇄·제작 및 유통상의 파본 도서는 구입하신 서점에서 바꿔드립니다.
* 이 책의 전부 또는 일부 내용을 재사용하려면 (주)위즈덤하우스의 동의를 받아야 합니다.
* 이 도서의 국립중앙도서관 출판예정도서목록(CIP)은 서지정보유통지원시스템 홈페이지
  (http://seoji.nl.go.kr)와 국가자료종합목록 구축시스템(http://kolis-net.nl.go.kr)에서
  이용하실 수 있습니다. (CIP제어번호 : CIP2020017511)